岩波文庫

32-463-7

パサージュ論

（五）

ヴァルター・ベンヤミン著
今村仁司・三島憲一・大貫敦子・
高橋順一・塚原　史・細見和之・
村岡晋一・山本　尤・横張　誠・
與謝野文子・吉村和明 訳

岩波書店

Walter Benjamin

DAS PASSAGEN-WERK

凡例

一 本書は、Walter Benjamin, *Das Passagen-Werk*, Herausgegeben von Rolf Tiedemann, Suhrkamp Verlag, Frankfurt am Main, 1982（*Gesammelten Schriften*, Unter Mitwirkung von Theodor W. Adorno und Gershom Scholem のⅤ・1、Ⅴ・2と同一のテクスト）からの翻訳である。

一 各断片の末尾に使われている断片番号（例［A2, 1］）は、ベンヤミン自身によるものである。ズールカンプ版ではベンヤミン自身の考えやコメントが記されている断片は文字が大きいが、本書ではその断片番号をボールド体にした。

一 ■は、他のテーマもしくは新しいテーマへ移すことを考えてベンヤミン自身がつけたものである。したがって、現実には存在しない項目のことも多い（例■天候■）。

一 〈 〉は、原書の編纂者ロルフ・ティーデマンによる補いである。［ ］および（ ）はベンヤミン自身によるものである。

一 原文がイタリック体の箇所には傍点をつけた。

一　複数の著者や複数の刊行場所を表示する際には、／を使った。
一　翻訳者による注や補いは、〔　〕を使った。

＊本書は、二〇〇三年六月に岩波書店から刊行された『パサージュ論』全五巻（岩波現代文庫）の再録である。再録にあたっては、訳者が各巻二名ずつでドイツ語およびフランス語原文にあたり、訳文の全体を見直し、若干の修正を行った。また各巻にそれぞれ新たに解説を付した。
岩波現代文庫版では、原書に付されていた編者ティーデマンの解説も訳してあるが、今回は煩瑣にわたるのと、本書についてすでにさまざまな著述があるなかで、この解説だけ特記する必要性も認められないので、省略した。

目　次

凡　例

覚え書および資料

『パサージュ論』全巻構成

＊は既刊

パサージュ論　第1巻　＊

概要〔Exposés〕
パリ――19世紀の首都〔ドイツ語草稿〕
パリ――19世紀の首都〔フランス語草稿〕
覚え書および資料
A：パサージュ、流行品店、流行品店店員
B：モード
C：太古のパリ、カタコンベ、取り壊し、パリの没落
D：倦怠、永遠回帰
E：オースマン式都市改造、バリケードの闘い
F：鉄骨建築
G：博覧会、広告、グランヴィル

パサージュ論　第2巻　＊

H：蒐集家
I：室内、痕跡
J：ボードレール

パサージュ論　第3巻　＊

K：夢の街と夢の家、未来の夢、人間学的ニヒリズム、ユング
L：夢の家、博物館（美術館）、噴水のあるホール
M：遊歩者
N：認識論に関して、進歩の理論
O：売春、賭博
P：パリの街路
Q：パノラマ
R：鏡
S：絵画、ユーゲントシュティール、新しさ
T：さまざまな照明

パサージュ論　第4巻　＊

U：サン＝シモン、鉄道
V：陰謀、同業職人組合
W：フーリエ
X：マルクス
Y：写真
Z：人形、からくり
a：社会運動

パサージュ論　第5巻　＊

b：ドーミエ
d：文学史、ユゴー
g：株式市場、経済史
i：複製技術、リトグラフ
k：コミューン
l：セーヌ河、最古のパリ
m：無為
p：人間学的唯物論、宗派の歴史
r：理工科学校
初期の草稿
土星の輪あるいは鉄骨建築
『パサージュ論』に関連する書簡

パサージュ論（五）

覚え書および資料

ABCDEFGHI
JKLMNOPQR
STUVWXYZ
a b d g i
k l m p r

b

ドーミエ

ドーミエの芸術についての逆説的記述。「戯画は、ドーミエにとって一種の哲学的操作になったのだが、その哲学的操作とは、その人物を社会によってつくり上げられた像から引きはがし、彼が本質的にそうである姿、べつの環境にあったならばなっていたかもしれぬ姿として示すことにほかならなかった。ドーミエは、ひとことで言えば、隠された自己を引き出したのだ。」エドゥアール・ドリュモン『英雄と道化』パリ、〈一九〇〇年〉、二九九ページ(「ドーミエ」)　[b1, 1]

ドーミエのブルジョワについて。「骨のようにこわばり、生気を失い、結晶化したこの存在は、こうもり傘に寄りかかって乗合馬車を待っている。そして、そのこうもり傘は、なにかしら絶対的硬直といったような観念を表現している。」エドゥアール・ドリュモン『英雄と道化』パリ、三〇四ページ(「ドーミエ」)　[b1, 2]

「多くの作家は……他人の奇癖や欠陥を嘲ることによって金利生活と名声をわがものとした。モニエの場合は、自分のモデルを探しに遠くまで出掛けたわけではなかった。彼は自分の姿を映す鏡の前に腰を据え、自分が考えたり話したりすることを聞いて、われながらひどく滑稽だと思った。それで、ジョゼフ・プリュドムと称するフランスのブルジョワのあの残酷な化身、驚くべき風刺を考え出したのだ。」アルフォンス・ドーデ『パリの三〇年』九一ページ [b1, 3]

「戯画によって、描写の手法がきわめて豊かになっただけではない。……戯画こそは常に、新しい素材領域を芸術の中に導入するものであった。モニエ、ガヴァルニ、ドーミエによって今世紀の市民社会は、芸術の領野として開拓されたのである。」エードゥアルト・フックス『ヨーロッパ諸民族の戯画』I（第四版）、ミュンヘン、〈一九二一年〉、一六ページ [b1, 4]

「一八三〇年八月七日にルイ・フィリップが……王と……宣言された。同じ年の一一月四日には、フィリポンが創刊した『カリカチュール』誌の第一号が出た。」エードゥアルト・フックス『ヨーロッパ諸民族の戯画』I、ミュンヘン、三二六ページ [b1, 5]

ミシュレは、自分の著作の一つにドーミエの挿絵が載ることを望んでいた。 [b1, 6]

「フィリポンは、自分の描く漫画の梨の形〔ルイ・フィリップの戯画〕よりも、……少しでも人気を博するようにと……新しいタイプを考え出した。つまり、厚顔無恥の金融やくざ「ロベール・マケール」である。」エードゥアルト・フックス『ヨーロッパ諸民族の戯画』I、ミュンヘン、三五四ページ　[b1, 7]

「『カリカチュール』誌の一八三五年八月二七日の最後の号は、……九月法の転載に費やされていたが、……それは……梨の形のなかに収められていた。」エードゥアルト・フックス『ヨーロッパ諸民族の戯画』I、ミュンヘン、三五二ページ　[b1, 8]

トラヴィエスはマイユーの創案者、ガヴァルニはトマ・ヴィルロックの創案者、ドーミエは、ボナパルト派的ルンペンプロレタリアート、ラタポワルの創案者〔それぞれ戯画の登場人物の名前〕。　[b1, 9]

一八五六年一月一日、フィリポンは『お笑い新聞』という名を『おたのしみ新聞』へと変えた。　[b1, 10]

「ある司祭が……、ある村で、娘たちにはダンスに行くな、また農民たちには居酒屋に足を運ぶなと諭しようものなら、早速クーリエの警句〔ポール・ルイ・クーリエの風刺文「ダンスに行くなと言われた村人のための陳情書」（一八二二年）〕が鐘楼に登って警鐘を打ち鳴らし、フランスに異端審問の到来を告げ知らせた。この風刺作家の警句によってフランス中の人々が、件の司祭の説教を聞くはめになった。」アルフレッド・ネットマン『王政復古時代のフランス文学の歴史』I、パリ、一八五八年、四二一ページ　[b1a, 1]

『マイユー〔俗悪で好色なせむしの小人〕とは……一個の模造品にすぎない。ルイ一四世時代に……ある地方色豊かなダンスが一世を風靡したことがあった。子どもたちが顔に老人のような皺を書き入れ、巨大なこぶを体にくっつけて、グロテスクな人物を演ずる。これがマイユー・ド・ブルターニュのダンスと呼ばれたものだった。一八三〇年に国民軍の民兵になるマイユーとは、こうした古い時代のマイユーのひどく育ちの悪い子孫にほかならないのである。」エドゥアール・フルニエ『パリの街路の謎』パリ、一八六〇年、三三五一ページ　[b1a, 2]

ドーミエについて。「彼ぐらい、ブルジョワ、この中世の最後のなごり、かくも頑強な生命をもつゴシックの廃墟、かくも凡庸でかくも奇矯な典型を、〔芸術家流のやり方で〕知りかつ愛した者はいない。」シャルル・ボードレール「ドーミエのデッサン」パリ、〈一九二四年〉、一四ページ　[b1a, 3]

ドーミエについて。「彼の戯画がもつ幅の広さは大変なものだが、そこに怨恨や苦汁は含まれていない。彼の作品全体が、誠実さや人の好さといった資質に支えられている。彼はしばしば、きわめて美しく、きわめて荒々しいある種の風刺的モティーフを扱うことを拒むことがあった、この点にはくれぐれも留意していただきたい。なぜなら、そうしたものは滑稽の限界を超え、人類の良心を傷つける恐れがあるから、と彼は言うのである。」シャルル・ボードレール「ドーミエのデッサン」パリ、〈一九二四年〉、一六ページ　[b1a, 4]

モニエについて。「だがこれらの、容赦がなく、物に動じぬ注釈者たちはなんと多くのものを供給し続けていることか！　シボという……名前をバルザックはモニエから拝借してきたのだし、デロッシュやデコワンといった名前もそうだった。そしてアナトール・フランスはベルジュレ夫人という名前を頂き、フローベールは「ペギュシェ氏」という名前を頂いて、それをほんのちょっとだけ〔ペキュシェに〕変えたのだった。」マリー＝ジャンヌ・デュリ「モニエからバルザックへ」(『ヴァンドルディ』誌、一九三六年三月二〇日号、五ページ)

[b1a, 5]

ガヴロッシュ(『レ・ミゼラブル』に出てくる浮浪児)はいつ登場するのだろうか？ 誰の手になるのだろうか？『レ・ミゼラブル』によるのだろうか？ アベル・ボナールは「自分で収まりをつけることができない事件を引き起こすことしかできない」「怪しげな男」について述べている。「こうした人間の類型《ティプス》は、貴族階級のなかで形成され、徐々に金めっきがはがれながら、社会全体の下方へ移り、最後には、表面の泡に生まれたものが底の泥の上に落ち着くことになった。ガヴロッシュとはどぶ川の侯爵にほかならない。」アベル・ボナール『現在のドラマ』I『穏健派』パリ、〈一九三六年〉、二九四ページ

[b1a, 6]

「ボードレールの言葉によれば、ドーミエは、アキレウス、オデュッセウスやその他の神話上の人物たちに、人が見ていないときには嗅ぎたばこを一服やるような、痩せこけ

た古典劇の俳優の姿を与えている。」S・クラカウアー『ジャック・オッフェンバックと彼の時代のパリ』アムステルダム、一九三七年、二三七ページ　[b2, 1]

フーリエ。「新聞屋たちは彼の作品のなかから、そこに見られる数かぎりない奇妙きてれつな考案物を拾い出してくるだけでは満足できず、それにさらにつけ加える。たとえば、彼が未来社会の人間に付与したとされる、例の端に目のついた尾というしろもの。彼はこの悪意ある考案物に対して、激しく抗議している。」F・アルマン／R・モブラン『フーリエ』I、パリ、一九三七年、五八ページ　[b2, 2]

「異教派」は、キリスト教の精神に反するだけではなく、現代性《モデルネ》のそれにも反している。ボードレールはそのことを、「異教派」と題したエッセイでドーミエを例にとって示している。「ドーミエは『古代史』という注目すべき作品を制作したが、これはいわば「誰がわれわれをギリシア人やローマ人から解放してくれるのか?」という有名な言葉の、最良の敷衍とでもいうべきものであった。ドーミエは猛然と古代と神話体系《ミトロジー》に襲いかかり、そのうえに唾を吐きかけた。血気盛んなアキレウス、慎重居士のオデュッセウス、貞淑なペネロペイア、大ぼけ野郎テレマコス、トロイアを破滅させた麗しのヘレネ、あのヒステリー女たちの守護聖人、熱烈なサッフォー、こういった面々がひとり残らず、ある滑稽な醜さを身にまとってわれわれの前に現われることになったのであり、その醜さは舞台裏で嗅ぎたばこを一服やる古典劇の俳優たちの老いさらばえた骨格を思い出させる体のものであった。」シャルル・ボードレール『ロマン派芸術』(アシェット版、Ⅲ)、パリ、三〇五ページ　[b2, 3]

典型たち。マイユー(トラヴィエス)、ロベール・マケール(ドーミエ)、プリュドム(モニエ)。　[b2, 4]

d

文学史、ユゴー

「教育は「楽な暮らしの始まりであり、楽な暮らしは万人のために確保されたものではないのだから」、教育も万人に手の届くものであるべきではない。ティエールはそのように公言していた。その一方で彼は、〔一八四八年〕六月の事件を引き起こしたのは……無宗教の小学校教師たちの責任であるとし、……すべての初等教育を聖職者の手に委ねる用意があると宣言してもいた。」Ａ・マレ／Ｐ・グリエ『一九世紀』パリ、一九一九年、二五八ページ　[d1, 1]

一八四八年二月二五日。「午後、武装した集団がやってきて、三色旗をやめて赤旗にするよう強く求めた。……激しい議論ののちラマルティーヌは、ある即興的な演説によって集団の意見を変えさせることに成功した。その演説の結論部分はいまでもよく知られている。「この血の色をした旗を、と彼は叫んだのだった、私は死んでも拒絶するだろう。それに諸君は私以上にこの旗がいやなはずだ。というのも、諸君がわれわれのところに持ち込んできた赤旗は、たかだか、〔一七〕九一年と〔一七〕九三年に人民の血のなかを引きずられてシャン・ド・マルスをひとまわりしたにすぎないが、三色旗のほうは

《祖国》の名、栄光、自由とともに世界を経めぐったのだから。」」A・マレ／P・グリエ『一九世紀』パリ、一九一九年、二四五ページ [d1, 2]

「「出発」と題されたすばらしい記事のなかでバルザックはブルボン家の失脚を嘆いている。彼にとってそれは諸芸術の没落、いかさま政商どもの勝利を意味したのだった。そして、王を乗せて進む舟を指差しながら、彼は叫んだ。「あそこにこそ法と論理がある、あの小舟の外は嵐だ。」」J・リュカ＝デュブルトン『アルトワ伯シャルル一〇世』、〈パリ、一九二七年〉、二三三ページ [d1, 3]

「デュマ氏の名を冠したすべての本の題名を知る者などあるだろうか？　彼自身にもわかっているのだろうか？　もし彼が借方と貸方に分けた複式簿記の帳簿をつけていないなら、……自分にとって嫡子であったり、私生児であったり、あるいは名づけ子であったりする幾人もの子どもたちを、きっと忘れてしまっているはずだ。最近数カ月の制作量は三〇冊を下っていないのである。」ポーラン・リメラック「現代の小説とわが国の小説家について」(『両世界評論』一一巻、パリ、一八四五年)(一八四五年三号、九五三―九五四ページ) [d1, 4]

皮肉なこと。「農民一揆を予告し、封建制の復興を要求するというのは、バルザック氏の考えついた巧みなアイディアである！　なんとかならないものかとおっしゃっても致し方ない。これが彼一流の社会主義なのだ。サンド夫人にもまたべつの社会主義がある。シュー氏にしても同じことだ。それぞれの小説家にそれぞれの社会主義があるのだ。」ポーラン・リメラック「現代の小説とわが国の小説家について」(『両世界評論』一一巻、パリ、一八四五年)(一八四五年三号、九五五―九五六ページ)

[d1, 5]

「市民《シトワイヤン》ユゴーは国民議会の演壇でのデビューを果たした。彼は、まったくわれわれが予期したとおりだった。身ぶりよろしく次から次へと文をひねり出し、仰々しく中身のない言葉を重ねる演説家であった。彼は、先日自分が書いたビラで示した陰険で中傷にみちた方向にあくまでこだわりつつ、ぶらぶらしている者や窮乏について語り、暇をもてあます者、怠け者、浮浪者《ラッザローニ》、暴動の先頭に立つ者、ならず者について語った。つまり一言で言って、隠喩的表現を濫発しつつ、ついには国立作業場に対する攻撃に到ったのだ。」『赤い弾丸　人権平和クラブ会報』編集長ペラン、第一年六月二二日―二五日号[一八四八年](雑報)

[d1a, 1]

「詩人は共和国から追放すべきである、としたプラトンの命題の正しさを証明することをラマルティーヌは自分の課題としたかのようである。そして市役所前に集まったデモの群衆のなかから一人の労働者が、演説するラマルティーヌに向かって「お前なんかただの竪琴にすぎない。歌でも歌ってろ」と叫んだという著者本人の素朴な物語を読むと、笑いをおさえることができない。」フリードリヒ・ソルヴァディ『パリ 一八四八—一八五二年』I、ベルリン、一八五二年、三三三ページ [d1a, 2]

シャトーブリアン。「彼は漠たる悲しみ……「世紀病」を流行らせた。」A・マレ/P・グリエ『一九世紀』パリ、一九一九年、一四五ページ [d1a, 3]

「私たちはたしかに願っている。……そしてこの欲望、この悔恨の最初の代弁者となったのが、ほかならぬボードレールだったのだ。彼は、『ロマン派芸術』において二度にわたり、ある同時代の詩人への思いがけない賛辞を述べる。この詩人とは、『労働者の歌』の作者であって、ボードレールの言うところに従えば、「一八四八年以降大変な栄光を勝ち得た」、あのピエール・デュポンその人なのであった。革命の年がこのように明示されるということはここでは非常に重要である。この指示がなければ、詩や芸術と大衆との断絶の張本人ととられても仕方ない一人の詩人が、民衆的な詩や「有用性と不可分の」芸術を擁護したことを理解するのはむずかしいだろう。……一八四八年、それはボードレールの窓の下で街路が本当に湧き立ちはじめるときであり、あらゆるかたちでの人間解放への関心を最高度に体現すると同時に、ただ単にそう憧憬するだけでは、悲しいかな、話にならないほど無力なこともままあるという意識をもけっして欠いていない者にとって、内的なスペクタクルも、壮麗さにおいては、必然的に、外の世界で起こるスペクタクルの後塵を拝さざるをえないときでもある。それはまた芸術家としての、そして人間としての天賦の才が一つに統合されるときでもあって、二月二七日および二八日の『サリュ・ピュブリック』紙〔一八四八年二月二七日創刊の、二号のみ発行された日付のない新聞〕にボードレールが匿名で執筆したということが、そのことを十分に証拠だてているのである。……真正の芸術家たる詩人と、たとえ部分的であるにせよ、自らの解放に向かう熱烈な渇きに突き動かされたある広汎な階級の人間たちとのこのような協調《コミュニオン》は、社会が極度の興奮状態にある時期には、自然発生的に起こる可能性が大いにあるのだし、そのとき詩人について、どのような留保もなされることはない。ランボーの場合、人間の権利の要求は彼を通じて……無制限に展開されてゆく傾向を示すのだが、彼は当初からコミューンに全幅の信頼を置き、そのなかで全面的に生を高揚させる。そしてマヤコフスキーが、長期間にわたって自分のなかで沈黙を強いた後、ついに炸裂させるに至った事柄にしても、もともと個人的感情に端を発したものであるならば、勝利を収めたボルシェヴィキ革命の圧倒的な栄光に向かい続けることはないだろう。」アンドレ・ブルトン「現在における詩の大局的状況」(『ミノトール』誌(Ⅱ)、六号、一九三五年冬、六一ページ)　[d2, 1]

「進歩、それは神の歩みそのものである。」ヴィクトール・ユゴー『一八四八年革命記念日』一八五五年二月二四日、ジャージー島にて、一四ページ　[d2, 2]

「ヴォルテールが一八世紀の人間であったのと同様、ヴィクトール・ユゴーは一九世紀の人間である。」「いまここに一九世紀が、その終焉に先立って幕を閉じようとしている。この世紀を代表する詩人が逝去したのだ。」『アルデッシュ国民共和主義新聞』および『シャラントの灯』におけるユゴーの死亡記事[『世論の前のヴィクトール・ユゴー』パリ、一八八五年、二二九、二三四ページ]　[d2, 3]

「フランスの学校の子どもたちよ、
陽気な進歩の志願兵たちよ、
民衆とその智恵に従おう、
マルサスと彼の〔人口増加〕禁止令など野次り倒そう！
労働が拓かんとする
新たな道を照らそう。
社会主義はふたつの羽をもつ、
学生と労働者である。」

ピエール・デュポン『学生の歌』パリ、一八四九年　[d2a, 1]

一九世紀中葉の反動的文学者を描いたものとして卓越しているのは、A・ミシエルの『一九世紀フランス文芸思潮史』（II、パリ、一八六三年）のなかのサント＝ブーヴの性格描写である。　[d2a, 2]

「私は革命の風を吹き起こさせた。
古い辞書に赤い縁なし帽をかぶせた。

言葉にはもはや元老院議員もない！　平民もない！

私はインク壺の底に嵐を起こしたのだ。」

ヴィクトール・ユゴー〔『静観詩集』〕、ポール・ブールジェ『ジュルナル・デ・デバ』紙の追悼文に引用〔『世論の前のヴィクトール・ユゴー』パリ、一八八五年、九三ページ〕　[d2a, 3]

ヴィクトール・ユゴーについて。「彼は……自分自身の内なる苦痛ではなく……彼を取り巻く人々の受難をうたう詩人となった。恐怖政治の犠牲者たちの嘆きの声が……彼の『詩歌《オード》』の中に入ってきた。それからナポレオンの勝利の鐘の音が、べつの詩歌《オード》の中に響いた。……のちには活動的デモクラシーの悲劇的な絶叫が、彼のなかに入りこんでくることになるだろう。そして『諸世紀の伝説』とは何であろうか、……もしもそれが人間の歴史の広大なざわめきの谺でないとすれば？……彼は、家庭を歌った詩のなかにはありとあらゆる家族の嘆息を、恋愛詩のなかにはありとあらゆる恋人たちの息吹を収めてきたように思える。……こうして……何かしらつねに共同的で一般的な要素をもったもののおかげで、ヴィクトール・ユゴーの詩は、叙事詩的性格を帯びるようになるのだ。」ポール・ブールジェ『ジュルナル・デ・デバ』紙の追悼文〔『世論の前のヴィクトール・ユゴー』パリ、一八八五年、九六―九七ページ〕　[d2a, 4]

注目すべきことであるが、すでに『モーパン嬢』の前書きが芸術のための芸術を準備しているように見える。「ドラマと鉄道を一緒にはできない。」　[d2a, 5]

新聞についてのゴーティエの言葉。「ただ一人シャルル一〇世のみ、この問題を理解していた。新聞の廃止を命ずることで、彼は芸術と文明に多大な貢献をなしたのだ。新聞とは芸術家と公衆、王と民衆のあいだに介入するブローカー、周旋屋のようなものだ。……あれらの絶え間のない吠え声は……人々の精神の中に……非常な不信感を生じさせるので、……王政と詩という、この世でもっとも偉大な二つのものが、成り立たなくなってしまうのである。」A・ミシエル『一九世紀フランス文芸思潮史』Ⅱ、パリ、一八六三年、四四五ページに引用。こうした態度ゆえに、ゴーティエはバルザックの友情を受けることになった。　[d3, 1]

「[批評家たちに対する]憎悪にかられるあまり、テオフィル・ゴーティエ氏は、彼の師ヴィクトール・ユゴーと同じように、文学や芸術に関してさえ、いかなる意味での進歩をも否定する。」アルフレッド・ミシエル『一九世紀フランス文芸思潮史』Ⅱ、パリ、一八六三

年、四四四ページ　[d3, 2]

「蒸気は大砲を駆逐するだろう。二〇〇年後、あるいはそれよりずっと前に、イギリス、フランス、アメリカを出発したいくつもの大軍が……それぞれの将軍に率いられて、古きアジアに分け入ってゆくだろう。彼らはつるはしを武器とし、蒸気機関車を馬の代わりとするだろう。彼らは歌いながら、あれらの未耕作の、利用されていない土地に襲いかかるだろう。……おそらくこのようにして、将来、どんなことにでも当てはまる次のような力学の公理の名において、戦争が、すべての非生産的な国々を相手に行われるだろう。無駄に使われる力があってはならない！　というのがその公理である。」マクシム・デュ・カン『現代の歌』パリ、一八五五年、二〇ページ（「序文」）　[d3, 3]

『人間喜劇』の序文でバルザックは、自分がボシュエとボナルドの側に立っていると宣言し、さらにこう書いている。「私は二つの永遠なる真理の光のもとに書く、すなわち宗教と君主政である。」　[d3, 4]

『パリにおける田舎の偉人』（『幻滅』第二部）の初版の序文で、バルザックは新聞についてこう述べている。「文学が商業的なものに変身するにつれて、そこにどれほどの害悪が襲いかかるか、公衆はわかっていない。……かつて新聞業界は〔本が出ると〕……何部かを要求し……そのうえさらに、〔書評〕記事に金を払えと言ってきたものだが、……記事が出ることを書店が熱望しても、……結局出ぬままに終わることもしばしばだった。……今日ではこの二重課税にさらに、途方もない広告料が加わり、これが本の制作費と同じくらいかかるのだ。……そんなわけで新聞は、現代の作家生活にはきわめて有害といえよう。」ジョルジュ・バトー『デマゴギーの大御所――ヴィクトール・ユゴー』パリ、一九三四年、二二九ページに引用　[d3, 5]

ヴィクトール・ユゴーは一八四八年一一月二五日の下院の論議――六月の弾圧――でカヴェニャックに反対投票をした。　[d3, 6]

「本を読む人間が増えてゆくということは、〔新約聖書で〕パンも増えたのと同じことなのだ。キリストが〔奇跡によって増えるパンという〕この象徴を見出したとき、彼は印刷業とは何かをかいま見たのだ。」ヴィクトール・ユゴー『ウィリアム・シェークスピア』、バトー〈『デマゴギーの大御所――ヴィクトール・ユゴー』パリ、一九三四年〉、一四二ページに引

用　[d3, 7]

マクシム・リスボンヌは『人民の友』紙〔一八八四年から八五年にかけてリスボンヌが発行〕上でヴィクトール・ユゴーの遺言についてコメントしている。その文章の冒頭と末尾は以下のとおりである。「ヴィクトール・ユゴーは六〇〇万フランの財産を残したが、それは次のように分割された。七〇万フランは彼の一族の面々に。二五〇万フランは孫のジャンヌとジョルジュに。……そして一八三〇年以来、共和国のために彼とともに献身した、まだ存命中の革命家たちのためには、日に二〇スーの終身年金！」『世論の前のヴィクトール・ユゴー』パリ、一八八五年、一六七―一六八ページに引用　[d3a, 1]

ヴィクトール・ユゴーは一八四八年一一月二五日の下院の論議でカヴェニャックによる六月蜂起の鎮圧に反対する投票をした。しかし、六月二〇日の国立作業場をめぐる議論では、「君主政には暇人というものがいたが、共和政では怠け者たちが跋扈するだろう」という言葉を吐いている。　[d3a, 2]

一九世紀の教養においては殿様的要素がさらにつけ加わる。これについてはサン＝シモンの次の言葉が特徴的である。「私は学識を得るために自分の金を使った。御馳走やうまい酒をふるまい、先生方にはきわめて熱心に接して、おしげなく財布の紐をゆるめた。そうしたことのおかげで、自分の望みうるあらゆる便宜を手に入れることができたのだ。」マクシム・ルロワ『アンリ・ド・サン＝シモン伯爵の真実の生涯』パリ、一九二五年、二一〇ページに引用　[d3a, 3]

ロマン主義の相貌をめぐっては、まず何といっても〔国立図書館〕版画室Sf三九、第二巻の多色刷りの石版画を考慮すべきである。それは、ロマン主義のアレゴリー的描写を企てたものである。　[d3a, 4]

王政復古期の版画に、ある出版社の店の前の群衆を描いたものがある。ポスターが貼り出してあって、「一八一六年用日記帳《アルバム》」刊行、と書いてある。版画のタイトルは「新しいもの《ヌーヴォー》はつねに美しい《ボー》」とある。〔国立図書館〕版画室　[d3a, 5]

石版画。哀れな画家が、自分の描いた絵に若い紳士がサインするのを悲しそうに見ている。タイトルは「一九世紀の芸術家と芸術愛好家」。説明文「私の署名があるのだから、

図1 「19世紀の芸術家と芸術愛好家」(パリ国立図書館)

図2 「仕事にゆきづまった芸術の人」(パリ国立図書館)

これは私の作品だ」。〔国立図書館〕版画室、〈図1〉 [d3a, 6]

石版画。細長いカンヴァスを二つ抱えて歩いている画家が描かれている。そのカンヴァスの両方ともに、肉屋のいろいろな商品がきれいに飾りつけられ、陳列されているさまが描かれている。タイトルは「諸芸術と貧困」「豚肉屋諸氏に捧ぐ」。説明文「仕事にゆきづまった芸術の人」。〔国立図書館〕版画室、〈図2〉 [d3a, 7]

ジャコ・ド・ミルクールは『アレクサンドル・デュマ小説製造会社』〔パリ、一八四五年〕を刊行する。〔ウジェーヌ・ド・ミルクール、本名シャルル＝ジャン＝バティスト・ジャコはこの中傷的作品でデュマから訴えられ、下獄するが、同じような趣向で一連の有名人の肖像を描いた『同時代人のギャラリー』のシリーズで人気を博する」　[d3a, 8]

大デュマ。「一八四六年九月、大臣サルヴァンディは、デュマに、アルジェリアに行って植民地について本を書く気はないかともちかけた。……デュマは……最低に見積もっても五〇〇万人のフランス人に読まれているから、そのうちの五万か六万の人間に、植民の願望を植えつけるにちがいない、というのである。……サルヴァンディは渡航費用として一万フランという金額を申し出た。アレクサンドル〔・デュマ〕はそれに加えて……国の船を一隻用意するよう求めた。……メリーリャ〔地中海に面した北アフリカの港、スペイン領〕で解放された捕虜たちを乗船させるという任務を帯びていたヴェロース号は、なにゆえカディス〔スペイン、アンダルシアの港〕に赴いたのか……？……議員たちは……この事件に飛びついた。そしてド・カステラーヌ氏が、新聞の連載小説屋ふぜいに……学術的使命を託したことについて、釈明を求めた。わざわざ「この御仁」をその陰に置いて守るためにフランスの船の国籍旗《パヴィヨン》が使われたなんて、屈辱もいいところだ。四万フランが無駄に使われたのであり、恥さらしであることこのうえない、というのだった。」

事件は、デュマが決闘の申し出をし、カステラーヌが断わることによって、デュマの勝利に終わった。J・リュカ＝デュブルトン『アレクサンドル・デュマ父の生涯』パリ、〈一九二八年〉、一四六ページ、一四八―一四九ページ　[d4, 1]

一八四八年のアレクサンドル・デュマ。「彼が行った宣言は……なんとも奇妙なものである。そのうちの一つはパリの労働者に向けてなされたものだが、そこで彼は「みずからの労働者たる資格」を数え上げ、二〇年のあいだに四〇〇の小説と三五の劇を創作し、そのおかげで校正係、印刷工から劇場の道具方、座席案内嬢、さくらの親分にいたるまで、八一六〇人もの人々を食べさせてきたことを、数字を挙げて証明している。」J・リュカ＝デュブルトン『アレクサンドル・デュマ父の生涯』パリ、一六七ページ　[d4, 2]

「一八四〇年世代のボエームは……死んだ、たしかに死んだ。――そもそも実際に存在したことなどあったのだろうか？　はっきり否と言われるのを、耳にしたこともある。――いずれにせよ、当節パリ中を探してみても、一例たりとも見つからぬであろうこと請け合いである。……いくつかの界隈では、いや大多数の界隈ではそうなのだが、ボエームは一度もその天幕を張るに至らなかった。……ボエームが猖獗をきわめるのは、大通り《ブールヴァール》に沿って、モンマルトル街からラ・ペー街までの区域である。……例外はカルチエ・ラタンで、ここにはかつてボエームの司令部が置かれていたのだ。……ボエームはどこから生まれてくるのか？　社会的性格のものなのか、それとも自然のものなのか？……この人種に関して、誰に咎をきせたらよいのか、自然にかそれとも社会にか？　躊躇なく私は答える、自然にだ！……怠け者や見栄っ張りがいるかぎり、ボエームは後を絶たないだろう。」ガブリエル・ギユモ『ボエーム』（「パリのさまざまな相貌」）、パリ、一八六九年、一一ページ、一八―一九ページ、一一一―一一二ページ。同じコレクションのなかに、お針子《グリゼット》について似たようなことが記されている。　[d4, 3]

ボエームの「テーゼ」を歴史的にフォローしてみるのは有益だろう。成功は芸術性の欠如を証明するものとするマクシム・デュ・カンのような態度は、「忘れ去られたもの以外に美しいものはない」といった文章に表現されている態度に、直接由来するものである。この文章はリュリーヌの『パリ一三区』〈パリ、一八五〇年〉の一九〇ページに出ている。〔一八五九年までパリには一二区しかなく、「パリ一三区で結婚」は内縁を意味した〕　[d4, 4]

ラファラーズ・クラブ（悪運者サークル〔仏語訳による〕）。「ここには名の通った者はひとりもいない。ラファラーズのメンバーのひとりが、ついうっかり、政治や文学や芸術において名をなすようなことがあれば、彼はすぐさまクラブから除名されるのだった。」

『パリ＝ボエーム』〔タクシル・ドロール〕パリ、一八五四年、一二―一三ページ　[d4, 5]

ヴィクトール・ユゴーが一八三二年から一八四八年まで住んだヴォージュ広場六番地の家にある彼自身の描いた絵。「闇の口が私に語りかけたドルメン」「オジーヴ」「わが運命」（巨大な波）、「帆船は走り去り、岩は残る」（岩壁の暗い岸辺の風景、前の方にはヨットが一艘）、「われはユゴー《エゴ》」「VH」（アレゴリー的モノグラム）、「レース飾りと亡霊」「亡命者」という題の帆の絵、「フランス」という題の墓石の絵（対をなすものとして彼の手になる口絵が彼の二冊の本にある）、「天使のいる町」「月光に照らされた村」「困憊スレドモ敗北ハセズ」（難破船）、防波堤。地上の天候のいっさいがその周囲に集まっているようなアルトドルフの泉。　[d4a, 1]

「われわれには徒刑によって魂を純化されたならず者たちの小説、ヴォートランやジャン・ヴァルジャンの小説があるけれども、作家たちがこうした情けない人間どもに言及したのは、……なにも彼らに罪人の烙印を押すためではなかった。……しかも『パリの秘密』『ロカンボール』『レ・ミゼラブル』といった風俗を壊乱させる文学が……製造されるのは、悪徳を糧として非合法的に生を営んでいる女が一二万人を数え、そうした女に寄りかかって生きる輩は一〇万人を数える、そんな都会でのことなのである。前科者、馬車凶悪犯、空き巣狙い、馬車荒らし、店荒らし、宝石詐欺、歌うたい、乞食哲学者、馬車の後ろに立つ従僕、御者、たかり、用心棒、ペテン師、強盗がはびこる都会、――無秩序と悪徳のありとあらゆる残骸が打ち上げられ、どんな小さな火花でも、一触即発の下層民に火をつけるのに十分である、そんな都会でのことなのだ。」シャルル・ルアンドル『現代の危険思想』パリ、一八七二年、三五―三七ページ　[d4a, 2]

「国立図書館所蔵のこの新聞のコレクションは不完全だが、それだけでも、バルザックが行おうと試みた企ての大胆さと斬新さを理解するのには、十分である。……『政治新聞のための書評誌』《フィユトン・デ・ジュルノー・ポリティック》が目指していたのは、書店の廃絶以外のなにものでもなかった。そこでは版元と読者のあいだの直売システムが作られるはずであった。……それぞれがそこで利益を得る。版元と作者はもうけが多くなり、読者にとっては本の値段が安くなる。この計略は……うまくゆかなかったが、その理由はおそらく、書店を敵にまわしていたからだろう。」オノレ・ド・バルザック『文芸批評』ルイ・リュメ編、パリ、一九一二年、一〇ページ　[d4a, 3]

バルザックが創刊した三つの短命な雑誌。『政治新聞のための書評誌《フィユトン・デ・ジュルノー・ポリティック》』（一八三〇年）、『クロニック・ド・パリ』（一八三六―三七年）、『ルヴュ・パリジエンヌ』（一八四〇年）。

[d4a, 4]

「思い出はただ未来を予見するためだけに価値をもつ。歴史はそれゆえに科学の一分野をなすのであり、歴史を適用することによって、たえずその有用性が確かめられるのである。」オノレ・ド・バルザック『文芸批評』ルイ・リュメ編、パリ、一九一二年、一一七ページ（「愛書家P－L・ジャコブ『二人の狂人』の書評」）

[d4a, 5]

「金持ちの贅沢を真似るなと貧しい人々に言っても、貧しい階級がより幸せになるわけではない。誘惑に身を任せるなと娘たちに言っても、売春が根絶されるわけではない。それならば、いっそのこと「……パンがないときは、恐れ入りますが、腹を空かせないで頂きたい」と言うほうがましだろう。だが、と人は言うかもしれない、キリスト教的な慈愛があるのは、こうした災禍の埋め合わせをするためなのだと。それに対しては、こう答えよう。キリスト教的な慈愛が埋め合わせてくれるものはほんのわずかだし、予防という点では、それはまったく何の役にも立たない。」オノレ・ド・バルザック『文芸批評』ルイ・リュメ編、パリ、一九一二年、一三二ページ（「『司祭』パリ、一八三〇年への書評」）

[d5, 1]

「一七五〇年には、たとえ『法の精神』でも、一冊の本が三〇〇〇人以上、四〇〇〇人以上にわたることはなかった。……今日では、この一〇年間のうちに、ラマルティーヌの『瞑想詩集』が三万部、ベランジェは六万部の売れ行きを示している。三万部におよぶヴォルテール、モンテスキュー、モリエールで知性の蒙が啓かれたのだ。」オノレ・ド・バルザック『文芸批評』ルイ・リュメ編、パリ、一九一二年、二九ページ（「出版の現状について」、『ユニヴェルセル』紙一八三〇年三月二一―二三日に掲載された『政治新聞のための書評誌《フィユトン・デ・ジュルノー・ポリティック》』の内容見本）

[d5, 2]

ヴィクトール・ユゴーは、膨大な数の彼の祖先が語りかける内面の声に耳を傾ける。「彼は自らのうちに、自分の人気を告げ知らせるものとしての群衆のざわめきを、感嘆の念とともに聞き取っていた。彼が、外の世界の群衆、市場偶像《イドラ・フォリ》、組織立っていない大衆へと向かったのは、それゆえにこそであった。……彼が潮騒のなかに探し求めていたのは、鳴り響く拍手の音だったのだ。」「彼は五〇年ものあいだ、民衆への愛という装いのもとに、混沌への愛を覆い隠してきた。律動的であるという条件さえ満たしていれば、どんな混沌でもよかったのである。」レオン・ドーデ『作家のなかの作品』パリ、一九二二年、四七―四八ページおよび一一ページ [d5, 3]

ヴィクトール・ユゴーに関するヴァックリー〔19世紀仏の文学者オーギュスト・ヴァックリー。ユゴーとその家族の忠実な友だった〕のある発言。「ノートル＝ダムの二つの塔は、彼の名前〔Hugo〕のHのかたちをしていた。」レオン・ドーデ『作家のなかの作品』パリ、一九二二年、八ページに引用 [d5, 4]

ルヌヴィエはヴィクトール・ユゴーの哲学について一冊の本を書いた。 [d5, 5]

「七人の老人」と「小さな老婆たち」はともにユゴーに捧げられており、後者では、ボードレールがプーレ＝マラシに述べているように、ユゴーが詩人の模範となっているのだが、とくにこの両者に関して、ヴィクトール・ユゴーはボードレールに宛てた書簡でこう述べている。「あなたは「芸術」の天空に、なにやら不吉な光をもたらす。あなたは新しい戦慄を創造する。」〔ユゴーのボードレール宛て書簡、一八五九年一〇月六日付〕ルイ・バルトゥー『ボードレールをめぐって』パリ、一九一七年、四二ページ(「ヴィクトール・ユゴーとボードレール」)に引用 [d5, 6]

『ヴァーグナーがフランスで得た最初の友人たち』のなかでマクシム・ルロワが明言するところでは、ボードレールがヴァーグナー崇拝に転向したのには、革命的要素が大きな役割を演じている。実際にヴァーグナーの作品を中心として封建制に反抗する陣営が形成されてきた。彼のオペラにバレエが欠如していることは、オペラ座の常連たちを怒らせた。 [d5, 7]

ボードレールのピエール・デュポン論から。「もう何年も前からわれわれは待ち望んでいたのだ、少しばかりの力強く真実な詩を！　どのような党派に属していようと、どのような偏見にとらわれていようと、この病いに冒された大衆の姿を目の当たりにして心を動かされないことなどありえない。これらの人々は作業場の埃を吸いこみ、綿毛を呑みこみ、鉛白や水銀など、すばらしい出来の製品をつくり出すのに必要なありとあらゆる毒を身に滲みこませる。そして、もっとも慎ましく、もっとも偉大な美徳が、もっとも度し難い悪徳や徒刑場から吐き出されてきた者どものかたわらに住まっている、そんな界隈の奥深くで、蚤や虱にまみれて眠っているのだ。大地が数々の驚異に満ちているのは、まさにこの溜め息をつき、憔悴した大衆のおかげだ。彼らは勢い盛んな真紅の血が血管を流れるのを感じて、太陽や大庭園の木陰に向かって悲しみに満ちた遠い視線を投げかけ、そして救いをもたらすリフレインを声をかぎりに繰り返すことで、十分な慰めと励ましを得る、「お互いに愛し合おうよ！……」と。」――「いつの日か、この労働の「ラ・マルセイエーズ」とも言うべき歌の調べが、フリーメイソンの合言葉のように人々のあいだで口ずさまれるときがやってくるだろう。そうなれば、追放された者も、見捨てられた者も、道に迷った旅人も、熱帯の焼き尽くすような空の下であれ、雪の荒野のなかであれ、この力強いメロディーを耳にして、大気が生まれ故郷の香りで薫るのを感じ〔「おれたちのランプは、朝、／雄鶏のラッパの音で火が点り、／おれたちはみな、不確かな給料欲しさに、／夜明け前から鉄床《かなとこ》へと連れ戻される……」〕、こう言うことができるだろう、「もう何も恐れるものはない、ここはフランスなのだ」と。」『労働者の歌』について。「このすばらしい苦悩と憂愁の叫びを耳にしたとき、私はめくるめく思いがし、また胸を打たれもした。」マクシム・ルロワ『ヴァーグナーがフランスで得た最初の友人たち』パリ、〈一九二五年〉、五一―五三ページ、五一ページに引用　[d5a, 1]

ヴィクトール・ユゴーについて。「彼は投票箱を交霊術の円卓の上に置いた。」エドモン・ジャルー「一九世紀の人間」(『ル・タン』紙、一九三五年八月九日号)　[d5a, 2]

「ウジェーヌ・シューは……シラーと……似たところがあった。それは、犯罪や通俗本的なもの、また白黒をはっきりさせるやり方をとくに好むという点においてだけではなく、倫理的な、また社会的な傾向を持ちがちなところにおいてもそうであった。……バルザックとユゴーは、彼を競争相手と感じていた。」エーゴン・フリーデル『近代の文化史』Ⅲ、ミュンヘン、一九三一年、一四九ページ。外国人には、例えばレルシュタープなどがそうであるが、『パリの秘密』の冒頭の舞台となっているオ・フェーヴ街に行ってみたがる者がいた。　[d5a, 3]

ヴィクトール・ユゴーについて。「この古代人、この他に類を見ぬ天才、他に類を見ぬ異教徒、他に類を見ぬ天賦の才をもった人間は、少なくとも二重の意味での政治的人間に食い荒らされていた。政治における政治的人間が彼を民主主義者にし、文学における政治的人間が彼をロマン主義者にしたのだ。この天才には(さまざまな)才能が腐るほどあった。」シャルル・ペギー『全集 一八七三―一九一四年』「散文篇」パリ、一九一六年、三八三ページ（「伯爵ヴィクトール＝マリー・ユゴー」）　[d6, 1]

ヴィクトール・ユゴーについて。ボードレールは「天才と愚劣の共存を信じていた」。ルイ・バルトゥー『ボードレールをめぐって』一九一六年、四四ページ（「ヴィクトール・ユゴーとボードレール」）。シェークスピア生誕三百年祭（一八六四年四月二三日）のために計画された饗宴の前にも似たような発言があった。彼は「シェークスピアに関するヴィクトール・ユゴーの本」についてこう語っている。「その本は、彼の他の本と同様、美しさと愚かさとに満ちており、心底から彼を敬愛する人々をも、おそらくは悲しませることになるだろう。」（前掲書、五〇ページに引用）そして「聖職者ユゴーはつねに額を下げている、あまりに下げすぎているので、自分の臍以外はなにも見えない」（『火箭』XV）。（前掲書、五七ページに引用）　[d6, 2]

バルザックの『政治新聞のための書評誌《フイユトン・デ・ジュルノー・ポリティック》』の版元は、ある種の本を、書籍販売業者を通さないことによって、定価より安い値段で提供した。この企画に対する外部からの攻撃に対抗してバルザックはこれを自慢し、版元と読者公衆とのあいだに、自分が求めている直接の関係が実現することを期待すると述べている。この新聞の内容見本でバルザックは、一七八九年の革命以来の書籍販売と出版社の歴史を描き、最後に次のような要求を掲げている。「一冊の本が、まさに一個のパンのように作られ、パンのように売られる、そして作者と消費者のあいだには、〔版元を兼ねた〕書店主以外に介入するものがないようにする。こうしたことが、最後に、実現されなければならない。そうすればこれは、あらゆる商売の中でもっとも確実なものになるだろう。……ある書店主が、一つの出版企画のために一万フランほどの出費を強いられるようになれば、危険を伴うような企画、あるいはいい加減に思いついたような企画を立てることはなくなるだろう。そうすれば彼らにも、教育が自分たちの職業にとって必須事項であることが、理解されるだろう。グーテンベルクが何年に聖書を印刷したか知らないような店員には、店の上〔の看板〕に自分の名前を書きこめばそれで書店主になれるなどとは、思いもよるまい。」バルザック『文芸批評』ルイ・リュメ編、パリ、一九一二年、三四―三五ページ　[d6, 3]

ペランが公開したある発行人の手紙によれば、この発行人は、作家の原稿を買い上げる条件として、自分が望む名前をその原稿の著者の名として挙げるのを認めるという約束を、作家に対して取りつけている。「ただし条件がある。……私の金儲けの一助となるような名前の人物に、作者として署名させることである。」ガブリエル・ペラン『美しきパリの醜さ』パリ、一八六一年、九八―九九ページ　［d6, 4］

原稿料。ヴィクトール・ユゴーは『レ・ミゼラブル』の一二年間の版権譲渡を条件に、ラクロワから三〇万フランを受け取った。「ヴィクトール・ユゴーがこれほど大きな金額を手に入れるのは、これが初めてである。ポール・スーデ氏は述べている。「二八年のあいだがむしゃらに働き、三一巻におよぶ作品をものして、……彼が稼いだ金は、たかだか五五万三〇〇〇フランであった。……その稼ぎは、ラマルティーヌにも、あるいはスクリーブや大デュマにも、とうてい及ぶものではなかった。」ラマルティーヌは一八三八年から一八五一年の間に、五〇〇〇万近くの収入を得たが、そのうち六〇〇万フランは『ジロンド党史』によるものだった。」エドモン・ブノワ＝レヴィ『ヴィクトール・ユゴーの『レ・ミゼラブル』』パリ、一九二九年、一〇八ページ。収入と政治的野心との関連。　［d6a, 1］

「ウジェーヌ・シューが……『ロンドンの秘密』にならって……『パリの秘密』執筆の計画を練るとき、彼はどん底の描写によって読者の興味を惹くこと以外は、ほとんど何も考えていない。彼は自分の小説を「幻想的な物語」と規定しはじめる。……彼の将来を決めるのは、ある新聞記事である。『ファランジュ』紙が小説の冒頭について賛辞を述べ、それが作者の目を開かせるのである。「シュー氏は社会に対するこのうえなく辛辣な批判に取りかかったところである。……民衆の恐ろしいほどの苦しみと、社会の非情な無関心を……氏が活写したことを褒め称えよう……。」この記事の筆者は……シューの訪問を受ける。二人は話し合い――こうして、着手されたばかりの小説が、新たな方向に向かってゆくことになる。……ウジェーヌ・シューは成功の確信を得、選挙戦に参加して、当選する……(一八四八年)。……シューの小説のもつ思想的傾向とその射程は強力なもので、アルフレッド・ネットマン氏はそこに、一八四八年の革命の決定的要因の一つを見たほどだった。」エドモン・ブノワ＝レヴィ『ヴィクトール・ユゴーの『レ・ミゼラブル』』パリ、一九二九年、一八―一九ページ

[d6a, 2]

『パリの秘密』の著者としてのシューに捧げられたサン＝シモン主義的な詩。サヴィニヤン・ラポワント「わが露店から」(『底辺の声』パリ、一八四四年、二八三―二九六ページ)

[d6a, 3]

「一八五二年以降、教化的芸術の擁護者は、ずっと少なくなる。もっとも重きをなしていたのは……マクシム・デュ・カンである。」C・L・ド・リーフデ『フランス詩におけるサン＝シモン主義』〈ハーレム、一九二七年〉、一一五ページ [d6a, 4]

「ミシュレとキネ〔歴史家、ミシュレの友人〕の『イエズス会士』は一八四三年の作である。〔ウジェーヌ・シューの〕『さまよえるユダヤ人』は一八四四年に出版される。〕」シャルル・ブラン『一九世紀フランスの社会小説』パリ、一九一〇年、一〇二ページ [d6a, 5]

「『コンスティテュシオネル』紙の定期購読者が三六〇〇人から二万人以上に増え、……ウジェーヌ・シューは一二万八〇七四票を獲得して、代議士に当選した。」シャルル・ブラン『一九世紀フランスの社会小説』パリ、一九一〇年、一〇五ページ [d6a, 6]

ジョルジュ・サンドの小説のために離婚数が増加したが、そのほとんどは女性の側から申し出たものだった。著者のサンドは、女性たちの相談相手として膨大な量の手紙相談を行った。 [d6a, 7]

貧しくとも清く――これが『レ・ミゼラブル』の一つの章のタイトル「泥土だが魂」〔同書第五部第三篇のタイトル〕に対する小市民生活の反響であった。

[d7, 1]

バルザック。「相互教育〔選ばれた生徒が他の生徒を教える制度〕は一〇〇スー硬貨ほどの価値しかない人間を量産する。教育によって均等化された民衆において、個人は消滅する。」シャルル・ブラン『一九世紀フランスの社会小説』パリ、一九一〇年、一二〇ページに引用

[d7, 2]

ミルボー／ナタンソン『孤児施設《ル・フォワイエ》』〔議員の不祥事を風刺したかどで訴追された喜劇〕〔第一幕第四場〕のなかでクールタン男爵〔慈善事業として孤児施設を営み横領した政治家〕は言う。「教育がこれ以上普及するのは望ましいことではない。……なぜなら教育は楽な暮らしの始まりであり、楽な暮らしは万人の手に届くものではないからである。」シャルル・ブラン『一九世紀フランスの社会小説』パリ、一九一〇年、一二五ページに引用。ミルボーはここで、揶揄する意図でティエールの言葉を繰り返しているにすぎない。

[d7, 3]

「バルザックは抒情的長ぜりふ、性格の大胆な単純化、筋の複雑さという点では激越な

ロマン主義者、地域的・社会的環境の描写という点ではすでにリアリスト、俗悪さへの嗜好や科学的だと自負する点では自然主義者。」シャルル・ブラン『一九世紀フランスの社会小説』パリ、一九一〇年、一二九ページ　[d7, 4]

バルザックに対するナポレオンの影響。バルザックにおけるナポレオン的なるもの。「〔バルザックは〕金銭欲、野心あるいは放蕩の面でナポレオン軍が示した激越さ〔を〕、グランデ、ニュシンゲン、フィリップ・ブリドーあるいはサヴァリュス〔といった『人間喜劇』の登場人物たちに移しかえるにとどめる〕。」シャルル・ブラン『一九世紀フランスの社会小説』パリ、一九一〇年、一五一ページ　[d7, 5]

「バルザックは……ジョフロワ・サン＝ティレールやキュヴィエ〔ともに19世紀前半に活躍した仏の博物学者〕を……典拠として持ちだす。」シャルル・ブラン『一九世紀フランスの社会小説』パリ、一九一〇年、一五四ページ　[d7, 6]

ラマルティーヌとナポレオン。「一八三四年に、『詩の運命』のなかで、彼は、この、計算と力の、数字と剣の時代……に対する軽蔑を……語った。それは、エスメナールが航海を歌い、ギユダンが天文学を、リカールが天空を、エーメ・マルタンが物理学と化学を歌う、そんな時代であった。……ラマルティーヌはいみじくも言っている。「数字だけが許され、栄誉を讃えられ、保護され、代価を支払われていた。数字は理屈をこねず、一個の……道具であるにとどまり、……自分は人類の抑圧に使われるのか、それとも解放に使われるのか、などと……訊ねたりしないから、当時の軍の指導者は、数字以外の宣教師を望まなかった。」ジャン・スケルリッチ『詩から見たフランスの世論』ローザンヌ、一九〇一年、六五ページ　[d7, 7]

「ロマン主義は、芸術の自由、ジャンル〔ジェンダー〕の平等、単語同士の友愛を宣言する。それらの単語は同じ資格でフランス語の市民となったのだ。」ジョルジュ・ルナール『文学史の科学的方法』パリ、一九〇〇年、二一九―二二〇ページ。ジャン・スケルリッチ『詩から見たフランスの世論』ローザンヌ、一九〇一年、一九―二〇ページに引用　[d7, 8]

『レ・ミゼラブル』第四部のすばらしい第七篇「隠語」では、せっかくの全体にわたる大胆な認識が、最後の不透明な思想で台無しになっている。それは次のような文章である。「〔一七〕八九年以来、民衆の全体が、純化された個人となって膨れ上がる。権利を手に入れながら、輝きをもたぬ貧乏人などいない。腹ぺこの人間でも、自分のなかにフランスの誠実を感じている。市民の威厳こそが内的な鎧である。自由な者はきまじめである。票を投ずる者は君臨する。」ヴィクトール・ユゴー『全集――小説八』パリ、一八八一年、三〇六ページ(『レ・ミゼラブル』) [d7a, 1]

ネットマンは『レ・ミゼラブル』のなかの余談的部分について記す。「こうした哲学、歴史、社会経済についての諸断章は、すでに凍えて意気沮喪した読者に浴びせられた、冷たい水道水のような印象を与える。これは文学に応用された水治療法なのだ。」アルフレッド・ネットマン『現代の小説』パリ、一八六四年、三六四ページ [d7a, 2]

「シュー氏は『さまよえるユダヤ人』のなかで宗教を冒瀆して……『コンスティテュシオネル』紙の敵対的姿勢に奉仕するだろう。……デュマ氏は『モンソローの貴婦人』のなかで、王政に対する軽蔑をふんだんにまき散らして、同紙の情熱に奉仕するだろう。『王妃マルゴ』では、『プレス』紙を読むどら息子たちの、いかがわしい……絵画的描写への好みに追随するだろう。そして……『モンテ・クリスト伯』では、金を神聖化し、王政復古に非難を浴びせて、『ジュルナル・デ・デバ』紙のまわりに蝟集する官吏たちの一群に取り入ろうとするだろう。」アルフレッド・ネットマン『連載小説の批評的研究』Ⅱ、パリ、一八四六年、四〇九ページ　[d7a, 3]

ヴィクトール・ユゴー。自らの詩的本性の規則にしたがって、彼は、すべての思想に、自分自身を神格化する形式を与えざるをえなかった。　[d7a, 4]

ドリュモンの射程距離の長い発言。「一八三〇年派の運動の指導者たちはほとんどみな一様に、高尚で、多作で、壮大さに取りつかれた素質の持ち主だった。ドラクロワのように絵画上で叙事詩を復活させるにせよ、バルザックのように社会全体を描くにせよ、デュマのように「人類」の四〇〇〇年の生活を小説にするにせよ、みながみな……どんな重荷もいやとは言わぬ、たくましい肩を誇示していた。」エドゥアール・ドリュモン『英雄と道化』パリ、〈一九〇〇年〉、一〇七―一〇八ページ（「アレクサンドル・デュマ〔大デュマ〕」）　[d7a, 5]

「この五〇年というもの、と、ある日ドマルケ医師が小デュマに言った。私どもの患者さんたちはみな、枕の下にお父上の小説を置いて、亡くなられるのですよ。」エドゥアール・ドリュモン『英雄と道化』パリ、〈一九〇〇年〉、一〇六ページ(「アレクサンドル・デュマ〔大デュマ〕」)

[d7a, 6]

『農民』のまえがきでバルザックは一八三〇年に、「ナポレオンが、大衆の武装化よりむしろ、自分が不幸になるという可能性を選んだことを、思い出さない」者のことを、非難をこめて述べている。〈Ch・カリップ『バルザック――その社会思想』ランス/パリ、〈一九〇六年〉、九四ページに引用〉

[d7a, 7]

「ブールジェの指摘によれば、バルザックの人物たちが現実のなかに登場してくるようになったのは、……とりわけこの小説家の死後のことであった。彼は言っている。「バルザックは、当代の社会を観察したというよりはむしろ、その時代からある一つの社会をつくり出すことに貢献した。彼の登場人物たちのなかのあれやこれやの人間は、一八三五年よりも一八六〇年のほうが本物らしく見える。」まったくもって至当である。バルザックは第一級の未来の予測者として遇せられてしかるべきであろう。……その直観がひととびで到達した場所に、現実は三〇年後にたどり着いたのだ。」H・クルゾ/R－H・ヴァランシ『人間喜劇のパリ』(「バルザックと彼の贔屓の業者たち」)、パリ、一九二六年、五

ページ　[d8, 1]

ドリュモンは、バルザックの天分が予言的なものであるという見方に立っているのだが、彼はときに事態を逆転させる。「第二帝政期の人々はバルザックの人物たちのごとくあろうとした。」エドゥアール・ドリュモン『青銅の彫像または雪の彫像』パリ、〈一九〇〇年〉、四八ページ（「バルザック」）　[d8, 2]

バルザックは「田舎医者」（同名小説の登場人物）の口を借りて述べている。「私が思うに、プロレタリアとは国家における未成年者のようなものであって、たえず保護監督下に置くことが必要なのだ。」シャルル・カリップ神父『バルザック――その社会思想』ランス／パリ、〈一九〇六年〉、五〇ページに引用　[d8, 3]

バルザックは（ル・プレーと同様に）大土地所有を細分化することに反対であった。「なんということだ、巨大な富のない国では芸術の驚異はありえないということが、なにゆえ理解されないのだろうか！」（シャルル・カリップの引用、前掲書、三六ページ）バルザックはまた、農民や小市民が小金をためこむことの害悪を指摘し、それによって何十億という金が流通から外れることになると計算している。ところが他方で、彼は救済策として、一人一人が節約して土地所有者になるように頑張るべきだという提案をすることしかできない。要するに彼は矛盾している。

[d8, 4]

ジョルジュ・サンドは一八四〇年にアグリコル・ペルディギエ(『同業職人組合の書』の著者)と知り合った。彼女は言っている。「私はこの主題の道徳的重要性に心を打たれ、心からの進歩的思想をもって、『全国修業中の職人』という小説を書いた。」シャルル・ブノワ「一八四八年の人」II(『両世界評論』一九一四年二月一日、六六五—六六六ページ)に引用

[d8, 5]

大デュマは、『プレス』『コンスティテュシオネル』『ジュルナル・デ・デバ』の連載小説欄を、三つの小説でほとんど同時に占領してしまった。

[d8, 6]

ネットマンは大デュマの文体についてこう記している。「おおむね自然で軽快と言えるが、力強さに欠けている。というのもその文体が表現している思想がしっかり根づいていないからである。石版画がそれ以外の版画とは異なっているように、それは大作家の

文体とは異なっている。」アルフレッド・ネットマン『七月王政下におけるフランス文学の歴史』II、パリ、一八五九年、三〇六—三〇七ページ [d8, 7]

ジョルジュ・サンドと比べられたシュー。「これもまた社会状態に対する一つの抗議だが、こちらは、社会でもっとも多数を占める諸階級の情熱と利益を旗印として行われた……共同的な抗議なのである。」アルフレッド・ネットマン『七月王政下におけるフランス文学の歴史』II、パリ、一八五九年、三二二ページ [d8a, 1]

七月王政を内部から掘り崩すようなシューの小説が、この七月王政に忠実であった『ジュルナル・デ・デバ』紙および『コンスティテュシオネル』紙に掲載されていたことを、ネットマンは指摘している。 [d8a, 2]

マルティール〔殉教者〕街の酒場の常連。デルヴォー、ミュルジェール、デュポン、〔プーレ＝〕マラシ、ボードレール、ギース。 [d8a, 3]

ジュール・ベルトーによれば、当時の社会の典型的人物たちが形づくっている環境のなかで、さまざまな重要人物たちが活動するさまを描いているところにこそ、バルザックの重要性がある。つまり、性格研究に風俗研究を徹底的に組みこんだということだ。この風俗研究については、次のように言われている。「数かぎりなくある生理学ものに目を通すだけで、……こうした文学的流行がどれほどのものだったかを理解するのに十分である。「小学生」をはじめとして、「乳を与えない保母」、「巡査」、「劇場再入場券《コントルマルク》ダフ屋」から「両替商」にいたるまで、それは、際限もなく続いてゆく短い人物描写の数々であった。……バルザックはこのジャンルに通暁しており、これを深化させた。とすれば、社会全体を一枚のタブローに仕立て上げながら、なおもこのジャンルのことが彼の念頭にあったとしても、何の不思議もない。」ジュール・ベルトー『バルザックの『ゴリオ爺さん』』アミアン、一九二八年、一一七―一一八ページ　[d8a, 4]

「「ヴィクトール・ユゴーは、反動勢力の票のおかげで当選した。……彼はつねに右派と同じ票を投じた」とウジェーヌ・スピュレールは言っている。……国立作業場に関しても、一八四八年六月二〇日、彼はそれが二重の誤りであると述べる。つまり政治的見地からしても、また財政的見地からしても誤りと見なされると言うのである。……立法議会では彼は、逆に左派に方向転換し、そのもっとも攻撃的な……演説家の一人となる。

これは思想的進化によるものだろうか、……それともルイ・ナポレオンに対して、自尊心を傷つけられて個人的恨みを抱いたことによるのだろうか？　彼はルイ・ナポレオンのもとで文相となることを望み、それを当てにしていたとすら言われているのだ。」E・メイエール『演壇におけるヴィクトール・ユゴー』シャンベリー、一九二七年、二ページ、五ページ、七ページ（ウジェーヌ・スピュレール『第二共和政議会史』一一一ページと二六六ページに引用）　　[d8a, 5]

「年間購読料を四〇フランに引き下げた新聞に関して、『ボン・サンス〔良識〕』紙と『プレス』紙のあいだで論争がもち上がり、『ナシオナル』紙がそれに介入した。『プレス』はこれをカレル氏〔『ナシオナル』の編集長〕に対する個人攻撃の格好の機会ととらえ、カレル氏と『プレス』編集長〔ジラルダン〕との決闘が行われた。」――「カレルが負けたことによって、政治的新聞のほうが、産業的な新聞の前に倒れ伏したわけである。」アルフレッド・ネットマン『七月王政下におけるフランス文学の歴史』I、パリ、一八五九年、二一五四ページ　　[d8a, 6]

「共産主義、このデモクラシーの……論理は、道徳的なレヴェルで、大胆に社会を攻撃するが、……そのことが教えているのは、用心深くなった人民のサムソン〔旧約聖書の伝説的怪力の英雄〕が、社会を支える列柱を、饗宴の間で揺さぶるのではなく地下室で土台から崩そうとしているということである。」バルザック『農民』（シャルル・カリップ神父『バルザック──その社会思想』ランス／パリ、〈一九〇六年〉、一〇八ページに引用）　[d9, 1]

紀行文学について。「地理学者、博物学者、考古学者たちの一旅団で軍隊を……強化したのは、フランスが最初だった。エジプトに関する大規模な著作が書かれ、……それまで知られていなかったたぐいの研究が……行われるようになったことが示された。……この偉大な著作を、『ペロポネソスの科学的調査』と『アルジェリアの科学的踏査』が堂々と引き継いでいる。……まじめなものであれ、浅薄なものであれ、……科学的意図にもとづいた旅行者の調査報告は……今日、めざましい流行を見せている。そうした本は小説とともに、どの貸本屋《キャビネ・ド・レクチュール》にも備えられた蔵書となり、平均して一年に八〇冊、すなわち一五年で一二〇〇冊にもおよぶ点数が出版されているのである。」これは平均的には、他の自然科学の部門よりも特別に多いわけではない。シャルル・ルアンドル「文学統計──過去一五年間におけるフランスの知的生産について」（『両世界評論』一八四七年一一月一日、四二五─四二六ページ）　[d9, 2]

一八三五年以降、年間の小説生産点数の平均は二一〇点で、ヴォードヴィル（軽喜劇）の生産量とほぼ同じくらいである。[d9, 3]

紀行文学。これは流刑に関する下院の議論（一八四九年四月四日）で予想もしなかった評価を受けることになった。「ファルコネが最初にこの計画に反対の態度を表明し、マルキーズ諸島の衛生状態について論じた。……報告者は、旅行記を読み上げながらそれに反駁を加えたのだが、その旅行記によれば、マルキーズ諸島はまるで……楽園そのものであった。……そのために……彼に対して次のような厳しい反駁が行われることになる。「かくも深刻な問題について、田園詩や牧歌をものするなど、笑止である。」」E・メイエール『演壇のヴィクトール・ユゴー』シャンベリー、一九二七年、六〇ページ [d9, 4]

『人間喜劇』の着想をバルザックが得たのは一八三三年（『田舎医者』の出た年）であった。決定的なのは、ジョフロワ・サン＝ティレールの類型論の影響である。文学的には、スコットやクーパーの小説世界の影響が加わる。[d9, 5]

一八五一年が発行二年目である「『改革者年鑑』においては……《政府》は一つの必要悪とされており、そこでは、共産主義的な教義の開陳が、マルティアリスやホラティウスの韻文訳、天文学や医学のさまざまな基礎知識や、あらゆる種類の有用な処方と、ごたまぜに並んでいる」。シャルル・ブノワ「労働者階級の「神話」」（『両世界評論』一九一四年三月一日、九一ページ）　[d9, 6]

連載小説《フィユトン・ロマン》の〔成立の〕理論的説明。〔新聞における〕連載小説の登場は雑誌にとって危険な競争相手を生むことになり、また文学批評の力が歴然と弱まることにもなった。雑誌も連載のかたちで小説を掲載することを決断せざるをえなくなった。それを始めたのは『パリ評論』（ヴェロンが編集長のときか？）であり、また『両世界評論』であった。「かつてのような状況においては、予約購読料金が八〇フランに達していた新聞は、その新聞が表明する政治的信念を共有する人々によって支えられていた。……新しいやり口が広まってから、新聞は広告によって生き延びなければならなくなった。……たくさんの広告を取るためには、もはや広告欄と化した四ページ目が、きわめて多くの定期購読者の目に触れることが必要になった。多くの定期購読者を得るためには、一度にさまざまな意見の持ち主に訴えかけることができ、そして政治的関心に代わって、一般的な興味を惹く関心事となりうるような餌を何か見つけなければならなかった。……こうしたことからすれば、四〇フランの新聞から出発して、広告を経由し、連載小説にまでゆきついたのは、ほとんど不可避のなりゆきと言うべきであろう。」アルフレッド・ネットマン『七月王政下におけるフランス文学の歴史』I、パリ、一八五九年、三〇一—三〇二ページ　[d9a, 1]

連載のかたちで小説を発表するときには、作品の一部を掲載しないことがときどきあった。新聞の読者にも、単行本を買わせるためである。　[d9a, 2]

ジュルネの『調和社会の詩と歌』の「編者の序」において、ハリエット・ビーチャー・ストーの『アンクル・トムの小屋』がきわめて適切にも、『パリの秘密』および『レ・ミゼラブル』と同一線上にあるものとされている。　[d9a, 3]

「『ジュルナル・デ・デバ』紙では、ミシェル・シュヴァリエ氏やフィラレート・シャール氏などの、社会に関して進歩的な傾向をもった……記事を、ときおり読むことができた。……『デバ』の進歩的な記事は、四半期ごとの契約更新前の二週間のあいだに掲載されるのが常であった。大規模な更新の前には、『ジュルナル・デ・デバ』がさらに急進主義に接近するのが見られた。こうした理由から『ジュルナル・デ・デバ』は、向こう見ずにも『パリの秘密』を出版することを企画したのだった。……ただこのときばかりは、この向こう見ずな新聞は思った以上にやりすぎてしまったのだ。そのため『デバ』は多くの大銀行家たちの信用を失い、……彼らは新たな新聞を創刊した。……『エポック』紙の前身たるにふさわしい『グローブ』紙は……ウジェーヌ・シュー氏や『デモクラシー・パシフィック』紙の煽動的理論の誤りを示すという任務を課せられた。」A・トゥスネル『ユダヤ人――時代の王』Ⅱ、ゴネ編、パリ、〈一八八六年〉、二一三―二一四ページ

[d9a, 4]

ボエームについて。「バルザックは『ボエームの王子』（一八四〇年）によって、この生まれつつあったボエームのある一つの……特徴を示そうとした。〔小説の主人公〕リュスティコーリ・ド・ラ・パルフェリーヌの……色恋沙汰への没頭は、マルセルやロドルフ〔ミュルジェールの小説の主人公〕のその後の成功をバルザック流に誇大化したというにすぎない。……この小説はボエーム……初期のそれ……のいかにも大仰な定義を含んでいる。……「イタリアン大通りあたりの生活態度とでも呼ぶべきボエームを構成する一群の若者たちは、……いずれもそれぞれのジャンルにおける天才的人物であり、まだほと

んど無名だが、そのうちに名をなすにちがいない。……そこには作家もいれば、経営者もいる、軍人にも、ジャーナリストにも、芸術家にも事欠かない！……もしもロシア皇帝が約二〇〇〇万フランほどでボエームたちを買い取り、……彼らをそっくりオデッサに移住させたら、一年後、オデッサはパリになっているだろう。」……同じ頃ジョルジュ・サンド……とアルフォンス・カールが……ボエームの世界を舞台にのせた。……だがそれらは想像上のボエームであり、バルザックのそれもまったく非現実的なものだ。一方Th・ゴーティエのボエームは、ミュルジェールのそれと同様、大いに評判を呼んだので、……今日でもそれがどういうものであったか、思い描くことができる。本当を言えば、Th・ゴーティエと彼の友人たちは……一八三三年以来即座に、自分たちがボエームであることに気づいたわけではなかった。彼らはただ自分たちのことを「青年フランス派」と呼んでいただけだった。……その貧しさも相対的なものにすぎなかった。……このボエームは……「艶なるボエーム」だった。「金持ち息子のボエーム」と言ってもよかったかもしれぬ。……一〇年か一五年後、一八四三年頃、新しいボエームが生まれた、……これこそが真のボエームであった。Th・ゴーティエ、ジェラール・ド・ネルヴァル、アルセーヌ・ウーセらは四〇歳になろうとしていた。ミュルジェールと彼の友人たちは、二五歳にもなっていなかった。こんどこそ正真正銘の知的プロレタリアートであった。ミュルジェールは門番兼仕立て屋の息子だった。シャンフルーリの父はランの市役所の書記であり、……デルヴォーの父は、フォーブール・サン＝マルセルのなめし革職人だった。クールべの家は兼業農家だった。……シャンフルーリとシャントルイユは本屋で包装の仕事をし、ボンヴァンは植字工だった。」ピエール・マルティノ『第二帝政期のリアリズム小説』パリ、一九一三年、六—九ページ　[d10, 1]

四〇年代の初期には、おそらくは石版画にもとづいた複製コピーの方法があった。いわゆるラジュノー式プレスである。　[d10, 2]

フィルマン・マイヤールの『知識人の都市』（パリ、〈一九〇五年〉）は、その九二—九九ページに、著者への原稿料、印税の額をずらりと載せている。　[d10, 3]

「バルザックは……パリのジャーナリズムに対する自分の批判は、金融業者、侯爵、医者に対するモリエールの攻撃と並ぶものとしている。」エルンスト・ローベルト・クルティウス『バルザック』ボン、一九二三年、三五四—三五五ページ　[d10, 4]

バルザックについて。「彼が第二帝政期の社会を前もってみごとなまでに描き出し、それを予言したという、非常にしばしば表明される意見に従えば、彼はおそらく一八二〇年以降は、あまり事実に即して語っていないということになる。」エドモン・ジャルー「小説家と時代」(『ル・タン』紙、一九三五年一二月二七日号)　[d10, 5]

ラマルティーヌ「アルフォンス・カール氏への韻文の手紙」から。
「いかなる人間も誇りをもってみずからの汗を売ることができる。
きみが花を売るように、ぼくは葡萄の房を売る。
なんという幸せだろう、その房を踏みしだくぼくの足元を、美酒が
琥珀の流れとなって数多いぼくの作品のなかに流れこみ、
その高価さに酔う主人のために、
多くの自由をあがなうための多くの黄金をもたらしてくれるとは！
運命はわれわれに、みずからの稼ぎの額を数える境遇を強いた。
きみは日々を数え、ぼくは夜々を数える、お互いに金銭ずくの身の上だ。
だがしかと稼いだパンは歯ごたえも一段とよい。
独立の塩を自由に味わう者に栄光あれ！」

この詩を引用しているヴィヨは、それについて次のように記している。「金によってあがなわれる自由など、ふつう度量の大きい人間の追い求めるものではないと、これまでは信じられていたものだ。……なんと！……あなたは御存じないのか、自由であるための手段とは、大いに金をさげすむことだと！　そして金の力で手に入れるこの自由をあがなうために……あなたはご自分の本を、野菜や葡萄酒と同じような金銭ずくのやり方で、作ることになるだろう。あなたはご自分の精神に、二倍三倍の収穫を求めるだろう。はしりの野菜のように作品を商うようになるだろう。美神も自発的な意志にはもはや従わず、労働者のように、一日分の、一夜分の仕事をこなすようになるだろう。……そして朝あなたは公衆に、散漫な夜なべ仕事で埋められたページを投げ与えるだろう、ページを埋めるがらくたは読み返しもせず、しかし書かれた行数を数えることだけは忘れずに。」ルイ・ヴイヨ『選集』アントワーヌ・アルバラ編、リヨン／パリ、一九〇六年、二八ページ、三一―三二ページ。（カールはニース近くの自分の土地で採れる花を売っていた。）

[d10a, 1]

「サント＝ブーヴが、『人間喜劇』の作者に対して、根深い反感に駆られているのはたしかだとしても、次のような彼の指摘は、正鵠を射ている。「新聞連載という発表の仕方は、新しい章ごとに、思い切った手を打って読者に訴えなければならなかったから、それは小説の効果や語り口を、極端な、厭わしい調子に仕立て上げてしまうことになった。」」フェルナン・バルダンスペルジェ「一八四〇年の〈西洋文学における〉技術的強化」(『比較文学雑誌』一五巻一号、一九三五年一月—三月、八二ページ)に引用　[d10a, 2]

連載小説に対抗するものとして一八四〇年頃に短篇小説(メリメ)および地方を舞台とした小説(ドールヴィイ)が登場した。　**[d10a, 3]**

ウジェーヌ・ド・ミルクールは『真実のレ・ミゼラブル』(パリ、一八六二年)で、ラマルティーヌの『ジロンド党史』を思い起こして、ユゴーはラマルティーヌが自分の歴史の本でやったのと同様に、自分の小説によって、政治の世界での出世の準備をしようとしたのではないか、と推測している。　[d10a, 4]

ラマルティーヌおよびユゴーについて。「誠意にあふれた人には愛情をこめてつき従わねばならぬなどと……信じこませる代わりに、すべての誠意の裏側を探究するすべを心得るべきであろう。だがブルジョワ的な文化と民主主義は、この〔誠意という〕価値をあまりに必要としすぎている！　民主主義者とは思いやりのある人間である。その思いやりとは、言い訳であり、自己証明であり、言い逃れにほかならぬ。人に感動を与えることは彼の職業なのであって、それゆえ彼は真実を語ることを免れているのだ。」N・ギューテルマン／H・ルフェーヴル『欺かれた意識』［パリ］、〈一九三六年〉、一五一ページ（「脅迫と誠意」）　［d11, 1］

ラマルティーヌについて。「詩人の思い上がりは、筆舌に尽くしがたい。ラマルティーヌは自分がミラボー級の政治家だと思っていた。――テュルゴ（18世紀仏の政治家・経済学者）の再来として、二〇年にわたって政治経済問題に取り組んできたと、自負していた。――たまたま見つけてきたアイディアに自分なりのかたちを与えていたにすぎないにもかかわらず、たぐいまれな思想家として、自分の蓄積したものからそうしたアイディアを引き出していると思っていた。」エミール・バロー「ラマルティーヌ」（『ナシオナル』一八六九年三月二七日号からの抜粋）、パリ、一八六九年、一〇ページ　［d11, 2］

アルフレッド・デルヴォー（一八二五―一八六七年）。「彼はムフタール界隈の出である。……一八四八年には、当時内務大臣だったルドリュ＝ロランの私設秘書となった。情勢の変化により、突然政治活動から遠ざかってから後は、文学に熱を入れて、いくつかの新聞記事でデビューを飾った。……彼は……『ジュルナル・アミュザン〔おたのしみ新聞〕』紙、『フィガロ』紙および他のいくつかの新聞に、主としてパリ風俗に関わりのある記事を発表した。しばらくのあいだ『シエクル』紙でとくにパリ市の役人たちを担当していたこともあった。」五〇年代の後半にデルヴォーは、『ラブレー』誌〔一八五七年創刊、週二回発行〕の編集長を務めたがゆえに受けた懲役刑を逃れるため、ベルギーに逃げた。のちに彼は剽窃のかどで訴追され、不安を覚えた。ピエール・ラルース『一九世紀万有大事典』Ⅵ、パリ、一八七〇年、三八五ページ（「デルヴォー」の項目）　[d11, 3]

バンジャマン・ガスティノーはすでにナポレオン三世の治下で、二回アルジェリアに流刑された。「パリ・コミューンのもとで、ガスティノー氏は市立図書館検査官に任命された。彼の裁判を担当した第二〇軍事法廷は、この人物について、一般法上のいかなる違法行為も見つけることはできなかった。それにもかかわらず法廷は彼を要塞拘禁の刑に処した。」ピエール・ラルース『一九世紀万有大事典』Ⅷ、パリ、一八七二年、一〇六二ページ――ガスティノーは植字工から始めた人だった。　[d11, 4]

ピエール・デュポン。「詩人は、みずからその小品の一つで言うように、
　森と群衆の声にかわるがわる耳を傾ける。

実際、田園の大交響楽や自然の全体が発する声、もしくは群衆の叫び、絶望、あこがれ、悲嘆を、彼はその二重の着想源とする。われわれの父親たちが思い描いていたような歌、……酒飲み歌、あるいは単なる恋歌ですら、彼にはまったく無縁であった。」ピエール・ラルース『一九世紀万有〈大〉事典』VI、パリ、一八七〇年、一四一三ページ（「デュポン」の項目）。こうしてボードレールにあってはベランジェへの憎しみが、デュポンに対する愛情にいくぶんか寄与している。　[d11a, 1]

『レ・ミゼラブル』の第二部および第三部の発売の際にパニエール出版の前で起きた光景を、ギュスターヴ・シモンはこう描いている。「一八六二年五月一五日、朝六時前に、まだ閉まっているある一軒の店の前に人々がぎっしりと群がり、セーヌ街一杯に広がっていた。群衆は膨れ上がり、開店を待ち切れず、騒々しくなって、大きな騒ぎになった。……車道には、家具運搬車、自家用馬車、カブリオレ馬車、二輪荷馬車、それに手押し車まで集まって場所をふさぎ、収拾がつかなかった。人々は背中にからの籠をしょっていた。……まだ六時半にもなっていなかったが、群衆はますます騒然とし、入り口に向

かって押し寄せ、一番よい位置にいる者たちは、どんどんと扉を叩いた。突然二階の窓の一つが開かれた。一人の婦人が現われ、待ちかねてしびれを切らしている者たちに、いま少し待ってほしいと呼びかけた。……人々が襲いかかろうとしている店に罪があったわけではない。そこではただ本が売られていただけだ。それはパニエール書店だった。店に殺到していたのは、本屋の店員、取次業者、買い手、仲買人といった手合いだった。二階の高みから演説を行ったのはパニエール夫人であった。」アルベール・ド・ベルソークール『ヴィクトール・ユゴーに対する批判文書集』パリ、二二七―二二八ページ(『パリ評論』におけるギュスターヴ・シモン「『レ・ミゼラブル』の起源」および彼がこの雑誌に公表したこの本に関する手紙による) [d11a, 2]

「ヴィクトール・ユゴー氏の著書『レ・ミゼラブル』の検証」(パリ、一八六三年)の著者ペロ・ド・シュゼルはこの批判文書のなかで、ヴィクトール・ユゴーの性格について、次のようなよりありふれた文章を書いている。「彼は自分の劇や小説の主人公として、リュイ・ブラースのような下僕、マリオン・ドロルムのような高級娼婦、トリブレやカジモドのような生来の欠陥をもつ者たち、ファンティーヌのような売春婦、ジャン・ヴァルジャンのような徒刑囚を選ぶ。」アルベール・ド・ベルソークール『ヴィクトール・ユゴ

ーに対する批判文書集』パリ、二四三ページに引用　[d11a, 3]

『レ・ミゼラブル』は、決定的な事実に関しては本当にあった出来事に依拠している。ジャン・ヴァルジャンへの有罪判決のもとになっているのは、自分の姉の子どもたちのためにパンを盗んで、五年の漕役刑に処せられた男の事件である。ユゴーは、このような事柄に関しては正確に資料を収集していた。　[d12, 1]

二月革命におけるラマルティーヌの態度に関する詳しい記述をポクロフスキーはある記事において行っているが、それは部分的には、そこで引用されている当時のパリ駐在のロシア大使キセーリョフの外交官としての報告に依拠している。「「ラマルティーヌは……――キセーリョフの報告によれば――フランスが現在置かれている状況は、政府が倒され、次の政府がまだ固まっていないときに必ず生じる状態であることを認めた。だが、彼はそれにつけ加えて、民衆は健全な常識をもっており、家庭と財産を尊重する気持ちを表に出すであろうから、パリの秩序は事態のなりゆきそのものによって、また大衆の気分によって守られるであろうと述べた。……八日から一〇日後には、二〇万人の国民軍が組織されるであろうし――とラマルティーヌは続けた――、それ以外にも一万五〇〇〇人の士気軒昂な機動隊がいるし、二万人の常備軍が控えており、それらがパリを包囲し、市内に入城するであろう、と。」だがここでわれわれはちょっと立ち止まらねばならない。二月以降パリから遠ざけられた軍隊を呼び戻す口実として使われたのは、周知のように、四月一六日の労働者のデモであった。しかし、ラマルティーヌとキセーリョフの会談は、四月六日に行われている。だとすると、「治安維持のための公安力」のもっとも「信頼できる」部分を首都に呼び戻すという唯一の目的のために、デモには挑発がなされたということを、（『フランスにおける階級闘争』の中で）マルクスが実に天才的に言い当てていたことがわかる。さらに先を見てみよう。「この一団（つまり、市民で構成された民兵隊の国民軍、機動隊、常備軍——M・ポクロフスキー）——とラマルティーヌは述べている——は、たかだか数千人のならず者や犯罪分子（!）に支えられたクラブ組織の熱狂家たちを押さえるであろうし、過激な行動はどんなものであれ……芽のうちに摘み取るであろう、と。」」M・N・ポクロフスキー『歴史論文集』ウィーン／ベルリン、〈一九二八年〉、一〇八—一〇九ページ（「ラマルティーヌ、カヴェニャックおよびニコライ一世」）　[d12, 2]

四月六日にペテルスブルクからキセーリョフに対して、ネッセルローデの次のような指示が発せられた。「ニコライ一世と彼の首相は、代表〔キセーリョフ大使〕に対して、彼らがドイツに対抗してフランスとの同盟を必要としていることを隠さなかった。新しい赤いドイツは、自らの革命の旗印によって、すでにかなりおとなしくなってきたフランスの影を薄くしはじめていた。」M・N・ポクロフスキー『歴史論文集』ウィーン／ベルリン、一二一ページ　[d12, 3]

ラマルティーヌについてミシュレは書いている。「彼はその大きな羽で進んでゆく、次々にものを忘れ、先を急ぎながら。」ジャック・ブーランジェ「ミシュレの魔術」『ル・タン』紙、一九三六年五月一五日号に引用　[d12a, 1]

「一人の炯眼な観察者が、ある日こう言った。ファシズム体制のイタリアは、大新聞を主宰するのと同じようなかたちで統率されているし、事実イタリアを統率しているのは、一人の大ジャーナリストだ。一日一アイディアがモットーとなり、コンクールが行われ、センセーションが求められる。社会生活のとてつもなく誇張されたいくつかの側面へと、読者は巧みに、粘り強く導かれてゆき、またいくつかの実際的な目的のために、読者の理解は徹底的に歪められる。一言で言ってファシズム体制とは、広告《ピュブリシテール》を活用する体制な

のだ。」ジャン・ド・リニエール「ラ・プレス紙創刊百年」『ヴァンドルディ』誌、一九三六年六月　[d12a, 2]

「バルザックは『プレス』紙の寄稿者の一人だった、……そしてジラルダン〔『プレス』の社主〕は、この偉大なバルザックに生きている社会の真実をもっともよく明かしてくれる人間の一人にほかならなかった。」ジャン・ド・リニエール「ラ・プレス紙創刊百年」『ヴァンドルディ』誌、一九三六年六月　[d12a, 3]

「シャンフルーリのであれ、フローベールのであれ、一八五〇年と六〇年のあいだのリアリズムのさまざまな流派は、一般に「バルザック派」と呼ばれる。」エルンスト・ローベルト・クルティウス『バルザック』ボン、一九二三年、四八七ページ　[d12a, 4]

「近代の大量生産は、労働が持つ芸術感覚、仕事感覚を破壊する。「われわれにあるのは製品である、作品などはもはやない。」」エルンスト・ローベルト・クルティウス『バルザック』ボン、一九二三年、二六〇ページ〈バルザック『ベアトリクス』〈「ミシェル・レヴィ叢書」パリ、一八九一―一八九九年〉、三ページより引用〉　[d12a, 5]

「知識人の組織化がバルザックの目標であった。その際、彼の念頭にときおり浮かんでいるのは、サン＝シモン主義者たちの場合と同じく、中世の職人組合の理念である。それから彼は……精神的労働を近代的な融資システムへ組み入れることをふたたび考えた。また精神的仕事に携わる者に国家が賃金を支払うという思想も登場している。」エルンスト・ローベルト・クルティウス『バルザック』ボン、一九二三年、二五六ページ　[d12a, 6]

「知能労働者」――バルザックによる表現。（E・R・クルティウス『バルザック』ボン、一九二三年、二六三ページ参照のこと）　[d12a, 7]

シャプタル『フランスの産業について』Ⅱ（一八一九年、一九八ページ）には、一年間に出版される書籍の数が三〇九〇点とある。　[d12a, 8]

ショード＝ゼーグのきわめて辛辣な「ド・バルザック氏」にはこうある。「監獄や娼家や徒刑場も、ド・バルザック氏の文明化された都市と比べれば、……美徳の棲み家というべきだろう。……銀行家とは、ひそかな盗みや暴利によって財を成した者であり、政治家は……裏切りの数を重ねることで……高い地位を得る。実業家は慎重で巧妙なペテン師であり、……文士は……自らの意見や自らの良心をつねに売りに出している。……ド・バルザック氏がわれわれに描き出す世界は、……泥沼である。」J・ショード＝ゼーグ『フランスの現代作家』パリ、一八四一年、二二七ページ　[d13, 1]

「今日、疑う余地なく明らかであるとされる事柄で、神秘学に端を発しているものは数多いのだから、いつの日か、化学や天文学を講義するようにこの学問を講義するときがやってくるだろう。パリにおいては、スラヴ語や満州語、そして講義することがあれほどふさわしくない北方文学の講座が創設されているけれども、この北方文学などは、教えられる対象になるというよりはむしろ、よその文学から教えを受けなければならないくらいのものだ。……そしてそうしたことが行われる一方で、かつての《大学》の栄光の一つであった神秘哲学の教育を、《人間学《アントロポロジー》》の名のもとに復活させなかったのは、じつに奇妙なことではないか。この点でドイツは……フランスに先んじている。」オノレ・ド・バルザック『従兄ポンス』[『全集』XVIII『人間喜劇――パリ生活情景』VI]、パリ、一九一四年、一三一ページ■生理学もの■　[d13, 2]

ラマルティーヌについて。「彼は一九世紀でもっとも女性的な男である。女性的な男はこの世紀にはたくさんいたけれども、そのうちの何人かは、名前の前についた〔ラという女性単数形の〕冠詞によって、みずからそのことを知らしめているように思える。たとえば、ラ・ファイエット、ラムネー、ラコルデール、ラマルティーヌなど。……このラマルティーヌが三色旗のために行った演説は、じつは赤旗のために彼が用意したものだった。そう考えるべき根拠は、大いにある。」アベル・ボナール『現在のドラマ』Ⅰ『穏健派』パリ、〈一九三六年〉、二一二―二一三ページ　[d13, 3]

「小説は……もはや、たんに話の語り方というだけではなく、一つの探索であり、不断の発見である。……バルザックは想像力を旨とする文学と正確さを旨とする文学の境界線上に位置する。彼の本のなかには、厳密な調査に基づくもの、たとえば『ウジェニー・グランデ』や『セザール・ビロトー』があり、非現実が正確さと混じり合っている『三十女』のような作品があり、またさらには、精神の戯れがつくり出す諸要素によって構成される『知られざる傑作』のような作品がある。」ピエール・アンプ「社会の像としての文学」(『フランス百科事典』第一六巻『現代社会における芸術と文学』Ⅰ、六四ページ、二段)　[d13, 4]

「一八六二年、ヴィクトール・ユゴーが『レ・ミゼラブル』を書いた頃、フランスにおける読み書きできない人の数は著しく減少した。……教育を受けた民衆が書店の顧客となるにつれて、作家たちも主人公を群衆のなかから選ぶようになるのであり、そしてこの社会化現象を研究するもっともよい手掛かりとなるのが、ヴィクトール・ユゴーにほかならない。彼は文学作品に、『レ・ミゼラブル』『海で働く人々』といった集合的な題名をつけた初めての大詩人なのだ。」ピエール・アンプ「社会の像としての文学」(『フランス百科事典』第一六巻『現代社会における芸術と文学』I、六四ページ、二段)　[d13a, 1]

〔ウォルター・〕スコットについての次の文章はヴィクトール・ユゴーに当てはめることができる。「彼はレトリックや雄弁術を、抑圧された人間たちに生来備わった武器と見なしていた。……そして、思えば皮肉なことだが、スコットは作家として、想像上の反逆者たちに表現の自由を与えていたにもかかわらず、その同じ表現の自由を、愚かな政治家という役回りを演ずるに際しては、実際の反逆者たちに与えるのは拒んだのだった。」G・K・チェスタートン『ディケンズ』A・ロラン／L・マルタン＝デュポン訳、パリ、一九二七年、一七五ページ　[d13a, 2]

ディケンズについてと同じことがヴィクトール・ユゴーに当てはまる。「ディケンズは、天才的な作家が公衆と同じ文学的嗜好をもっていたらどういうことになるかを示す格好の例だ。その嗜好の共通性とは、この場合、道徳的・知的性質のものだった。ディケンズはわが国の通常の煽動政治家やジャーナリストたちとはちがっていた。ただ庶民の愛するものを書いたというだけではなく、彼自身、庶民の愛するものを愛したのである。……彼は一八七〇年に亡くなった。国民全体が彼の死を悼んだ。他のどんな偉大な人物も、これほどまでにその死を悼まれたことはなかった。というのも、首相や王族たちなど、ディケンズに比べれば、ただの個人でしかなかったからだ。彼は民衆に君臨する一人の偉大な君主だったのであり、王が樫の木の下で判決をくだすとき人々がそれを見にゆくことができた、そんな未開の時代の王を思わせるところがあった。」G・K・チェスタートン『ディケンズ』A・ロラン／L・マルタン＝デュポン訳、パリ、一九二七年、七一ページ、一六八ページ　[d13a, 3]

『黄色い小人』誌〔一八六三―一八七六〕は、オーレリアン・ショルによって創刊された。『パリ生活』誌〔一八六三―一九七〇〕はヴォルト〔服飾デザイナー〕の友人であるマルスランによって、『エヴェヌマン』紙(一八六五年)はロシュフォールとゾラ、さらにはそれ以外の野党の人々の協力を得て、ヴィルメサンによって創刊された。　[d13a, 4]

「ミレスおよびペレール兄弟はときとしてロートシルト(ロスチャイルド)の例にしたがって、著名な詩人、ジャーナリストおよび劇作家たちに、彼らが予想もしないのに天からの贈り物、天の糧のように株券を雨あられと注いでやった。だが、それはそれ自身としては、贈り物を貰った者たちに何らかの直接の義務を課するものではなかった。」S・クラカウアー『ジャック・オッフェンバックと彼の時代のパリ』アムステルダム、一九三七年、二五二ページ　[d14, 1]

「新しい学問のうち類比学《アナロジー》だけでも、一六ページの小冊子を出すことで、執筆者たちは五、六百万フランの利益を得るにちがいない。」シャルル・フーリエ『産業的・協働的新世界』パリ、一八二九年、三五ページ　[d14, 2]

パリの新聞定期購読者の数。一八二四年でほぼ四万七〇〇〇人、一八三六年で七万人、一八四六年で二〇万人。(一八二四年の内訳。『ジュルナル・ド・パリ』『エトワール』

『ガゼット』『モニトゥール』『ドラポー・ブラン』『ピロート』といった政府系新聞が一万五〇〇〇人。『ジュルナル・デ・デバ』『コンスティテュシオネル』『コティディエンヌ』『クーリエ・ド・パリ』『ジュルナル・デュ・コメルス』『アリスタルク』などの野党系新聞が三万二〇〇〇人。)

[d14, 3]

広告の掲載が盛んになるにつれて、新聞は〔記事を装った〕「隠れ広告」に対抗するようになった。後者は新聞の経営側よりもジャーナリストたちに多くの利益をもたらしたのだが。

[d14, 4]

『グローブ』紙の周辺には、後にオルレアン派でもっとも重きをなすことになる人々が編集者として集まっていた。この編集部にはクーザン、ヴィルマン、ギゾーが加わっていたのだ。一八二九年には、ブランキが速記者、それも議会速記者としてそのなかに加わった。

[d14, 5]

デュマの小説におけるジャーナリスティックな調子。『パリのモヒカン族』の第一章にもすでに、逮捕されたときにいくらの金を払えば独り部屋の権利が得られるか、パリの死刑執行人はどこに住んでいるか、パリのならず者たちが行く飲み屋でもっとも有名なのはどれか、などといったことに関する情報が記されている。

[d14, 6]

ペテルスブルク出身のある若い男は『パリの秘密』を「聖書につぐ最高の本」と呼んだ。

J・エッカルト『ロシアのバルト海地方』ライプツィヒ、一八六九年、四〇六ページ [d14, 7]

ヴァレリーはユゴーについて述べている(「『悪の華』序文」パリ、一九二八年、XVページ)。「六〇年以上にわたってこの並外れた人間は、毎日五時から正午まで机に向かうのだ！彼は絶え間なく、いくつもの言葉の組み合わせを生み出す。それらを欲し、待ち望み、それらが自分に答えてくるのに耳を傾ける。彼は一〇万行ないし二〇万行の詩句を書き、この絶えざる訓練によって独特の思考法を獲得するのだが、それについて浅薄な批評家たちは、自分たちなりの評価しか下すことができなかった。」

[d14, 8]

ほとんどすべてのロマン派作家にあっては、主人公の原型はボヘミアンである。ユゴーにあっては、それが貧者である。ただその際に見逃してはならないのは、ユゴーは作家として財を成したということである。

[d14a, 1]

ユゴー『わが人生のあとがき——精神、石の堆積』一ページ（マリア・レー＝ドイッチュ『ヴィクトール・ユゴーにおける貧者』（ヴィクトール・ユゴー財団文庫Ⅳ）、パリ、一九三六年、四三五ページに引用）。「芸術の文明化する力というものを知りたいとおっしゃるのか……？徒刑場で、モーツァルト、ウェルギリウス、ラファエッロがどんな人物か知っている人間、ホラティウスをそらんじ、『オルフェ』や『魔弾の射手』に感動する人間を探してみられよ。……そうした人間を探してみたまえ、……見つかりはすまい。」［d14a, 2］

レジス・メサックによれば、連載小説はルイ・フィリップ治下で「叙事的時代」にあったが、やがて第二帝政になると大量生産品となった。ガブリエル・フェリの小説はこの第二の時期の冒頭に位置している。同じことは、ポール・フェヴァルの小説についても言える。［d14a, 3］

ある点では、生理学ものが探偵小説に対して寄与しているということが言える。探偵はさまざまな要素を組み合わせて総合的判断を下すやり方をするが、経験主義的なやり方もあるということを思い出しさえすればよい。後者は、ヴィドックのやり方にのっとっており、まさに『パリのモヒカン族』のジャッカルを見ると生理学ものと関係があることがわかる〈メサック〈『「探偵小説」と科学的思考の影響』パリ、一九二九年〉、四三四ページに引用〉。このジャッカルについてはこう言われている。「破られたよろい戸、割られた窓、ナイフの刺し傷を一目見るだけで、その男はこう言うのだった。「ああ、わかってる。あいつのやり口だ。」」

[d14a, 4]

ヴェロン〈『コンスティテュシオネル』紙編集長〉は、『さまよえるユダヤ人』がまだ一行も書かれない前に、この作品に一〇万フラン払っている。

[d14a, 5]

「ある連載小説が評判になり、はなばなしい成功をおさめるたびに、バルザックはヴォートランへの情熱をいよいよ燃え立たせる。一八三七年から三八年にかけて、『悪魔の回想録』〈フレデリック・スーリエ作〉が連載小説のあり方を決定づけるように思われるのだが、『浮かれ女盛衰記』のシリーズが始まるのは、その後まもなくのことである。一八四二年から四三年にかけて〈シューの〉『パリの秘密』が発表され、バルザックは「いくら出せば愛は老人に戻ってくるか」〈『浮かれ女盛衰記』第一部〉を書いてそれに答える。一八四四年に〈デュマの〉『モンテ・クリスト伯』、一八四六年には『クロズリー・デ・ジュネ〔エニシダ舞踏場〕』〔スーリエの劇〕、すると同じ年に「邪悪な道の行きつくところ」〔『浮かれ女盛衰記』第二部〕、さらに翌年「ヴォートラン最後の化身」〔『浮かれ女盛衰記』第三部〕。このようなやりとりがそれ以上続かなかったのは、バルザックが……その後まもなく死んでしまうからである。」レジス・メサック『「探偵小説」と科学的思考の影響』パリ、一九二九年、四〇三―四〇四ページ　[d14a, 6]

第二共和政のもとで一八五〇年七月一六―一九日法に加えられた「修正」は、「新聞の名誉を汚し、書籍販売業に害をもたらすような産業に痛撃を加える」ためのものだ。このように提案者のド・リアンセーは表現している。この法は、どんな連載小説にも新聞一部あたり一サンチームを課している。この規則は一八五二年二月のいっそう厳しくなった新しい新聞法によって失効し、それによって連載小説はさらに重要性を増した。　[d15, 1]

定期購読の更新時期が新聞にとってとくに重要であることをネットマンは指摘している。この時期に、たとえそれまでの連載小説が終わっていないとしても、新しい連載小説を始めることが好まれた。同じ頃、小説に対する読者の反応が突然、重要視されるように

なった。そのことが認識され、小説のタイトルの段階ですでに種々の思惑がなされるようになった。　[d15, 2]

小説の分冊配布が連載小説のはしりであったと見ることができる。一八三六年に〔アルフォンス・〕カールの雑誌が最初に、このような、後に一冊に纏めることができるような分冊を、読者のための付録として配布した。　[d15, 3]

ボードレールの「ペトリュス・ボレル〔小ロマン派を代表する文学者の一人〕論」の描き方によるロマン主義の政治的態度。「もしも王政復古が順調に栄光のうちに発展していったならば、「ロマン主義」が王権から離れることはなかっただろう。」「その後、……ある種の人間嫌いの共和主義的主張が新しい流派と手を結び、ペトリュス・ボレルは「過激派《ブーザンゴ》」の……精神のこの上なく……逆説的な表現となった。この精神は、……われわれをその後あれほど残酷に抑圧した民主主義的かつブルジョワ的情念とはまったく異なり、歴代の王たちやブルジョワジーへの……貴族的憎悪に、そして同時に、……悲観主義的でバイロン的なものすべてに対する一般的共感に、駆られていた。」シャルル・ボードレール『ロマン派芸術』(アシェット版、Ⅲ)、パリ、三五四ページと三五三―三五四ペ

ージ　　　　　　　　　　　　　　　　　　　　　　　　　　　　　[d15, 4]

「パリでは、自由主義者や共和主義者がいわゆる古典主義文学の慣習に頑固にこだわるのに対して、ロマン派が君主政のおかげで進展するのが……見られた。」ボードレール『ロマン派芸術』二二〇ページ(「リヒャルト・ヴァーグナーと『タンホイザー』」)　[d15, 5]

三種類のボエーム。「テオフィル・ゴーティエ、アルセーヌ・ウーセ、ジェラール・ド・ネルヴァル、ネストール・ロクプラン、カミーユ・ロジエ、ラサイー、エドゥアール・ウルリアックのボエーム、これはみずからの意志によるボエームであり、……そうした人間たちは貧困を気取っていたにすぎず、……いわば古いロマン主義の落とし子であった。一八四八年のそれ、ミユルジェール、シャンフルーリ、バルバラ、ナダール、ジャン・ヴァロン、シャンヌのボエーム、こちらは実際に貧しくはあったのだが、お互いの巧みな助け合いによってすぐさま道が開かれた。……そして一八五二年のボエーム、われわれのボエームは、みずからの意志によるものとはまったく言えず、……困窮によっていやというほど痛めつけられてもいる。」ジュール・ルヴァロワ『世紀中葉――一批評家の回想録』パリ、〈一八九五年〉、九〇―九一ページ　[d15a, 1]

バルザックは、人間を未来という霧で拡大して見ていた。彼には人間たちはその霧の背後でうごめいているように見えるのである。それに対して、彼が描くパリは、彼の時代のパリである。このパリはそこに住む人々〔バルザックによって拡大された人間〕を基準にはかるならば、田舎のパリである。　[d15a, 2]

「私は自分の考えを徹底させて、次のように言おう。バルザックのなかに内的生命というものがあるとは私は思わない、あるのはむしろ、徹底して外面的な、むさぼり尽くすような好奇心であり、それは形態から、思考を経由せずに、動きへと移ってゆくのだと。」アラン『バルザックとともに』パリ、〈一九三七年〉、一二〇ページ　[d15a, 3]

ラフォルグは『サタンの最期』についてこう述べている。「私はマラルメ氏の次のような言葉を思い出す。ユゴーは毎朝、ベッドを抜け出るやいなやオルガンに向かうのだが、それはあの偉大なバッハが、どんな結果をもたらすかなどにお構いなく、次から次へと新しい楽譜を書き上げていったのと同じだ。」同じページの少し前にはこうある。「目に見える素材という楽譜が彼の生者の目に向かって開かれているかぎり、そしてパイプに送りこまれる風があるかぎり、オルガンは鳴り続ける。」ジュール・ラフォルグ『遺稿集』パリ、一九〇三年、一三〇―一三一ページ　[d15a, 4]

「しばしば人は問うた、ヴィクトール・ユゴーは苦労なしに仕事をしているのだろうかと。彼が、異様なまでの即興の能力には恵まれていない、あるいはそれに悩まされていないことは、明らかだ。ラマルティーヌはまさにこの能力のおかげで、ただの一語たりとも抹消したことはなかったのだが。この男の鉄のペンは飛ぶように走り、つやのある紙にほんの少し触れるだけで、その紙を軽やかな線で覆い尽くしたのだった。……ヴィクトール・ユゴーは泣き叫ぶペンの下で、紙に叫び声をあげさせる。彼は一つの単語ごとに熟考する。一つ一つの表現を吟味する。標石の上に腰をおろすように句点《ポワン》の上にもたれかかり、終わりまでできた文を眺め、そして次の文が始まらんとするまだ何も書かれていない場所を眺める。」ルイ・ユルバック『同時代の人々』パリ、一八八三年（レモン・エスコリエ『見た者たちが語るヴィクトール・ユゴー』パリ、一九三一年、三五三ページに引用）　[d15a, 5]

「次のような宛名書きがあるだけで、手紙は彼のところに届く。大西洋、ヴィクトール・ユゴー様。」レモン・エスコリエ『見た者たちが語るヴィクトール・ユゴー』パリ、一九三一年、二七三ページ（「秋」）　[d15a, 6]

ド・ローネー子爵（ド・ジラルダン夫人のペン・ネーム）の筆になる一八三九年一月一二日の「パリ便り」には、学芸欄《フィユトン》の文体の、初期の、そしてきわめて特徴的な見本が見られる。「ダゲール氏の発明もまた大変な話題を呼んでいる、そしてわれらがサロンの科学者たちがまじめくさって行うこの驚異的出来事の説明ほど愉快なものはない。ダゲール氏は何の心配もいらない、秘密が盗まれることはないだろうから。……この発見はほんとうにすばらしいものだけれど、私どもにはさっぱりわけがわからぬ。なにせあまりに説明が多すぎたのである。」ド・ジラルダン夫人『全集』Ⅳ、二八九―二九〇ページ、ギゼラ・フロイント『一九世紀フランスにおける写真』パリ、一九三六年、三六ページに引用　**[d16, 1]**

ボードレールは『パリの憂鬱』のなかで、ネストール・ロクプランの「不滅の学芸欄記事」である「犬たちはどこへ行く？」に言及している。パリ、R・シモン編、八三ページ（「善良な犬たち」）　[d16, 2]

ラマルティーヌ、ユゴー、ミシュレについて。「これほどの才能に恵まれたこれらの人物たちには、一八世紀の彼らの先駆者たち同様、研究というものに不可欠のあの密やかな一面が欠けている。そうした一面において、人は同時代の人々のことを忘れ去って真実を求めるのであり、その後はじめて、その真実を彼らに提示することができるようになるのである。」アベル・ボナール『穏健派』(『現在のドラマ』I)、パリ、〈一九三六年〉、二三五ページ　[d16, 3]

ディケンズ。「初期のころ彼が行った急進主義的な告発の数々は、損なわれることなく残っていた革命の伝統に、かなりの程度影響を受けていた。フリートの監獄〔債務不履行者が入る〕を弾劾しながら、彼の頭にはバスティーユ襲撃のことがあった。彼の告発のなかには、とりわけ、筋のとおったある種のいらだちがはっきり現われており、そのいらだちこそが、かつての共和主義者の本質そのものだったのだが、わが現代ヨーロッパの革命的人間は、そうしたものとはまったく無縁である。かつての急進主義者は、必ずしも自分を反逆の立場にあるとは考えていなかった。その立場によれば、道理に合わないのはむしろいくつかの制度のほうであって、そうした制度が理性に、そして彼自身に抵触するように思えたのだ。」G・K・チェスタートン『ディケンズ』ロラン／マルタン＝デュポン訳、パリ、一九二七年、一六四―一六五ページ　[d16, 4]

ギュスターヴ・ジェフロワ（『幽閉者』I、〈パリ、一九二六年版〉、一五五―一五六ページ）は、バルザックが彼の時代のパリの民衆の不穏な動きや、政論クラブや、街角の預言者たちを描いていないと指摘している――ルイ＝フィリップ体制の奴隷であるZ・マルカス〔バルザックの同名の小説の主人公〕などのことは別であるが。　[d16, 5]

七月革命のあいだに、シャルル一〇世は、手書きの呼びかけを自分の軍隊を通じて反乱者たちのあいだに配らせた。（ジェフロワ『幽閉者』I、〈前掲〉、五〇ページを見よ）　[d16, 6]

「……社会の形態そのものが生み出す……さまざまなイメージを利用することによって、美的感性を人間に働きかける活動の方向に持ってゆく可能性について考えてみることは……重要である。万人がものを読むようになって以来〔注――つまり初等義務教育の制度が確立されて以来ということであるが、その実際の普及はパリの神話の形成とまさに時代を同じくする〕、事実としてそうした方向に向かっていることを確かめるのは、なおのこと重要である。」ロジェ・カイヨワ「パリ——近代の神話」(『NRF』誌、二五巻二八四号、一九三七年五月一日、六九九ページ)　[d16a, 1]

ゴーティエは彼の「ヴィクトール・ユゴー」のなかで、『エルナニ』初演の際の赤チョッキについて、述べている。「〔一七〕九三年のおぞましい赤を避けるために、われわれの色調のなかに紫をほんの少々混ぜることをよしとした。というのも、われわれとしては、自分たちのなかに、どのようなものであれ政治的意図があると読み取られることは、本意ではなかったからである。」(レモン・エスコリエ『見た者たちが語るヴィクトール・ユゴー』パリ、一九三一年、一六二ページに引用)　[d16a, 2]

一八五二年。「『エルナニ』の作者の評判は、ボエームの世界とユートピズムというそれぞれ独自の水路を通り、カルチエ・ラタンからパリの場末の町々にいたるまで広がっていった。それから突然この偉大な隠喩の使い手は、至高の民衆という啓示を得た。……政治同時にこの啓示は、ミシュレやキネに加えて、コンシデラン〔フーリエ主義の思想家、政治家〕のような彼らほどのスケールをもたない他の多くの作家のペンを燃え立たせたのだった。」レオン・ドーデ『ヴィクトール・ユゴーの悲劇的生活』パリ、〈一九三七年〉、九八ページ

——この時期にユゴーは、軍隊に向けた演説をした。 [d16a, 3]

ユゴー。「ユゴーはあれらの悲痛さに満ちた散歩の一つを行ったとき、ある名もない岩に座礁して竜骨を宙に浮かせた一隻の舟を見て、新しいロビンソン〔・クルーソー〕のアイディアを思いついた。やがてそれは『海で働く人々』と呼ばれることになった。労働と海、それらは彼の亡命生活の二つの極である。……『静観詩集』において彼は、海〔実際はセーヌ河〕の藻屑と消えた長女への彼自身の引き裂かれるような哀惜の念を和げたのだが、『海で働く人々』の散文では、海で命を落としたこの娘のおそろしいほどの悲しみを癒そうとしたのだった。この海にかかわる要素は、不吉な鎖によって、まちがいなく彼の運命に結びついていた。」レオン・ドーデ『ヴィクトール・ユゴーの悲劇的生活』パリ、二〇二—二〇三ページ [d16a, 4]

ジュリエット・ドルーエ〔ヴィクトール・ユゴーの愛人〕。「こう考えてみることはできよう。……ジュリエットの過去の愛人たちや彼女の負債という問題は別にしても、三〇のころから生涯の終わりまで、女中とみれば手を出さずにはいられないという傾向が詩人にはついてまわり、……それゆえに彼は、愛する麗わしき女優に下層の暮らしを強い、貧しい服装をさせたがったのであると。……罪の償いのためだ、などというけれども、単に欲望がなり変わった一つの姿にすぎなかったのかもしれない。」レオン・ドーデ『ヴィクトール・ユゴーの悲劇的生活』パリ、六一―六二ページ
[d17, 1]

一八三二年に『王は楽しむ』の失敗のために、ユゴーは王政から遠ざかることになったと、レオン・ドーデは主張している。
[d17, 2]

ルイ・ナポレオンに対するユゴーの感激に溢れた推奨文は『エヴェヌマン』紙に掲載された。
[d17, 3]

ジャージー島における交霊術の会の記録から（アルベール・ベガン『ロマン派の魂と夢』II、マルセイユ、一九三七年に引用）。ベガンはこれに巧みな評を付している（三九七ページ）。「ユゴーは、自分の受け入れるものすべてを――理性のみによって判断を下すなら、まったく愚劣なものに見えるかもしれないようなことも含めて――みずからの神話体系のなかに移し入れるのであり、それは未開人が、無償で行われる義務的な公教育のさまざまな美点をわがものにしてゆくのに少し似ている。しかし彼はみずから、神話的感覚と

いうものをまったく欠いた一つの時代の神話となることで、それに報復するだろう（それはまた、彼の運命でもある）。」それゆえユゴーは交霊術をも彼の世界に移し入れる。「あらゆる偉大な精神の持ち主はその生涯において、二通りの作品を作る、すなわち生者の作品と亡霊の作品とを。……生者が生者なりの作品を作る一方、沈思する亡霊は、夜、沈黙が世界を支配するあいだに、生者のなかで目を覚ますのだ、おお、何たる恐怖！　何だって？　と人間は言う、あれで終わりではないのか？――ちがう、と幽霊が答える、起きよ、立て、ひどい風だ、犬や狐が吠えている、いたるところ闇だ、神の鞭を受けて、自然はおののき、震えている。……幽霊としての作家は亡霊としての観念を見る。単語はおびえ、文はおののく。……窓ガラスは青ざめ、ランプは恐怖する。……心せよ、おお生者よ、おおこの世界に生きる者よ、おお俗世間の観念から追われた者よ。なぜならこれは狂気であるから、墓であるから、無限であるから、亡霊となった観念であるから。」（三九〇ページ）偉大な精神の持ち主について、同じコンテクストで。「彼はときとしてまるで障害物にぶつかるかのように確実さに出会い、ときとしてまるで恐れに直面するかのように明るさに出会う。」（三九一ページ）――『わが生涯のあとがき』から。「暗闇の哄笑というものが存在する。夜の笑いが漂い流れる。陽気な幽霊もいるのである。」（三九六ページ）

［d17, 4］

ユゴーは、周知のように『ウィリアム・シェークスピア』においてだけでなく、偉大な天才たちの名前を長々と並べることに酔っている。その際に、自分の名前を大きく投影して想像するこの詩人の情熱を考えてみる必要がある。彼がノートル＝ダムの塔の形を見てそこにHの文字〔ユゴー Hugo の頭文字〕を読みとったことは有名である。同じ傾向の別の側面を開いてくれるのが彼の交霊術の経験である。彼が倦むことなく、次々とその名を口誦する偉大な天才たちは、彼の「化身」たち、彼自身の自我の受肉したものなのである。それらは、彼自身の現在の受肉した姿の前に横たわっているのである。

[d17a, 1]

『ノートル＝ダム・ド・パリ』を書いているときにユゴーは、毎晩ノートル＝ダムの塔の一つに上がったが、それと同じことを彼はガーンジー島(ジャージー島?)では、「追放者たちの岩」で行い、毎日午後になるとそこから海を眺めていた。

[d17a, 2]

「闇の口の語ったこと」のなかで、この世紀の意識状況を打ち破る決定的な箇所。
「涙を注げ、汚らわしい蜘蛛やうじ虫に、

背が冬のように濡れているナメクジに、
葉にぶらさがる姿も卑しいアブラムシに、
醜い蟹に、おぞましい大ムカデに、
そしてぞっとするようなガマガエル、神秘的な空にいつも目を向けている、
優しい目をした哀れなこの怪物に！」
最後の行をボードレールの「盲人たち」と対比させること。　[d17a, 3]

一八四八年におけるラマルティーヌの役割についてサント＝ブーヴは書いている。「彼が予見していなかったのは、みずからがオルフェウスとなり、のちにその黄金の楽弓で、乱入するあの野蛮人どもに進むべき道を示し、ときにはそれを規制したりする、ということだった。」C・A・サント＝ブーヴ『慰め』『八月の断想』(『詩集』第二部)、パリ、一八六三年、一一八ページ　[d17a, 4]

「他の世界がすべて静止しているように見えたとき、中国とテーブルが踊り始めた――他の人々を勇気づけるために――ことが思い出される。」カール・マルクス『資本論』〈I〉、コルシュ編、ベルリン、〈一九三二年、八三ページ〉　[d17a, 5]

『資本論』のある注で（コルシュ編、五四一ページ）、マルクスは、バルザックについて「彼は、所有欲をそのありとあらゆる彩りにおいて深く探究した」という言い方をしている。 [d17a, 6]

『ラ・ボエーム』誌は、その初期には、（一八二五年生まれの）デルヴォーの世代のプロレタリア化した知識層の機関誌であった。 [d18, 1]

ブールジェはバルザックについてこう述べている。「彼の小説の登場人物はことごとく、一八三五年の人物というよりも一八六〇年の人物のように見えた。」A・セールベール／J・クリストフ『『人間喜劇』総覧』パリ、一八八七年、Ⅴページ（ポール・ブールジェの序文） [d18, 2]

ホフマンスタールに依拠しながら（「ヴィクトール・ユゴー論」〈ミュンヘン、一九二五年〉、二三―二五ページ）、新聞がレトリックの精神に起源を持つことを描き、また議会演説の精神が空疎なおしゃべりや巷のうわさ話の精神といかに結びついていったかを強調するこ

と。　[d18, 3]

学芸欄《フィユトン》について。「大新聞の編集者たちは利益を上げるのに汲々とするあまり、自分のところの学芸欄執筆者たちに、ある信念にもとづいた、あるいは真実にもとづいた批評を要求しようなどとは、まるで思わなかった。学芸欄執筆者たちは、何でも屋であることが多すぎた。」これはフーリエ主義を標榜する新聞に対する評価である。H・J・ハント『フランスにおける社会主義とロマン主義——一八三〇年から一八四八年までの社会主義出版物の研究』オックスフォード、一九三五年、〈一四二ページ〉　[d18, 4]

ラマルティーヌの政治的＝詩的プログラムは、今日のファシストのプログラムのモデルである。「歴代政府の無知や意気地のなさは……党派にかかわりなく、洞察力のある、寛容な心の人々に、次から次へと嫌悪の情を植えつけている。これらの人々は、自分たちをもはや代表しなくなった虚偽の象徴にかわるがわる幻滅を覚えて、単なる観念だけのまわりに寄り集おうとする。……こうした政治的集団に一つの信念をもたらさんがため、あまつさえ一つの言葉をもたらさんがために、私は一時的に、孤独を放棄するのである。」ラマルティーヌ「詩の運命について」〔『瞑想詩集』への第二のまえがき〕「フランスの大作

家たち」叢書、『ラマルティーヌ』Ⅱ、パリ、一九一五年、四二二―四二三ページ　[d18, 5]

シューの時代の連載小説《フィユトン》について。「こうした幻想は、見たところばらばらな一連の出来事のあいだに、一つの結びつきを発見したいという欲求に応えている。漠然とではあるが想像力は、社会的現実のこうしたあらゆる不平等、こうした没落や上昇が、同じ一つの動きをつくり出していると信じこむ、つまりそれらがただ一つの原因から生じ、相互に結びついていると信じこむのである。連載小説の隆盛と社会科学の創立は、並行している。」カスー『一八四八年』パリ、〈一九三九年〉、一五ページ　[d18, 6]

カスーはラマルティーヌの民主主義的抒情についてこう述べている。「われわれはこの男の抒情のなかに、あるひそかな考えを見つけ出す。その考えとは、われわれの所有権は、そこからもたらされる一連の精神的悦楽をお供のように引き連れて、不滅の生の戸口に至るまでわれわれから離れることはない、というものである。このテーマは、詩篇「ミイーあるいは生まれ故郷」(『詩的宗教的諧調集』所収、ミイーはラマルティーヌの生地)ではごくわずかに触れられているにすぎないが、「葡萄畑と家」(『やさしい文学講義』所収)でははっきりと述べられ、ラマルティーヌの究極の祈願を明らかにする。それは、すべてのものが完璧で味わい深い現実性を保持している肉体的な不滅のなかで、自分も生き長らえたいという祈願である。……プラトンを下敷きにした『ソクラテスの死』〔ラマルティーヌ初期の叙事詩〕の純粋な唯心論とは、おそらく少々異なった終末論と言える。とはいえ、この大地主の奥深い本性を明らかにしていることに変わりはない。」ジャン・カスー『一八四八年』パリ、一七三ページ　[d18a, 1]

ノートル＝ダムの怪物ができたのはヴィクトール・ユゴーの小説とほぼ同時期のはずである。「ヴィオレ＝ル＝デュックの仕事はきわめて厳しく批判されているが、この点で奇妙な成果を上げている。こうした悪魔や怪物たちは事実、ものに憑かれた幻想、いたるところに悪魔を実際に見た中世の幻想が作り上げた異形のものたちの、遅く生まれた兄弟たちなのである。」フリッツ・シュタール『パリ』ベルリン、〈一九二九年〉、七二ページ。ユゴーにこれと似た現象があることに気づく。おそらくは、なぜ一九世紀は交霊術の世紀なのかという問題と同じ問題がここにあるのだろう。　[d18a, 2]

情報と連載小説のあいだの重要な関係をラヴェルダンが指摘している（いずれにせよハントは『フランスにおける社会主義とロマン主義』〈オックスフォード、一九三五年〉のなかで、Lmという署名をラヴェルダンと読んでいる)。「ドイツとフランスのあいだの……痛ましい論争やアフリカの戦争といった事柄は、古い時代の物語や巧みに語られた個人的な不幸などと同じくらい、注目に値するのではないだろうか？　そうであるならば、公衆が……こうした国家的事件を扱う大政治小説を章ごとに分けて読むということもありうるわけだし、とすれば、なにゆえあなたがたは、あなたがたの小話だの教説だのを、いっぺんに公衆に押しつけようとするのか。……分業と一回一回を短くすること、こうしたことが読者の要求なのだ。」Lm「連載小説の批判的検討」『ファランジュ』紙、一八四一年、七月一八日(『ファランジュ』紙第三シリーズ、第三巻、パリ、一八四一年、五四〇ページ)

[d18a, 3]

「ヴィクトール・ユゴーは、……テオフィル・ゴーティエの伝えるところでは、同じ皿の上で、骨つき肉、油で和えたいんげん、ハム入りオムレツ、ブリ・チーズをごたまぜにして食べ、さらに酢をひと筋たらし、辛子をほんの少し加えて味を引き立てたカフェ・オ・レを飲んだという。」R・B［ブリュネ］「郷土料理」(『ル・タン』紙、一九四〇年四月四日号)

[d19]

g

株式市場、経済史

「ナポレオンは、大革命によって宣言された市民社会とその政治に対する革命的テロリズムの最後の闘争であった。もちろん、ナポレオンは、近代国家の本質が市民社会の妨げられざる発展、私的利害の自由な運動等々をその根拠にしている、という洞察をすでにもっていた。……しかしナポレオンは同時にまた、国家をまだ自己目的と見なし、市民生活を自分の帳簿係としかみなさなかった。……彼は、永久革命を永久戦争に置き換えることによって、テロリズムを完成させた。……彼が市民社会の自由主義――市民社会の日常的実践の政治的理想主義――を専制的に抑圧する場合、彼は商業や工業といった市民社会の基本的な物質的利害といえども、彼の政治的利害と衝突するかぎりは、もはや容赦しなかった。産業的な実務家に対する彼の軽蔑は、イデオローグに対する彼の軽蔑と好一対であった。……ナポレオンという人物をかりて、もう一度、革命的テロリズムが自由主義的ブルジョワジーに対立した。それと同様に、王政復古期においてブルボン家をかりてまたもや反革命がブルジョワジーに対立した。一八三〇年になってやっと自由主義的ブルジョワジーは、一七八九年の彼らの願望を実現したが、しかし次の一点において違いがある。すなわち、ブルジョワジーの政治的啓蒙はいまや完了しており、彼らは立憲代議制国家のなかに国家の理想を実現したいのでもなければ、世界の救済や普遍的な人間的目的を実現しようとするのでもなくて、むしろ反対に国家を、自分たちの排他的権力の公的表現として、自分たちの特殊利害の政治的承認者として、認めたのである。」カール・マルクス／フリードリヒ・エンゲルス『聖家族』、『ノイエ・ツァイト』三巻、シュトゥットガルト、一八八五年、三八八―三八九ページに引用 [g1, 1]

エドガール・キネ『革命と哲学について』に見出される一つの図式。「ドイツ哲学の発展は、……フランスの政治革命に関する一種の理論である。カントが立憲議会に当たるなら、フィヒテは国民公会に、シェリングは帝政（物理力に対する敬意によって）に当たる。そして、ヘーゲルは王政復古と神聖同盟のように彼〔キネ〕には見える。」シュミット＝ヴァイセンフェルス『人物描写――フランスから』ベルリン、一八八一年、一二〇ページ（「エドガール・キネとフランスにおける国民憎悪」） [g1, 2]

ギゾー内閣。「選挙区の有権者母体を腐敗させることは容易なことであった。これらの有権者母体は一般にごく少数の選挙人から構成されていた。多くはせいぜい二〇〇人ばかりの数で、そのなかにはたくさんの官僚が含まれていた。官僚というものは命令されるままに動くものだ。普通の選挙人はどうかと言えば、そのお気に入りたちにタバコ販売店を与えてやるとか、学校などで奨学金を与えるとか、あるいは本人を何らかの重要な行政ポストにつかせるとかして、買収した。選挙区の有権者はもとより、議会でも官僚出身者たちがきわめて多数いた。代議士の三分の一以上——一八四六年では四五九人中一八四人——が、知事、司法官、吏員であった。大臣は彼らを昇進への期待によって繋ぎとめていた。……多数派を占めるためには、もう三〇人から四〇人の代議士がいれば十分であった。ギゾーは、大企業の利権によって——当時は鉄道建設が始まろうとする時期であった——、あるいは国家への納入品の取引から得られる利益によって、彼らを獲得した。こうして腐敗は政治のからくりになるまでに整備され、ギゾー内閣の末期に生じた多くのスキャンダルから紛れもなく明らかになったように、下端役人たちも首相同様、この政治からくりの恩恵を受けていたのだ。」A・マレ／P・グリエ『一九世紀パリ、一九一九年、九五、九七ページ。当時、ラマルティーヌは「選挙貴族制」について語り、その危険を警告した（一八四七年）。 [g1a, 1]

「一八三一年七月二八日、あるパリの男がルイ＝フィリップの肖像画と並べて自分の肖像画を展示し、それに次のような説明文を添えた。「フィリップと私との間にはいささかの隔たりもない。彼は市民＝王であり、私は王＝市民である。」」ギゼラ・フロイント『社会学的視点から見た写真』（手稿、三一ページ）。ジャン・ジョレス『社会主義の歴史――ルイ＝フィリップの治世』四九ページを参照　[g1a, 2]

「『コロンバ』の著者〔メリメ〕が博覧会の最中に書いているところによれば、パリは、信じられぬほどひどく沈んでいて、誰もがほとんどわけもわからないままに恐怖を抱いている。それはちょうど、〔「ドン・ジョヴァンニ」のなかで〕騎士団長が現われようとするときにモーツァルトの音楽が感じさせるような気分である。……どんなささいな出来事でも破局のように待ち構えられている。」アドルフ・デミ『パリ万国博覧会の歴史論』パリ、一九〇七年、一七三―一七四ページ　[g1a, 3]

一八一四年頃のブルジョワジーに対するナポレオンの関係を浮き彫りにする文章。「皇帝はパリの住民に武器を与えることを極度に嫌った。革命精神を恐れて、彼は五万人の労働者の兵役を認めなかった。彼らの大部分は旧ナポレオン軍兵士であった。彼は、上流ブルジョワジーの市民、すなわち同盟軍を解放者として見るのをためらわない人々から……なる部隊だけを組織したかったのである。……ナポレオンの名前はひどく嫌われていた。ここに理工科学校の副司令官グレネ大佐に宛てた……一八一四年四月一一日付の手紙があり、そこにはこう書かれている。卑怯な主人の下の卑怯な奴隷め、わが息子を返してくれ。子どもたちの教育を保証する法律を信頼してあなたにあずけた子どもたちを、敵の砲火に晒すなんて、あなたは、暴君よりもずっと獰猛で、暴君の残酷さをも凌いでいるではないか。子どもたちはどこにいるのか。あなたは命にかえてもそれに責任をもって答えるべきである。母親たちはみな敵意をもってあなたのところに押し寄せてくるだろうし、私の息子がすぐにでも帰ってこなければ、あなたの命を奪うためには私一人で十分であろう。」G・ピネ『理工科学校の歴史』パリ、一八八七年、七三―七四、八〇―八一ページ。この手紙はアンファンタンの父のものである。　［g2, 1］

「プロテスタンティズムが……天上の聖者たちを追放したのは、地上における彼らの祝祭日をなくすためであった。一七八九年の革命はおのれの大義をもっとよく理解していた。改革派宗教は日曜日を温存したが、革命的ブルジョワジーは七日間のうちの一日の休息日でも多すぎると考えて、七日の週日を一〇日の旬日に置き換え、休息日が一〇日ごとにしかめぐってこないようにした。教会の祝祭日の思い出を……葬ってしまうために、ブルジョワジーは共和暦のなかで、聖者の名前の代わりに、金属、植物、動物の名前を使った。」ポール・ラファルグ『キリスト教の博愛事業』〔『ノイエ・ツァイト』二三巻一号、シュトゥットガルト、一四五―一四六ページ〕　[g2, 2]

「貧困問題は革命の当初から……きわめて重大かつ緊急の性格を帯びた。労働者たち……の窮境を救うためにパリ市長に選ばれたばかりのバイイは、急いで彼らを大勢――およそ一万八〇〇〇人――寄せ集めて、野性動物のようにモンマルトルの丘で囲いこんだ。ここではバスティーユを占拠した連中が、点火した火縄を手にして、大砲をもって労働者たちを監視していた。……もし戦争が仕事もパンもない都市労働者や農民を軍隊に入れて、彼らを前線に投入しなかったなら、人民蜂起は……フランス全土で起きたであろう。」ポール・ラファルグ『キリスト教の博愛事業』〔『ノイエ・ツァイト』二三巻一号、シュトゥットガルト、一四七ページ〕　[g2, 3]

「王座以外ならどこにでも、君主がいる、それがわれわれの世紀だ。」バルザック『パリにおける田舎の偉人』〔『幻滅』第二部、初版への「序文」〕。ジョルジュ・バトー『デマゴギーの大御所――ヴィクトール・ユゴー』〈パリ、一九三四年〉、二三〇―二三一ページに引用　[g2a, 1]

ナポレオン三世の文体について。「延々ともったいぶって展開される決まり文句、……果てしない反対命題のぶつかり合い、そして唐突に、巧みな言い回しが出てきて、高貴そうな様子でひとを捉えたり、寛容さで誘惑したりする。……しごく混乱した数々の観念があって、それらが埋め込まれているらしい深部では、それらを区別することはもはやとてもできそうもないが、それらを取り出すことをあきらめようとするまさにその瞬間に、それらはラッパのようにけたたましく鳴り響くのだ。」ピエール・ド・ラ・ゴルス『ナポレオン三世とその政治』パリ、四、五ページ。バトー『デマゴギーの大御所』三三―三四ページに引用　[g2a, 2]

ナポレオンの戦争体制から王政復古期の平和体制への移行。一枚の版画が「農民兵士」「刈り入れ人兵士」「一フランス兵の気前のよさ」「勇者たちの墓」を描き出している。国立図書館版画室　[g2a, 3]

「一八二九年頃、関税局長のド・サン＝クリック氏が商業不況が来ると公式に発言したとき、……われわれはそれを信じることができなかった。不況は本当に来ていたのであって、そのために七月革命が起きたほどであった。一八四八年二月の直前には、前の年から続いていた厳しい冬の寒さもあって、不況が再びぶり返し、失業も生まれた。それから二〇年経った一八六九年にも、不況がまた来た。いまではもう誰も事業を起こす気はない。現在の政府は、取引所に活気を与えたクレディ・モビリエ〔動産銀行〕やその他の政府系会社と手を組んで、一〇年間も、利回りの低い工業や農業に投資されるはずの資本を引き上げさせてしまった。政府の締結した自由貿易協定は、一八六〇年にフランスをイギリス産業に開放したので、……最初の一撃で巨大な破産を引き起こした。ノルマンディーは立ち直れないと自ら言っている。ノール県の製鉄業はなおさらそうだ。」

・ジュール・ミシュレ『われらの息子たち』パリ、一八七〇年、三〇〇―三〇一ページ　[g2a, 4]

一八一八年の銅版画「非難される異国趣味、あるいはフランス人であることに恥辱はない」。右側には、戦争や詩文や芸術における偉業を刻んだ碑銘をもつ一本の円柱がある。その下には産業の賞牌を手にした一人の青年が座っていて、彼の足は、「外国の工業製品」という言葉が書かれた一枚の紙を踏みつけている。彼と向かい合って、もう一人のフランス人が円柱を誇らしげに指さしている。彼らの背後では、一人のイギリス市民がフランスの軍人と議論していて、この四人の人物にはそれぞれ説明文がついている。天空には、ぐっと縮小された一人の天使が空を漂いながらトランペットを吹いている。そ

のトランペットには「不滅のために」と書かれた一枚のプレートがついている。国立図書館版画室、〈図3〉　[g2a, 5]

「昼下がりに取引所《ブルス》の前を通りすぎると、長い行列が見られる。……この行列には、ブルジョワ、金利生活者、食料品屋《エピシエ》、門番、代理業者、郵便配達人、芸術家、役者といったあらゆる階層の出身者がおり、彼らは丸い柵に接した最前列を占めるためにやって来るのだ。……彼らは立会所のすぐ近くに立ち、公示人の側で株式を買い、またそれらを同じ取引所で売り払う。通りすぎる警備員に一つまみのタバコを与えている白髪の老人は、相場師たちの最古参である。……彼は、立会所とその裏の闇取引場の一般的な値動きや株式仲買人の顔つきを見て、すばらしい本能で相場の上がり下がりを見抜いてしま

図3　「非難される異国趣味，あるいはフランス人であることに恥辱はない」(パリ国立図書館)

う。」『株屋のパリ』(『小《プチ》パリ・シリーズ』)、パリ、一八五四年、四四―四六ページ〔タクシル・ドロール〕(俳優のパリ、ボエームのパリ、遊び人のパリ、記者のパリ等々のミニ叢書) 〔g3, 1〕

取引所《ブルス》について。「取引所《ブルス》はほとんどド・ヴィレール氏の手によって開設されたと言っていい。このトゥールーズ出身の大臣の頭のなかには、一般に信じられている以上に創意とサン＝シモン主義があった。……彼の支配下で、株式仲買人の職が一〇〇万フランで売られるまでになった。にもかかわらず、投機はようやく最初の一歩を踏み出したところであった。四〇億フラン足らずのフランス公債、数百万フランのスペイン公債やナポリ公債が、投機が読み方を学んだアルファベットであった。……かつて人は農場や家屋を信じていたし、……金持ちについてこう噂をしていたものだ――彼は日当たりのいい土地をもち、おもて通りに面した持ち家がある！と。……一八三二年以降、サン＝シモン主義の教え……の通りに……この国は……その財政金融のおおいなる宿命を引き受ける時機にさしかかっていた。一八三七年には、すべての人々が抗しがたい勢いで取引所へと引き寄せられるのが見られた。鉄道建設がこの勢いに新しい力を与えた。……小ブルジョワジーは小口の闇取引場で売買し、さらに小口の闇取引場がプロレタリアートの資本を動かした。一方は、門衛、料理人、御者、焼肉屋、小間物商人、カフェのギヤルソンのために活動し、他方は社会的階層のなかでさらに低いところまで下りていく。あるとき、われわれはこう考えた。「靴直し、マッチ売り、屎尿汲み取り人、フライド・ポテト売りたちは自分の資本をどう使ってよいかわからないのだから、彼らに取引所の大市場を開放してやろうではないか。……そこでわれわれはきわめて小口の闇取引場を開設した。われわれは三フラン五〇サンチーム〔約一五〇〇円〕の〔小口取引で〕一定した金利の国債を売った。われわれは一サンチーム〔一フランの百分の一〕のプレミアムをつけたし、そうした小口の闇取引場は繁盛していた。そのとき突然に前月の崩壊が起きたのだ。」」『株屋のパリ』(『小《プチ》パリ・シリーズ』)〔タクシル・ドロール〕、パリ、一八五四年、六一八、五六一五七ページ　[g3, 2]

イタリア出兵の原因としての一八五七年の商業恐慌。　[g3, 3]

「アンファンタンは……現在ある「産業銀行」と並んで「知的銀行」を創設するように、彼の友人の政治家たちに説き勧めている。」こんなことが一八六三年に行われていたのだ！　C・L・ド・リーフデ『一八二五年から一八六五年までのフランス詩におけるサン＝シモン主義』〈ハーレム、一九二七年〉、一一三ページ　[g3a, 1]

バルザックの『マラナ』における相場師ディアールの肖像。「彼は、一晩のうちに左翼席から右翼席に移った一五人の代議士たちの買収に対して高額の利回りを要求した。そうした行動はもはや罪でも盗みでもなくて、政府を作ることであり、産業に投資することである。」（シャルル・カリップ師『バルザック――その社会思想』ランス／パリ、〈一九〇六年〉、一〇〇ページに引用）　［g3a, 2］

「一八三八年……に、政府は、マルタン・デュ・ノール氏を代弁者にして、国営の大鉄道網の計画を議会に提案しようと思いついた。それは巨大事業であって、その計画の実行は国家に委ねられた。……『デバ』紙がこの出来の悪い政府案に反対して激しい論説を発表したために、この案は立ち直れないほどの打撃を受けた。二年後には、西と南の二つの主要路線の権利が国家によって二つの大会社に譲渡された。……五年後には……、アンファンタン師がリヨン鉄道の取締役会の書記になり、……サン＝シモンとユダヤの同盟が……永遠に締結されたのだ。……これらすべてはアンファンタン師の仕事であった。……かくも多くのユダヤ人の名前がサン＝シモン教会の人員構成に見られる以上、サン＝シモンの弟子たちによって金融封建制が樹立されても、驚くには当たらないので

ある。」A・トゥスネル『ユダヤ人――時代の王』パリ、〈一八八六年〉、ゴネ編、一三〇―一三三ページ　[g3a, 3]

「ブルジョワ王〔ルイ・フィリップ王〕の治世下で支配していたのはフランス・ブルジョワジーそのものではなくて、もっぱら……金融貴族制である。産業全体はそれに対抗していた。」エードゥアルト・フックス『ヨーロッパ諸民族の戯画』I、ミュンヘン、〈一九二一年〉、三六五ページ　[g3a, 4]

「一八三〇年以前では、大規模農業が公権力を支配する。一八三〇年以降では製造業者たちがそれに取って代わるが、彼らの支配権はバリケードが転覆させた体制の下でもすでに打ち立てられていた。……一八一四年に機械をもっていた工場は一五であったが、一八二〇年には六五、一八三〇年には六二五になった。」ポール・ルイ『大革命から今日までのフランスにおける労働者階級の歴史』パリ、一九二七年、四八―四九ページ　[g3a, 5]

「政府の隷属状態はますますひどくなり、相場師たちの影響力が増して、取引所《ブルス》という賭博場が世論の羅針盤になるまでになった。」F・アルマン／R・モブラン『フーリエ』Ⅱ、

パリ、一九三七年、三二ページ　[g4, 1]

フーリエの取引所。「ファランジュの取引所は、ロンドンやアムステルダムの取引所よりもずっと活気があり、ずっと複雑な魅力に満ちている。各人は、商売についてであれ快楽についてであれ、明日と明後日のために多くの会合の約束をそこで取り決めなくてはならない。……人が一二〇〇人いたとして、一人が扱う協議が二〇件と想定すると、この集会では二万四〇〇〇件の取引が結ばれることになる。そしてそれぞれの取引には二〇人、四〇人、一〇〇人が関与することがあるから、彼らを指名順に呼び出して、複雑怪奇な駆け引きを行わせなくてはならないのだ。……人々は合図を使ってひっそりと交渉する。各交渉人は、彼がその代理で取引する集団（つまりファランジュ）の楯型標識を「　」式に掲げる。そしてどの程度まで協議が進展したか、合意が半分、三分の一、四分の一まで得られたかどうかを、決められた符丁が知らせる。」『フーリエの草稿の公刊』パリ、一八五一―一八五八年、全四巻、一八五一年度、一九一―一九二ページ　[g4, 2]

「労働取引所」の名前はフーリエまたはフーリエ主義者によって作られた。　[g4, 3]

一八一六年には七、一八四七年には二〇〇以上の会社が取引所に上場された。　[g4, 4]

マルクスによれば、一八二五年に、近代産業の最初の危機、すなわち資本主義の最初の恐慌が起きた。　[g4, 5]

i

複製技術、リトグラフ

「初期のリトグラフ作家〔石版画家〕の技術についての社会哲学。……ナポレオン伝説を描いた職人たちの後、そしてロマン派の文学好きの石版画家たちに続いて、フランス人の日々の生活を記録する者たちが登場した。最初の人々は自分でも知らないうちに政治的変動を準備し、その次の人々は文学の発展を急がせ、最後の人々は民衆と貴族階級のあいだに非常に深い溝を作った。」アンリ・ブショ『石版画論』パリ、〈一八九五年〉、一一二、一一四ページ　[i1, 1]

ピガルは民衆を描き、モニエは小市民を、ラミは貴族階級を描いている〔いずれも19世紀仏の石版画家〕。　[i1, 2]

のちの写真の場合と同様、初期のリトグラフにおいても、愛好家〔アマチュア版画家〕の果たした重要な役割が認められる。　[i1, 3]

「リトグラフと点刻版画との闘争は日に日に激しさを増しているが、一八一七年末からすでに、カリカチュアのおかげで勝利はリトグラフの側にある。」アンリ・ブショ『石版画論』パリ、〈一八九五年〉、五〇ページ　[il, 4]

ブショは、一八一七年以前のリトグラフを、リトグラフの揺籃期本《インキュナビュラ》に数え入れている。一八一八年から一八二五年にかけて、フランスのリトグラフ生産量は常に増えつづけた。リトグラフの躍進をほかのどの国よりもはるかに顕著なものにしたのは、政治情勢であった。リトグラフの衰退にしても、ある程度政治に条件づけられている。つまり、リトグラフはナポレオン三世の権力掌握とともに衰退してゆくのである。「実際、ルイ＝フィリップ治下の石版画家の花形たちのうち、ナポレオン三世の統治における最初の数年間にまだ生きていたのは、せいぜいのところ四人ないし五人の、疲れ切って途方に暮れた生き残りたちでしかなかった。」アンリ・ブショ『石版画論』パリ、一八二ページ　[il, 5]

第二帝政末期頃のリトグラフ。「何と多くの技法がリトグラフに闘いを挑んだことか！復活を遂げたエッチング、生まれたばかりのヘリオグラフィー〔日光写真製版術〕の技術、それにさほど重要ではなかったがエングレーヴィングなどだ。リトグラフは、刷り出しの困難やとても重い場所ふさぎの石のせいで、実際上、落ち目になっていた。出版社はもはやかつてのようにあの重い石を倉庫に蓄えておこうとはしなかったのである。」アンリ・ブショ『石版画論』パリ、一九三ページ　[i1, 6]

ラフェ〔19世紀仏の石版画家〕はクリミア〔戦争〕でリトグラフによるルポルタージュを企てた。　[i1, 7]

一八三五年—一八四五年。「当時木版画は大いに活況を呈するようになったので、急速に工場規模で大量生産される……ようになったことを見過ごしては……ならない。一つの作品を造るのに、ある版画家が人物の顔や体だけを描き、他の版画家、つまり、腕の劣る版画家や弟子たちが小道具や背景などを描いたのである。こうした分業にあっては、作品の統一性など……現われるはずもなかった。」エードゥアルト・フックス『オノレ・ドーミエ』『木版画——一八三三年—一八七〇年』ミュンヘン、〈一九一八年〉、一六ページ　[i1, 8]

フランスに石版画技術を導入しようとする最初の試みは、ゼネフェルダー〔石版画の考案者〕の協力者であるオッフェンバッハ出身のアンドレによってなされたが、完全な失敗に終わった。「彼〔アンドレ〕は、……リトグラフを用いて印刷された楽譜の販売だけをもくろんで、フランスで開業した。特許は彼の名において一八〇二年に取得されていた。彼はこの発見が後に大成功を収めるなどとは少しも予想せずに……作業場を造っていた。……それに、当時は〔大きな油絵を〕小さな図版に転写する技術にはちっとも有利な時代ではなかった。巨匠ダヴィッドは傲慢にも版画を軽蔑し、見下していた。かろうじて銅版画が目こぼしされるくらいであった。アンドレの事業はたちまち破局に向かった。」

アンリ・ブショ『石版画論』パリ、〈一八九五年〉、二八―二九ページ　[i1a, 1]

『ジュルナル・イリュストレ〔挿絵新聞〕』と『ジュルナル・プール・トゥス〔万民報〕』へのドレの協力について。「ドレが驚くべき気前のよさと熱意をもって、自らの才能をそそぎこんだ『ジュルナル・プール・トゥス』『ジュルナル・イリュストレ』『トゥール・デュ・モンド〔世界周報〕』などの三文雑誌は、彼にとって何よりも探究のための実験室として役立った。じっさい、大手のアシェットやガルニエによる大規模な出版物、（当時としては）高価な企画においては、ギュスターヴ・ドレの想像力や幻想や熱意は……豪華版の書物ということからくるさまざまな要請そのものによって、ある程度制約され、抑制されてしまうのだった。」ロジェ・デヴィニュ『三文雑誌の挿絵画家およびスケッチ記者としてのギュスターヴ・ドレ』（『グラフィック技術工芸』誌五〇号、一九三五年一二月一五日、三

五ページ）　[i1a, 2]

「革命の最中のパリの労働者たちは、市街戦の古参兵や老練の革命家の姿で書物や絵のなかに残っている。弾丸入れとサーベルをシャツの上からたすき掛けにして、頭には縁取りしたケピ〔軍帽〕や羽根つきの帽子をアフリカの王様のようにかぶって、肌もあらわに走りまわる。金もなく、くたくたにくたびれているが、心が広く、火薬にまみれて黒ずんだ体が、日にあたって汗ばんでいる。ワインを一杯ふるまおうとすると、これ見よがしに水をくれという。〔一七〕九三年のサン＝キュロットたちのように王座の肘掛け椅子に座りこんだり、王宮の広間の出口で仲間の所持品調べをしたり、泥棒を射殺したりするのだ。シャルレやラフェのデッサンを見たまえ。未亡人や孤児や負傷者の救済のために戦闘の数日後に売られていた、革命を賛美する報告書を読みたまえ。」ギュスターヴ・ジェフロワ『幽閉者』I、パリ、一九二六年、五一ページ　[i1a, 3]

マルクスのパンフレットのいくつかには、石版印刷されたものがあった。（カスー『一八四八年』〈パリ、一九三九年〉、一四八ページによる）　[i2]

k

コミューン

「パリ・コミューンの歴史は、革命的労働者階級がその最終的な勝利を闘い取るためにはその戦術と戦略とをどのように立てねばならないか、という問題の貴重な試金石となった。コミューンの陥落とともに、古い革命伝説の最後の伝承の数々も永久に地に落ちてしまった。有利な状況も、英雄的な豪胆さも、殉教精神も、みずからの解放に不可欠な諸条件……を見抜くプロレタリアートの明晰な洞察力に代わりうるものではないのである。少数集団によって少数集団のために遂行されるような革命に当てはまることが、……そのままプロレタリア革命についても当てはまるわけではない。……コミューンの歴史においては、プロレタリア革命の萌芽は、一八世紀のブルジョワ革命に発し一九世紀の革命的労働運動の中へとはびこってきたつる植物によっていまなお覆われている。コミューンには、階級としてのプロレタリアートの確固たる組織化とおのれの世界史的使命についての原理的な認識が欠けていたのであり、そのためにこそコミューンは敗れざるをえなかったのである。」［F・メーリング］「パリ・コミューンの思い出」『ノイエ・ツァイト』一四巻一号、シュトゥットガルト、一八九六年、七三九―七四〇ページ　［k1, 1］

「近年増加してきた「芝居＝講演会」なるものについてごく簡単に語ることにしよう。……バランド氏が日曜日の午後を芸術上の傑作や珍しい記念碑的作品の安上がりの上演にあて、しかも上演の前にその作品の歴史的・文学的な説明を行おうと思いついたときには、それは当を得た健全な思いつきであった。……しかし、成功というものはさまざまな模倣を招来するものだし、しかも、こうした模倣は、それが模倣しているものの不都合な側面を誇張しないことは稀である。そして、実際そのとおりになった。昼間の興行がシャトレ座やランビギュ座において行われたが、これらの舞台の上では、芸術的な問題は二の次のこととされ、政治がその中心をなすに至ったのである。『アニェス・ド・メラニー』〔仏12世紀、フィリップ二世の妻。教会に結婚を認められなかった女性を扱ったポンサールの悲劇、初演一八四六年〕がふたたび取り上げられ、『カラス』〔仏18世紀、新教徒のジャン・カラスが自殺した息子を殺害したとして死刑。ヴォルテールが闘った有名な冤罪事件を扱ったドラマは五作ほどある〕や『シャルル九世あるいは王たちの学校』〔聖バルテルミーの新教徒の虐殺の時代を扱ったM・J・シェニエの悲劇、初演一七八九年〕がひっぱり出された。……ひとたびこうした傾向に従うようになると、どんなに無害な作品も政治的狂気のある奇妙な誘惑に引きずられて、時事に関するきわめて雑多な演題と化した。モリエールとルイ一四世とは、〔彼らが生きていれば〕彼らを口実にした攻撃にすっかり驚いてしまうこともあったであろう。この種のいわゆる演劇的講演会には、まったくと言っていいほどいかなる種類の統制も及ばなかった。」――「革命が勃発するたびにかなりの証言が書き留められるものだが、これは有益なことであろう。一八七一年五月一七日号の『指令』紙〔一八七一年二月三日から五月二〇日まで発行〕には、「革命的愛国者証明書」について書かれた次のような文章が見出される。「コミューンのメンバーがこうした法令を思いついたのは、まちがいなくアレクサンドル・デュマの『騎士メゾン・ルージュ』やその他の小説を熱心に読みすぎたためであった。しかし残念なことだが、彼らにこう言わざるをえない。歴史は小説を読むことによっては作られない、と。」」ヴィクトール・アレー＝ダボ『演劇における検閲と劇場（一八五〇―一八七〇年）』〈パリ、一八七一年〉、六八―六九ページおよび五五ページ〔『指令』は、おそらくロシュフォールの機関紙の一つであろう〕　[k1, 2]

コミューンは、自分が一七九三年の相続人だとすっかり思い込んでいた。　[k1, 3]

アレー＝ダボの『演劇における検閲と劇場』五五ページからの引用箇所〈[k1, 2]に引用〉は、行商人が売り歩く通俗小説と革命との連関にとってきわめて重要である。　[k1, 4]

「いくつかの交差点には、道が突然広くなって巨大なドームになるところがある。……たしかに、この秘密のコロセウムの一つ一つは、不測の事態が生じた際には軍隊の集結にとってきわめて役に立つ場所を提供してくれるだろう。それに、はてしなく張りめぐらされた地下道網は、首都パリのあらゆる地点の足下に無数の通路をもつ、よく整備された坑道になっている。……だが、第二帝政のこうしたせっかくの着想も、第二帝政を滅ぼしてしまった突発事〔普仏戦争〕のために実地に移す時間的余裕がなかった。それにしても、いかなることも辞さない……コミューンの指導者たちが、政府軍のパリ入城に対応してそれを破壊するというすばらしい手段をなぜ使わなかったかは、理解に苦しむところである。」ナダール『私が写真家だった頃』〈一九〇〇年〉、一二一ページ〔第四章「地下のパリ」〕。上述の期待が語られているのは、同書所収の「一八七一年五月〔ヴェルサイユ在住〕ルイ・ブラン宛ての〔パリ在住〕N氏の書簡」においてである。　[k1a, 1]

「実のところランボーのすばらしいところは、彼が沈黙してしまったことではなく、むしろ彼が何かを語ったことがあるということだ。彼が沈黙してしまったのは明らかに、真の聴衆が存在しないためであった。それというのも、彼が生きていた社会はこうした聴衆を彼に与えてやることができなかったからである。一八七一年にアルチュール・ランボーは、コミューンの軍隊に参加しようとまったく当然のようにパリにやって来た、というあまりにも単純な事実を思い出してみなければならない。……シャトー・ドーの兵舎にいた頃の若きランボーは、いまだ執筆することの有効性を疑ってはいず、《ろくでなしの共和国》〔王党派が共和政を指して用いた語 la gueuse〕の両手について、どこの役所にもあるマリアンヌ〔フランス共和国の象徴〕の石膏像ではなく、場末のジャンヌ＝マリーの手について、こう歌ったものである。

これは従妹《クージヌ》の手ではなく、〔従妹《クージヌ》は、高級娼婦《クルティザヌ》もしくは縫い子《クーゼット》の諸説〕
瀝青に酔った太陽が
工場の臭いのする森で焦がす、
太いおでこの女工の手だ。〔原詩、太いおでこの女工の手でもない〕
……………………
蜂起したパリをくぐり抜け、
愛にみちた大いなる太陽のもと
霰弾銃の銃身に触れたとき、
すばらしいこの手は青ざめた。

ところで、コミューンの議会には、パリの女性労働者や社会主義の闘士たちに混じって、インターナショナルの詩人ポティエ、『蜂起者たち』の著者ジュール・ヴァレス、『オルナンの埋葬』の画家クールベ、小脳生理学の天才的な実験家、偉大なるフルーランスといった顔も見られた。」アラゴン「アルフレッド・ド・ヴィニーからアヴデエンコまで」(『コミューン』誌II、一九三五年四月二〇日号、八一〇、八一五ページ) [k1a, 2]

「労働者地区の選出議員たちだけが席を占めるコミューンは、共同綱領をもたない革命家たちの連合から成り立っていた。七八人のメンバーのうち、社会改革案をもつ者は二〇人ぐらいしかいなかった。彼らの大多数は、一七九三年の伝統を受け継ぐジャコバン的民主主義者であった(ドレクリューズ)。」A・マレ／P・グリエ『一九世紀』パリ、一九一九年、四八一―四八二ページ [k1a, 3]

コミューンでは、その中央に国民的英雄の記念碑を建てることになっている広場の片隅に、「呪いの境界標」を立てようという企画が持ち上がった。(構想の段階では)この境界標には、第二帝政期の要人たちすべての名前が書き込まれている。当然オースマンの名前も欠けてはいない。このようにして、体制側の「極悪非道の歴史」が出来上がるはずであった。それにしても、この極悪非道の歴史はナポレオン一世、つまり「あのブリユメールのクーデタの極悪人、コルシカ島がわれわれのもとに吐き出した、王位についたごろつきたちの呪われた一族のこの指導者、もはや誰が誰だかわからないような私生児たちの宿命の血統のこの指導者」にまでたどられる予定であった。ポスターの形で印刷されたこの企画には、一八七一年四月一五日の日付がある。(サン＝ドニ市役所主催「パリ・コミューン」展(一九三五年五月一七日から二六日)) [k2, 1]

「極悪非道のコミューンよ、これこそおまえがもたらした果実だ、
そうだ！……おまえはパリが灰燼に帰すのを選んだのだ。」
この最後の詩句は、ビラとして印刷された「廃墟のパリ」という詩のリフレインである。(サン＝ドニ市役所主催「パリ・コミューン」展(一九三五年五月一七日から二六日)) [k2, 2]

ドフォレとセザール社から出版されたマルシアの『コミューンの発端』のある石版画には、一人の婦人らしき人(?)がハイエナとも駄馬ともつかないものにうちまたがり、巨大な死体用白布に身を包み、ぼろぼろの汚れた赤旗をはためかせ、燃えている家々のどす黒い炎につつまれた路地とおぼしきところを駆け抜けている様子が描かれている。(サン＝ドニ市役所主催「パリ・コミューン」展(一九三五年五月一七日から二六日)) [k2, 3]

『イリュストラシオン』誌には、パリ占拠後の「カタコンべでの人間狩り」の様子を描き出したスケッチが載っている。事実ある日、逃亡者たちを追ってカタコンべが隈なく捜索された。見つけられた者は虐殺された。軍隊がダンフェール＝ロシュロー広場から入り込み、モンスーリの原っぱへ抜けるカタコンべの出口は封鎖された。（「パリ・コミューン」展）　[k2, 4]

あるコミューン側のビラには、「サン・ローラン教会の地下道で発見されたいくつかの死体」という説明文つきの絵が載っている。そこには女性の死体もあって、それらは二、三年以上たっていることはありえないと思われ、その股は引き裂かれ、両手は縛られていたという。（「パリ・コミューン」展）　[k2, 5]

片面刷りの「彼女」と題された石版画。そこでは共和国は、ティエールの顔をした一匹の蛇に巻きつかれた美しい女性として描かれている。その女性は頭上高く一枚の鏡を掲げ持っている。そしてその下にはこう書かれている。

「彼女を手に入れるには多くの方法がある、

だが彼女は賃貸し用〔賞賛されるべき、の意にもなる〕であって、売り物ではない。」

[k2, 6]

プルードンの常套句、つまり「大革命によっておまえたちの父親がそうしたように、民衆を救え、おまえたち自身を救え」というブルジョワジーに対する訴えのうちには、パリ・コミューンの根底に依然として潜んでいた一連の幻想が決定的な形で現われている。マックス・ラファエル『プルードン、マルクス、ピカソ』パリ、〈一九三三年〉、一一八ページ

[k2a, 1]

シュヴァリエの次のような常套句を思い出してみること。「われわれに栄光あれ！　われわれは貧困と空腹に見送られ、王たちの宝物殿に入っていった。われわれは緋色の布と黄金とダイヤモンドの間を歩き回った。そこから出てきたときには、空腹と貧困とをお供につれていた。」『サン＝シモン主義の宗教』「ラ・マルセイエーズ」〈一八三〇年九月一一日号の『オルガニザトゥール』誌からの抜粋〉、二ページ〔国立図書館の目録によれば、この記事の著者はミシェル・シュヴァリエである〕

[k2a, 2]

コミューンの最後の抵抗の中心地の一つは、バスティーユ広場であった。　[k2a, 3]

シャルル・ルアンドルの『現代の危険思想』(パリ、一八七二年)は、コミューンの後に現われた反動的なパンフレットの特徴をよく示す一つの代表例である。　[k2a, 4]

図4　「アクチュアリテ」(クールベ)(パリ国立図書館)

クールベに対するカリカチュアのなかに、この画家が砕け折れた円柱の上に立っているのを描いたものがある。そしてその頭上には、「アクチュアリテ〔時事〕」と書かれている。　国立図書館版画室 kc 164 a 1〈図4〉　[k2a, 5]

「ルイーズ・ミシェルは、その『回想録』の中でギュスターヴ・クールベと交わしたある会話を伝えており、このパリ・コミューンの大画家が未来に有頂天になり、さまざまな夢想にふける様子をわれわれに教えてくれるが、この画家の夢想は一九世紀臭をぷんぷんさせているとはいえ——それによってなおさら——感動的ですばらしい偉大さをかもしだす。「クールベが予言するところによれば、だれもが邪魔だてされることなく、それぞれの才能に没頭するようになるにつれ、パリの重要性は倍加するだろう。そしてこのヨーロッパの国際都市は、芸術や産業や商業に、あらゆる種類の商取引やあらゆる国の観光客に、永遠の秩序を、市民による秩序を提供することができるようになるだろうし、この秩序を恐るべき王位要求者だという口実のもとに妨害することはできないだろう。」これは、まるで万国博覧会の様相を呈した無邪気な夢想だが、それにもかかわらず、この夢想は痛切な現実を、そして何よりもまず、全員一致で確立されるべき一つの秩序、つまり「市民たちによる秩序」への確信を含意している。」ジャン・カスー「血の一週間」(『ヴァンドルディ』誌、一九三六年五月二二日号)　[k2a, 6]

エンゲルスは、第一帝政とそしてとりわけ第二帝政のうちに、ほぼ互角の勢力を持つブルジョワジーとプロレタリアートとの調停機関として登場しうるような国家を見ている。(G・マイアー『フリードリヒ・エンゲルス』Ⅱ、ベルリン、〈一九三三年〉、四四一ページ参照)　[k2a, 7]

コミューンの破れかぶれの闘い。「ドレクリューズが例の宣言を口にしたのはその時である。「軍国主義はもうたくさんだ！　その縫目という縫目に金モールを付けた幕僚たちはもういらない！　人民、この腕まくりした戦闘員たちに場所を！　革命戦争の時が到来したのだ。」すべての人々の心に抑えがたい熱狂が呼び覚まされた。人々はポーランドの戦略家たちの要求するがままにみずからの命を捧げようとしている。誰もが、そこで快適に生活し快適に死ぬことができる自分たちの街と慣れ親しんだ舗道と街角へと戻ってゆく。あの伝統のバリケードへ！　この宣言こそブランキ主義の最後の叫びであり、一九世紀の最後の奮起であった。人々はまだ信じていたかった。あの神秘を、奇跡を、連載小説みたいな話を、叙事詩の魔力を。人々は、あのもう一方の階級が科学的に態勢を整え、仮借ない軍隊に身を委ねたということがわかっていなかった。そちらの指導者たちは、すでに久しい以前から状況をはっきり認識していた。オースマンが、建てこみ曲がりくねった街、神秘と連載小説のこの温床、民衆が陰謀をたくらむこの秘密の園を、そのどこまでもまっすぐな広い大通りに溶かし込んでしまったのも、それなりのわけがあったのである。」ジャン・カスー「血の一週間」（『ヴァンドルディ』誌、一九三六年五月二二日号）　[k3, 1]

エンゲルスとコミューン。「国民軍の中央委員会が軍事行動を指導しているあいだは、彼〔エンゲルス〕は依然として希望に溢れていた。当時マルクスは「モンマルトルの丘の北面に位置するプロイセン陣営に対する防備を固めるように」という忠告をパリに送りつけたものだが、この忠告のもともとの出所は、明らかにエンゲルスであった。そうでなければ蜂起が「ねずみ取り器の餌食になってしまう」ことを、彼は恐れたのである。だが、コミューンはこの警告に従わないばかりか、エンゲルスが遺憾の念とともに認めたように、攻撃に転じる好機を逸してしまった。……初めのうちはまだエンゲルスは、この戦闘は長引くだろうと考えていた。……〔インターナショナルの〕総評議会の席上において彼は、……次のように力説したものである。パリの労働者は以前のいかなる蜂起のときよりも軍事的にいっそうよく組織されており、市街への突撃が実行される際にはナポレオン三世治下に行われた街路幅の拡張が彼らに有利に働いてくれるにちがいない、そしていまや初めて、バリケードが大砲と整然と組織された軍隊によって防衛されることになるであろう、と。」グスタフ・マイアー『フリードリヒ・エンゲルス』第二巻「エンゲルスとヨーロッパにおける労働運動の興隆」ベルリン、〈一九三三年〉、二二七ページ　[k3, 2]

「彼〔エンゲルス〕が一八八四年にベルンシュタインに打ち明けたところによれば、マルクスの著作においては、「コミューンの無意識的な傾向がその多少とも意識的な構想とされている」という。そしてエンゲルスはさらに、これは「そうした状況のもとでは許されることであり、必要なことでさえ」あったのだ、と付言している。……蜂起の参加者たちの大多数はブランキスト、つまり直接的な政治行動と意志強固な少数の男たちからなる権威主義的独裁制とに希望をかける、国民主義的な革命家たちからなっていた。インターナショナルのメンバーは少数派にすぎず、しかもなおそれに加えてプルードンの精神に支配されており、したがって、彼らを社会革命家、ましてマルクス主義者と呼ぶわけにはいかなかった。それにもかかわらず、全ヨーロッパの政府とブルジョワジーは……この蜂起がインターナショナルの総評議会によって煽動されたと見なした。」グスタフ・マイアー『フリードリヒ・エンゲルス』第二巻「エンゲルスとヨーロッパにおける労働運動の興隆」ベルリン、二二八ページ　[k3a, 1]

最初の communio〔共同体〕としての都市。「ドイツ皇帝たとえばフリードリヒ一世と二世は、……これらの「communiones〔共同体〕」、「conspirationes〔秘密結社〕」を誹謗するさまざまな勅令を公布した。それは今のドイツ連邦議会の精神と同じである。……今日共産主義に対してそうであるのとまったく同じような仕方で……この「communio」という言葉に誹謗が浴びせられる様子は、滑稽なものである。たとえばノワヨンの司祭ギルベールは、「communio は新しい、しかも非常に有害な名称である」と書いている。一二世紀の実直な都市市民たちは、農民たちにこの都市へ、この communio jurata〔誓約共同体〕へ逃げ込みたいという気持ちを起こさせるようなある種の熱っぽさをもっていた。」「ロンドンより一八五四年七月二七日付マルクスのエンゲルス宛て書簡」〔カール・マルクス／フリードリヒ・エンゲルス『往復書簡選集』V・アドラツキー編、モスクワ／レニングラード、一九三四年、六〇―六一ページ〕　[k3a, 2]

イプセンは、フランスにいるコミューンの多くの指導者よりも先までものが見えていた。一八七〇年一二月二〇日のブランデス宛て書簡に、彼はこう書きつけている。「今日まで私たちの生きる糧となっているものはすべて、何といっても前世紀の革命というテーブルの上に残されたパンくずにすぎないのであり、しかも、私たちは何といっても、もはや十分長いあいだこの糧をかじり、反芻してきた。……自由・平等・友愛は、今は昔のギロチン時代にそうであったのと同じものではもはやなくなっている。これは政治家たちが理解しようとしない事柄であり、だからこそ、私は彼らを憎むのだ。」ヘンリク・

イプセン『全集』第一〇巻、〈ベルリン、一九〇五年〉、一五六ページ　[k3a, 3]

プルードン主義者のベレーは、コミューンの派遣代表であったとき、三月三〇日フランス銀行副総裁ド・プルークから、フランスのために「本当の人質」になっていた二〇億フランに手を触れずにおくよう説得された。彼は、評議会のプルードン主義者たちの助力でこの意志を押し通した。　[k4, 1]

包囲攻撃中にブランキが出版した雑誌『危機に瀕した祖国』におけるブランキの発言。「ベルリンこそは未来の聖なる都市、世界を照らす威光となるにちがいない。パリ、それは横領と退廃のバビロン、あの大いなる娼婦バビロンであり、神の使者である滅びの天使が聖書を手に、まさにこのパリをこの地上から抹殺しようとしている。主がゲルマン民族に救霊予定の印を与えられたのを知らないのか。自衛しよう。われわれの都市めがけて進んでくるのは、モロクの神の残忍さによって倍加されたオーディンの残忍さである、つまりはヴァンダル族の野蛮とセム族の野蛮なのだ。」ギュスターヴ・ジェフロワ『幽閉者』パリ、一八九七年、三〇四ページに引用　[k4, 2]

ジョルジュ・ラロンズが『一八七一年のコミューンの歴史』(パリ、一九二八年、一四三ページ)において、人質の銃殺についてこう語っている。「人質たちが斃れたときは、コミューンはその権力を失っていた。しかし、その責任だけはコミューンにふりかかってきた。」
[k4, 3]

コミューンのもとでのパリの行政機構。「コミューンがすべての機構に手を触れずにおいたのは、どんな小さな組織をもふたたび始動させ、きわめてブルジョワ的な発想だが、中級公務員の数をもっと増やしたいという誘惑的な願望に突き動かされてのことであった。」ジョルジュ・ラロンズ『一八七一年のコミューンの歴史』パリ、一九二八年、四五〇ページ
[k4, 4]

コミューンのもとでの軍隊編成。「野戦よりもむしろ、自分の街にみなぎる戦争ムード、公開討論会や政治クラブや治安維持活動の熱っぽい空気、そして必要とあれば、パリの通りに積み重ねられた敷石のこちら側での死を好むがゆえに、城壁を乗り越えてまで戦おうとはしない一部隊。」ジョルジュ・ラロンズ『一八七一年のコミューンの歴史』パリ、一九二八年、五三二ページ
[k4, 5]

クールベはティエールのコレクション〔一八八一年、ルーヴル美術館に寄贈された〕を破壊から救うために、何人かのコミューンの同志とともに〔ウジェーヌ・〕プロト〔王族のブロンズ像の造幣局送りを提案した司法委員〕に反対した。 [k4, 6]

インターナショナルのメンバーは、ヴァルランの提言にもとづいて、自分たちを国民軍の中央委員会に選出させた。 [k4, 7]

「権力と酒と女と流血の狂乱、これがコミューンというものだ。」シャルル・ルアンドル『現代の危険思想』パリ、一八七二年、九二ページ [k4, 8]

1

セーヌ河、最古のパリ

一八三〇年頃。「この界隈には多くの庭園があった。ユゴーは『フイヤン派修道女たちのあいだの出来事』に、それらの描写を残している。リュクサンブール公園は今日よりずっと大きく、家々に直接面していたので、それらの家の持ち主たちは、それぞれ公園の入り口の鍵を持っていて、その気になれば夜通し園内を散歩することもできただろう。」デュベック／デスプゼル『パリの歴史』パリ、一九二六年、三六七ページ　[II, 1]

「ランビュトー〔一八三三年ガス灯に切り替えたセーヌ県知事〕は」――ブールヴァール・サン＝ドニとブールヴァール・ボンヌ＝ヌーヴェルに――「並木を植えさせた。というのも、元からあった美しい並木は一八三〇年のバリケードに使われてしまったからである。」デュベック／デスプゼル『パリの歴史』三八二ページ　[II, 2]

「主婦たちはセーヌ河に水を汲みに行く。河から遠い地区では水売りの世話になる。」〔七月王政〕デュベック／デスプゼル『パリの歴史』三八八―三八九ページ　[II, 3]

オースマン以前。「オースマン以前の古い水道では、せいぜい三階までしか水を供給できなかった。」デュベック／デスプゼル『パリの歴史』四一八ページ [II, 4]

「英国かぶれの傾向は……大革命以後は思想に、ワーテルローの戦い以後はモードに、影響を及ぼしている。〔大革命の〕憲法制定議会議員たちが英国の諸制度を模倣したように、これからはロンドンの公園《パーク》や辻公園《スクエア》が模倣されるようになるだろう。」デュベック／デスプゼル、前掲書、四〇四ページ [II, 5]

「セーヌ河の水路が、ストラボン〔ローマ時代の地理学者・歴史家〕の著作に見られるように、利用されはじめ、貴重になりはじめた。ルテティア〔パリの古い名〕は、船乗りや船頭たちの組合の中心地となった。彼らはティベリウス帝時代に、皇帝とユーピテル神に祭壇を作って奉納したが、この有名な祭壇は一七一一年にノートル＝ダム寺院の地下から発掘された。」デュベック／デスプゼル、前掲書、一八ページ [II, 6]

「そこでは、冬は厳しくない。麦藁で覆ってやるようになってからは、質の良い葡萄や無花果の木さえ見られる。」『ミソポゴン』中のユリアヌスの言葉。デュベック／デスプゼル、

前掲書、二五ページに引用　[II, 7]

「セーヌ河は、河口までパリの空気を吐き続けているように思える。」フリードリヒ・エンゲルス「パリからベルンまで」『ノイエ・ツァイト』一七巻一号、シュトゥットガルト、一八九九年、一一ページ　[II, 8]

「今では公園で読書をする自由が勝ち取られているとはいえ、煙草を吸うことは禁じられている。自由とは、近頃はやりだした言い方をすれば、放縦ではないのだから。」ナダール『私が写真家だった頃』パリ、〈一九〇〇年〉、二八四ページ(「一八三〇年頃」)　[II, 9]

「最近ルクソールからジョワンヴィル公〈ルイ＝フィリップ王の第三子〉が持ち帰ったオベリスクがこれから据え付けられるところだ。人々は固唾を呑んでいた。というのも、この石柱の建立を任せられた技師ルバを不安にさせずにはおかない噂が流れていたのである。相変わらず嫉妬深いイギリス人たちが……関係者を買収してロープの芯に切れ目を入れさせた、というのだ。やれやれ、イギリス人ときたら！」ナダール『私が写真家だった頃』パリ、二九一ページ(「一八三〇年頃」)　[II, 10]

一八四八年パリで自由の樹ポプラ〔学名ポプルス〕が植えられた。ティエールが言った。「人民〔羅、ポプルス〕よ、大きくなれ。」一八五〇年にその樹は、警視総監カルリエの指示で切り倒された。 [II, 11]

七月革命の後。「無数の切り倒された木がヌイイに向かう道路やシャンゼリゼや、大通りに散乱している。ブールヴァール・デジタリアンには一本の木すら残っていない。」フリードリヒ・フォン・ラウマー『一八三〇年のパリおよびフランスからの手紙』II、ライプツィヒ、一八三一年、一四六―一四七ページ [II, 12]

「庭園がある。それは何平方シュー〔一シューは約三〇センチ〕で測られる位の狭いものである。だが、この庭園は緑陰で読書に耽ることができる場所を提供してくれる。そこかしこでは小鳥さえ囀っている。――だが何といってもとてもすばらしいのは、サン＝ジョルジュ広場である。そこでは、田園の趣きと都会の趣きが手を取り合っている。この広場を取り巻く建物は、表側が都会的で、その裏側は田舎風なのである。」それに加えて噴水とテラスと温室と花壇がある。L・レルシュタープ『一八四三年春のパリ――書簡・

報告と描写』I、ライプツィヒ、一八四四年、五五―五六ページ　[I1a, 1]

「パリは二つの層に挟まれている。水の層と空気の層だ。地下のとても深いところに広がる水の層は……白亜層とジュラ紀の石灰岩層のあいだにある緑色砂岩層によって供給される。この層は半径二五リュー〔約一〇〇キロ〕の円盤状を呈しており、そこへは多数の大小河川の水が滲みこんでいる。グルネルの井戸から水を飲む人は、セーヌ、マルヌ、ヨンヌ、オワーズ、エーヌ、シェール、ヴィエンヌ、ロワールなどの河川の水を飲んでいるのだ。水の層は健康に良く、まず空から、次いで大地から生じてくるし、空気の層は健康に悪く、下水道から生じてくる。」ヴィクトール・ユゴー『全集――小説九』パリ、一八八一年、一八二ページ（『レ・ミゼラブル』）　[I1a, 2]

一九世紀の初めにはまだセーヌ河を train de bois（いかだのことか?）〔木場に浮く連結された木材〕が下っていた。そしてCh・F・ヴィエルは彼の著書『建物の強度保証に関する数学の無効性について』でルーヴル橋〔カルーゼル橋〕の橋脚のことを非難している。その支柱にぶつかると train de bois がばらばらになってしまうというのである。　[I1a, 3]

サン＝クルーの網については、とくにメルシエ〔『タブロー・ド・パリ』Ⅲ、アムステルダム、一七八二年、一九七ページ〕が言及している。「身投げして溺死した不幸な人々の死体は……水面が凍りつく時期を除けば、サン＝クルーの網に引っかかる。」他にも多くの人が、とりわけデュロール〔18―19世紀仏の政治家〕などがこの網に言及している。ゴズランやトゥシャール＝ラフォスらは、この網があったことを否定している。パリの文書館にはそれについての指摘は何もない。伝承が言うところでは、その網は一八一〇年に撤去されたそうである。フィルマン・マイヤール『死体公示所に関する歴史的・批判的探究』パリ、一八六〇年、による。この本の最終章〔一三七ページ〕「サン＝クルーの網」　[11a, 4]

一七世紀の初めには、その大部分が暗渠となった「パリの地下を流れる川」について。「排水溝は……こうして……とある家のほうまで斜面を降りていった。その家は、すでに一五世紀には二匹の鮭が看板になっていたが、そこにその名を取ったパサージュ〔・デュ・ソーモン〕ができた。そのあたりで、この排水溝は、中央市場のほうからの水流と合流して幅が広くなり、地下にもぐりこむのだが、そこは、今ではマンダール街が始まる場所であり、長いことぽっかりと口を開けていた大下水道の入り口が、テルミドールの反動の後にマラの胸像と……サン＝ファルジョー〔仏革命期の政治家〕の胸像を呑みこんでしまった場所である。やがて、排水溝は……パリの地下深くで、セーヌ河に流れこむのだった。……この泥の川がパリでもっとも人口の多い地区を横断して、悪臭を振りまいただけでたくさんだった。……パリの街にペストが襲いかかる場合、ペストはまず、この不潔な排水溝に隣接しているためにもともと悪臭の巣となっている地域に出現した。」エドゥアール・フルニエ『パリの街路の謎』パリ、一八六〇年、一八―一九、二一―二二ページ(「パリの地下を流れる川」)　[12, 1]

「「電光のように白い」微光を放つ銀の火口《ほくち》を持つあの神々しいランプのことが思い出される。それは『マルドロールの歌』(「第二の歌」)に登場するランプで、パリを横断しながらセーヌ河をゆっくりと下っていく。もっと後の『ファントマ』の中でも、セーヌ河が描く弧の反対側のジャヴェル河岸あたりで、河底をさまよう不可解な微光が目撃されるだろう。」ロジェ・カイヨワ「パリ――近代の神話」(『NRF』誌、二五巻二八四号、一九三七年五月一日、六八七ページ)　[12, 2]

「セーヌの堤もその最終的完成をオースマンに負っている。今やはじめて堤の上方に遊歩道が、下方には街路樹がしつらえられた。こうした遊歩道や街路樹がセーヌという大通りを、その外観の上でも、アヴニューやブールヴァールと結びつけている。」フリッツ・シュタール『パリ』ベルリン、〈一九二九年〉、一七七ページ　[12, 3]

「ヨーロッパ北部の大都市とまだ直接結びついていなかったものの、ルテティアは河に沿った陸上の商業路上に位置していた。……セーヌ右岸のローマ時代の大街道がそれで、後にサン＝マルタン街になる。シャトー・ランドンの四つ辻からは第二の街道が分岐していた。サンリス街道である。第三の路、ムラン街道は深い沼地を通ってバスティーユのほうに延びた土手道で、おそらく初期ローマ帝国の時代にすでに存在していた。……これはサン＝タントワーヌ通りになる。」デュベック／デスプゼル『パリの歴史』パリ、一九二六年、一九ページ　[12, 4]

「目抜き通り《ブールヴァール》から出て、ルージュモン通りをセーヌ河のほうに下りたまえ。国立割引銀行の建物がよく目立つ窪地の底を塞いでいるのが見えるだろう。君はセーヌ河の太古の河床に入ったのだ。」デュベック／デスプゼル『パリの歴史』パリ、一九二六年、一四ページ　[12a, 1]

「シテ島のパリと鋭い対照をなしている一般市民の町であるパリ＝市街部《ヴィル》は、セーヌ河の右岸と、当時いたるところに建設された橋の上に発展した。そこでの指導的な階層は商人であり、彼らのうち回船問屋組合がもっとも有力であった。もっとも重要な市が立ったのは、海の魚が持ち込まれる通りと近郊の農民たちが野菜を持ってくる通りの交差点で、サン＝トゥスタッシュ教会のところである。それは今日、中央市場がそびえたっているのと同じ場所である。」フリッツ・シュタール『パリ』ベルリン、〈一九二九年〉、六七ページ　[12a, 2]

m

無為

次のような注目すべき絡み合いがある。ギリシアでは実用のための労働は、法の保護の埒外に置かれていた。こうした労働は基本的には奴隷の手にあったのだが、それにもかかわらず少なからず断罪されたのは、それが地上の財貨(富)への低劣な欲求をあからさまに見せていたからである。こうした見解は、商人をマモン〔富と強欲の神〕の下僕として誹謗することに寄与している。「プラトンは、『法』(Ⅷ、八四六)のなかで、市民は一人として機械的な職業に従事してはならないと命じ、職人を意味するバナウソス〔*βάναυσος*〕という言葉は、軽蔑すべきものと同義になっている。……職人的ないし手作業的なものはすべて、恥ずかしいものとされ、肉体と同時に魂までを変形させてしまう。一般的に、これらの職業に従事する者は、……「われわれの時代から余暇を奪っている富への欲望」……を満足させるためにのみ仕事に励んでいる。……アリストテレスは、金儲け〔*χρηματιστική* クレマティスティケー〕の行き過ぎに……家計の知恵を対比させている。……そのようにして、職人に対する侮蔑は、商人にまで広げられてゆく。学習に費やされる余暇(*σχολή*, otium)で充実する自由業の生活に対して、商業(neg-otium, *ἀσχολία* 非-余暇)や「事業」は多くの場合、負の価値しか担っていない。」ピエール＝マクシム・

シュル『機械と哲学』パリ、一九三八年、一一一―一一二ページ [m1, 1]

閑暇〔Muße〕を楽しむ者は、運命の女神《フォルトゥナ》の手を逃れている。それに対して、無為〔Mußiggang〕に耽る者は、この女神の手に落ちることになる。だが、無為に安住する者を待ち受けている運命の女神は、閑暇に身を委ねる者がその手を逃れる運命の女神に比べるなら、より劣位の女神である。こうした女神はもはや能動的生活のなかにいるのではなく、歓楽的な社交界を本拠としている。「中世の絵師たちは、活動的生活をする人間たちを《運命》の車輪につながれている姿で描く。回転する方向によって、彼らは上がったり下がったりする。それに対して、瞑想家は中心にいて動かずにいる。」ピエール＝マクシム・シュル『機械と哲学』パリ、一九三八年、三〇ページ [m1, 2]

閑暇の特徴について。ジュベールについてのエッセイのなかで、サント＝ブーヴは書いている。「会話すること、ものを知ること、これこそがプラトンにとって私生活の幸福をなすものだった。だれもが職業に従事するようになってからは、この種のもの知りや愛好家は……フランスではほとんど見られなくなった。」ジュベール『書簡』パリ、一九二四年、XCIXページ [m1, 3]

市民社会にあっては怠惰は――マルクスのある言葉を使うならば――「英雄的」であることをとっくにやめてしまっている。〔マルクスは「英雄的怠惰に対するインダストリー〔熱心な勤勉〕の勝利」という表現をしている。「プロイセン革命の総決算」『カール・マルクス／フリードリヒ・エンゲルス全集』Ⅲ、シュトゥットガルト、一九〇二年、二一一ページ〕

[m1a, 1]

ボードレールはダンディの姿に関して、かつて閑暇がもっていたような長所が無為にもあると認めようとしている。瞑想的生活〔vita contemplativa〕が、無為の生活〔vita contemptiva〕とでも呼びうるものによって、取って替わられている。私の手稿第三部〈すなわち「ボードレールにおける第二帝政下のパリ」〉と比べること。

[m1a, 2]

経験〔Erfahrung〕とは労働の実りであり、体験〔Erlebnis〕とは無為に日を送る者のファンタスマゴリーである。

[m1a, 3]

経験の価値が下がるとともに人類から失われてゆく力の場の代わりに、人類は新しい力の場を計画という形で切り拓いている。これまで知られていない膨大な量の画一的なものごとが、伝統の証明済みの多様性に抗して動員されている。それ以降というもの「計画」は大規模な形でのみ可能となっている。個人的な規模、つまり、個人のためや個人によっての計画は不可能となっている。だからこそヴァレリーが次のように言うのは正しい。「マキャヴェリやリシュリューのような人間の、長いあいだあたためられた企てや深い思索も、今日だったら、株式取引所でのよいネタくらいの確実性と価値しかもたないであろう。」〔ポール・ヴァレリー『全集』J、〈パリ、一九三八年、三〇ページ〉〕

[m1a, 4]

「体験」にとっての志向的対象は、同じままにとどまってはいない。一九世紀においてそれは「冒険」であった。われわれの時代には、それは「運命」として登場する。運命のうちには「全的体験」という概念が潜んでいるが、この全的体験なるものはそもそもの成り立ちからいって死につながっている。戦争こそはこの全的体験という形象をあらかじめ形作るという点では、無比のものである。(「ドイツ人として生まれたことに私は殉じる」――誕生というトラウマがすでに死につながるショックを含んでいる。誕生と死のこの一致が運命の定義である。)

[m1a, 5]

人間に「全的体験」を得させる何よりのものは、交換価値への感情移入なのではなかろうか？

[m1a, 6]

「体験」は、痕跡によって新たな次元を獲得する。「冒険」を期待して待っている必要は体験にはもはやない。体験する者は、冒険へと導いてくれる痕跡を追ってゆけばいい。痕跡を追う者は、気を張りつめていなければならないが、それだけではなく、何よりも、すでに多くのことを記憶に留めていなければならない（猟師は自分がその跡を追っている獣の蹄を知っていなければならないし、その獣が水場に現われる時間、また獣が辿っていく河の流れの方向、また、自分が渡る浅瀬の場所などを知っていなければならない）。経験が体験の言語に翻訳されて現われるときの独特の様態がここに見えて来る。さまざまな経験は実際問題として、痕跡を追っている者にとっては、評価しきれないほどの価値があるかもしれない。しかし、それは特別な種類の経験である。経験がもともと存在していなければならない唯一の労働活動は、狩猟である。そして狩猟は労働としてはきわめてプリミティヴなものである。痕跡を追いかける者の経験は、何らかの労働活動の結果であるとしても、それとはほとんど無縁であるか、まったくそれと切り離されているかである（「幸福を求めての狩猟」という言い方があるのは、決してゆえなきことではない）。経験はどんな結果ももたらさないし、体系ももっていない。経験は偶然の産物であり、本質的な未完結性を帯びている。これが、無為に過ごすことが好んで引き受ける義務の特徴である。知るに値することの収集は基本的に完結不可能であり、そうしたものの利用可能性は偶然次第であって、そうした完結不可能性のプロトタイプは研究調査〔Studium〕である。　[m2, 1]

無為は見せびらかしうるような要素をほとんどもっていないが、それにもかかわらず閑暇よりも誇示される。市民は労働を恥じ始めた。市民は閑暇を当然のこととするわけにはいかなくなって、無為を見せびらかすようになる。　[m2, 2]

無為に過ごすことと研究をするという二つの想念のあいだのねんごろな関係は、studio〔研究、部屋〕という概念のうちに表われている。studio は、とくに独身男性にとっては、婦人の小居間と対をなすものとなっている。　[m2, 3]

探求する者〔Student〕と猟師。テクストとは、その中で読者が猟師となる森である。下草のあいだのパチッという音――着想、おびえる獣、引用――獲物の一つ(どんな読者もが着想を得るわけではない)。 [m2a, 1]

無為が中心的な役割を占める社会的制度が二つある。報道と夜遊びである。両者は、仕事に対するある独特な態勢を必要としている。この特別な態勢とは無為である。 [m2a, 2]

報道と無為。雑文記者、レポーター、報道写真家、彼らには、待つこと、いつでも「飛び出せる」ように「用意していること」がそれ以外の能力に比べてますます重要になっていて、これが彼らの存在の一つの頂点を示すものである。 [m2a, 3]

体験よりも経験を優れたものにしているのは、経験が連続性や筋道といった想念から切り離すことのできない点である。体験に置かれるアクセントは、その体験の基盤が、体験する当人の労働から離れていればいるほど、大袈裟なものになる。――外部の人間にとってはせいぜいのところ一つの体験にしかならないときに、その労働にとっては、経験がなされていることが自覚されている。まさにそのことが当人の労働を際立たせるの

である。 [m2a, 4]

封建社会において閑暇——労働を免れている状態——は特権として承認されていた。市民社会においてはそうではない。封建主義が知っている閑暇の特徴は、それが、社会的に重要な二つの行動様式と交流していることである。つまり宗教的瞑想と宮廷生活であるが、この両者は、貴族や高位聖職者、そして騎士たちの閑暇が流し込まれるいわば鋳型のようなものである。敬虔と顕示というこの二つの態度こそは、詩人に資するものとなった。詩人の作品はまた、宗教と宮廷とのコンタクトを保つことにより、少なくとも間接的には、この両者を引き立てた(大物文士として教会と袂を分かったのはヴォルテールが最初である。それだけいっそう彼は、フリードリヒ大王の宮廷に自分の場を確保することを恥ずかしいとも思わなかった)。封建社会においては詩人の閑暇は特権として承認されていた。市民社会になって初めて、詩人は無為に過ごす者になったのである。 [m2a, 5]

無為は、無為に過ごす者の果たす労働とのいかなる関係をも、最終的には労働過程一般とのいかなる関係をも回避しようとする。これが無為と閑暇の違いである。 [m3, 1]

「いっさいの宗教的、形而上学的、歴史的理念は何といっても結局は、過去の偉大な体験の最終的な標本であり、そうした体験の表象である。」ヴィルヘルム・ディルタイ『体験と創作』ライプツィヒ、ベルリン、一九二九年、一九八ページ　[m3, 2]

経験が震撼されていることと、法の確実性が震撼されていることとは密接に関連している。「自由主義的時代においては、経済的支配は、生産手段の法的所有と大幅に結びついていた。……この百年間に資本の……集中化が技術の発展に媒介されつつ急速に進んだ結果、法律上の所有者たちは大部分が企業の経営から……切り離されている。実際の生産から切り離されたために、……登記証書をもっているだけのオーナーたちの地平は狭くなり、……最終的には、彼らがなお引き出している自分の所有財産の所有分は、……社会的には無用なものとして現われてくる。……社会全体に対して自立し、確固とした内容をもった法という考えは、重みを失ってくる。」こうして「内容的な規定をもったいかなる法も抹消されることになり、その抹消は……権威主義的国家において……完結するのである」。マックス・ホルクハイマー「伝統的理論と批判的理論」(『社会研究誌』、一九三七年二号、二八五―二八七ページ)、ホルクハイマー「哲学的人間学についての覚え書」参照

（同誌一九三五年一号、一二ページ）　[m3, 3]

「時代の動きの生き生きとした表象に本当に適した活動分野は体験報告、つまりルポルタージュである。ルポルタージュは、直接事件に迫り、体験を記録する。そのための前提は、報告するジャーナリストにとってその事件が本当に体験になることである。……それゆえに体験能力こそは……この職業において有能であることの……前提である。」ドーヴィファト「新聞における文体の諸形式と効果の諸法則」（『ドイツ・プレス』一九三九年七月二二日、ベルリン、二八五ページ）　[m3, 4]

無為に過ごす人について。ボードレールの舟のアルカイックなイメージ。　[m3, 5]

カルヴィニズムの厳格な労働と仕事のモラルは、瞑想的生活の発展ときわめて密接な関連にあると思われる。こうしたモラルは、瞑想の中で凍りついた時間が無為へと流出するのを止めるための堤防を築こうとしたのである。　[m3a, 1]

連載小説について。センセーションという毒をいわば静脈注射によって経験に注入する必要があった。つまり、通常の経験から体験になるようなものを取り出す必要があった。そうした体験としての性格にもっともよく合うのが、大都会の人間の経験である。連載小説作家はそれを利用する。彼は大都会の人間に対して彼の街を異化するのである。こうして連載小説作家は、体験への欲求が増大したために舞台に呼び出される最初の技術者たちの一人となるのである。（同じ欲求は、ポーやボードレールやベルリオーズによって唱えられた現代的美の理論においてその正しさを主張している。こうした理論においては驚きこそが、中心的な要素である。）　[m3a, 2]

経験の貧困化のプロセスはすでにマニュファクチュアにおいて始まっている。言葉を換えて言えば、このプロセスはその発端において、商品生産の始まりと時を同じくしているのである。（マルクス『資本論』〈I〉、コルシュ編、〈ベルリン、一九三二年〉、三三六ページ参照）　[m3a, 3]

ファンタスマゴリーは、体験にとっての志向された相関物である。　[m3a, 4]

産業における労働過程が、手工業と区別されるように、この労働過程に相応した伝達の形態——情報——も、手工業的な労働過程に相応した伝達の形態、つまり物語から区別される〈ヴァルター・ベンヤミン〉「物語作者」〈『東洋と西洋』新編第三号、一九三六年一〇月〉、二一ページ、第三節。——二二ページ、第一節、第三行。二二ページ、第三節、第一行——ヴァレリーの引用の最後〉。情報というもののなかに纏められて潜んでいる起爆力を想像するためには、こうした連関を見ておく必要がある。センセーションにおいてこの起爆力が解放される。この起爆力の解放によって、知恵とか口承とか、あるいは真理の叙事的側面と今なお類似しているものが、跡形もなく吹き飛んでしまう。　[m3a, 5]

無為に過ごす者が好む半《ド》=社交界《ミ=モンド》とのつながりにとって、「研究」は一種のアリバイである。とくにボヘミアンについては、彼らは一生涯にわたって自分たちのシマを研究していると言うことができる。　[m3a, 6]

無為は気晴らしもしくは娯楽《アミューズメント》の前段階と考えることができる。無為は、任意の順序で起きるセンセーションをひとりで楽しみ尽くそうとする気持ちにもとづいている。しかし、生産過程が大量生産を前面に出し始めると、「自由時間のある」人々のあいだには、働く人々から自己をはっきりと区別しようという欲求が生じ始めた。この欲求に即しているのが娯楽産業であった。やがて娯楽産業は、それ固有の問題にぶつかることになった。すでにサン＝マルク・ジラルダンが「人を楽しませておける時間は何と短いことか」を確認せざるをえなくなっている。（無為に過ごす者は娯楽に耽っている人間のようにすぐに嫌になるということはない。）

[m4, 1]

まさに「月給取りの遊歩者」（アンリ・ベロー）と言えるのはサンドイッチマンである。

[m4, 2]

無為に過ごす者におけるイミタチオ・デイ〔神のまねび〕。彼は遊歩者として遍在であり、賭博師として全能であり、研究者として全知である。無為に過ごす者のこうしたタイプをもっとも早く示しているのが金色の青年《ジュネス・ドレ》〔反ロベスピエールの遊民的若者〕なるものたちである。

[m4, 3]

「感情移入」はスイッチの作動によって、つまり一種の切り替えによって生じる。感情移入によって、内面生活は、感覚的知覚におけるショックの要素と対をなすことになる。（感情移入は、隠微《インチーム》な感覚での画一化〔Gleichschaltung ナチの用語〕である。）

[m4, 4]

習慣とは経験の装備品である。体験によってこの装備に攻撃が加えられる。　［m4, 5］

神は天地創造の仕事を果たしたのち、休息した。第七日目のこの神こそは、市民が無為の模範としたものである。遊歩において市民は神の遍在を手に入れ、賭けごとにおいて神の全能を、研究において神の全知をものにする。――この三位一体こそは、ボードレールのサタニズムの根源にあるものである。――無為に過ごす者が神に酷似していることは、「労働は市民の誉れ」という（旧プロテスタント的な）言葉がその効力を失い始めたことを示している。　［m4, 6］

万国博覧会は、消費に手の届かない大衆が交換価値への感情移入を学習する絶好の学校であった。「何でも見ていいが、どれも触っては駄目。」　［m4, 7］

ルソーにおける無為についての古典的な記述。はっきりしてくるのは、無為に過ごす者の生活は神々と類似しており、また同じく孤独が無為に過ごす者の本質的な状態として本来の位置を占めているということである。『告白』の最後の巻には次のように書かれている。「小説にでもなりそうな計画を立てる年齢は過ぎ、名声の煙りに私はおだてられたというよりはむしろ茫然となって、最後の希望として残されたのは、……永遠の余暇のうちに生きていく希望だった。他界において聖人たちの送る生活であったが、それを私はこれからというもの下界での至上の幸福に定めた。／こんなにたくさんの矛盾を抱える私を非難する人たちは、多分またここにも一つの矛盾があると非難することを忘れないだろう。サークルの暇な有り様は、私にこういった場所を耐え難いものにしているると、以前に言った。それなのに、暇に過ごすためにのみ、孤独を求める私が今やあるのである。……サークルの暇は、我慢しがたい。なぜならば、強いられているからだ。孤独のときの暇はすばらしい、なぜならば、自由であり、志したものだからだ。」ジャン＝ジャック・ルソー『告白』Ⅳ、イルスム版、パリ、〈一九三一年〉、一七三ページ　[m4a, 1]

無為という条件の下では孤独は重要な意味をもつ。どんなに些細もしくは貧相な事件であっても、そこから潜在的に体験を解き放ちうるのは、孤独だからである。孤独は、感情移入を通じて、どんな偶然の通行人をも、事件の背景に役立てる。感情移入は孤独な人間にのみ可能である。それゆえに孤独は真の無為の条件なのである。　[m4a, 2]

すべての綱が切れ、荒涼たる水平線に帆の一つも見えず、体験の波頭も湧き上がって来ないとすれば、そのときには、この孤独で、生の倦怠に襲われた主体にとって残る最後のものと言えば、それは感情移入である。 [m4a, 3]

閑暇は生産秩序のあり方によって可能となるには違いないが、その際に閑暇がこの当の生産秩序によって規定されているのか、あるいはどの程度にまで規定されているのか、そういうことは論じないでおくとしよう。それに対して、自らがその中で生い育っている資本主義的経済秩序の刻印を無為がどの程度深く受けているのか、それをはっきりさせておく必要がある。——他方で、もはや閑暇というものを知らない市民社会における無為は、芸術生産の条件となっている。そしてまさにこの無為こそがしばしば、芸術生産に、それが経済的生産過程と親戚関係にあることを露骨に示すような烙印を残すのである。 [m4a, 4]

探究する者〔Student〕にとっては「決して探究の終わりはない」。賭博師にとっては「決してもう十分ということはない」。遊歩者にとっては「必ずまだ見るものがある」。無為は無限に続く欲求をもつべく定められている。その無限性は、どんなものであれ単なる感覚的快楽には基本的にないものである。〔無為のうちに支配している「悪しき無限」は、ヘーゲルにおいて市民社会の印として出て来るというのは、正しいのだろうか?〕
[m5, 1]

探究者、賭博師、遊歩者に共通している自発性はひょっとしたら猟師のそれではなかろうか。つまり、すべての労働の中で無為ともっとも密接に絡み合っている、労働のこのもっとも古い形態のもつ自発性なのではなかろうか。
[m5, 2]

フローベールの「カルタゴを蘇らせることを企てるには、どんなに悲しみに打ちひしがれていなければならなかったかを推察する人は少ないだろう」という言葉は、憂鬱《メランコリア》と研究の関連を明らかにしてくれる。〔この憂鬱《メランコリア》は、研究という閑暇の形態だけではなく、無為のいっさいの形態をも脅かすのである。〕「私の魂は悲しい、私はすべての書物を読んでしまった」〔マラルメ〕〔マラルメの詩は正しくは「肉体は悲しい……」〕、「憂鬱《スプリーン》Ⅱ」、「声」〔ボードレール〕、「ああいっさいの」〔ゲーテ〕〔『ファウスト』の冒頭の句の一部〕
[m5, 3]

ボードレールにおいては、特殊モダンなるものは、特殊アルカイックなものの補完として繰り返し現われる。自らの無為によってパサージュからなる想像の街を運ばれてゆく遊歩者においては、ダンディが詩人に立ち向かう(ダンディは、自分が曝されている衝撃に気を止めることもなく、群衆の中を歩んでゆく)。だが、遊歩者の内では、とっくに消息不明になっている一人の被造物が夢見心地の、詩人の魂の奥底まで射抜くまなざしを開いているのである。その消息不明の被造物とは「荒野の息子」、かつて慈悲深い自然によって閑暇と婚約した人間である。ダンディズムとは、デカダンスの時代における英雄的なるものの最後の微光である。インディアンのダンディについての示唆がシャトーブリアンにあったのは、ボードレールにとって喜びであった。それは、こうした種族のかつての全盛期の証拠である。 [m5, 4]

遊歩者における猟師タイプについて。「借家人と泊まり客の群れは、この家屋の海の中を、一つの屋根からほかの屋根の下へと、まさしく有史以前の狩人や牧人のようにさまよい始めるのである。遊牧民《ノマド》の知的教育はこうして完成する。」オスヴァルト・シュペングラー『西洋の没落』II、1、パリ、一九三三年、一四〇ページ [m5, 5]

「知的遊牧民である文明人は、再び純粋なミクロコスモスとなる。彼はまったく祖国をもたず、狩人と牧人が身体において自由であったように、精神において自由である。」
シュペングラー、前掲書、一二五ページ　[m5, 6]

p

人間学的唯物論、宗派の歴史

「グスタフ――あなたのお尻は……神々しい！
ベルドア――永遠不滅っていってもいいくらいじゃない？
グスタフ――何だって？
ベルドア――何でもないわ。」
グラッベ『テオドーア・フォン・ゴートラント公爵』

J・アラゴとエドゥアール・グアンによって編集出版されたコドリュック＝デュクロのもったいぶって涙を誘う『自伝』パリ、一八四三年（I・II）には、乞食の生理学を知る要素が所々にあって、興味深い。長い序文に署名はなく、原稿の由来については何も書かれていない。回想録の信憑性は疑わしい。そこには次のような箇所がある。「思い違いをしないで欲しい、屈辱的なのは、施しを断わられることより、僅かばかりの金をもらうことだ。……私は決して手を出して乞うことはしなかった。私が、頼みを聞いてくれるはずの人より速く歩いて、右手を開くと、何がしかをそっと渡してくれるのだった。」II、一一一一二ページ。そして「水を飲むと元気が出る！……パンがなかったから水をたらふく飲んだものだ」。II、一九ページ

[p1, 1]

〔一八〕三〇年代初めの監獄の雑居房の光景。著者は、誰の文章かを示さずに、次のように引用している。「夜になると、雑居房は賑やかになり、「共和派の労働者たちは、寝る前に、自分たちで考えた一種のジェスチャー・ゲーム、一八三〇年の革命を演ずるのだった。これは、シャルル一〇世と七月勅令に署名した大臣たちの討議から人民の勝利に

至る栄光の一週間の場面をすべて再現するものだった。ベッドとマットレスを積んだ後から枕投げをしてバリケード戦を表わし、最後に勝者と敗者が和解して、ラ・マルセイエーズを歌うのだった」。」シャルル・ブノワ「一八四八年の人」I(『両世界評論』一九一三年七月一日、一四七ページ)。引用文はおそらくシャトーブリアンから。 [p1, 2]

ガノー。「ル・マパーは……馬好きで、女を愛し、美食する完璧なダンディの姿で登場するが、まったく金がない。彼は、この手元不如意を賭博で埋める。パレ・ロワイヤルのすべての賭博場の常連である。……彼は、男性の伴侶の救い主となるべき運命を負っていると信じて……ママとパパの第一音節からつくったマパーを名乗る。さらに彼は、固有名詞はすべてそのやり方で変えるべきだと言う。父の姓を名乗るのではなく、母の姓の第一音節と父の姓の第一音節を組み合わせて名乗るべきだと言うのである。そして、永久に昔の名前を捨ててしまうのだということをはっきり示すために、……彼は「元ガノー」と署名するのである。」彼はビラを劇場の出口で配ったり、郵送したりする。ヴィクトール・ユゴーに自分の教義を庇護してくれるよう説得に努めさえした。ジュール・ベルトー「ル・《マパー》」(『ル・タン』紙、一九三五年九月二一日号) [p1, 3]

シャルル・ルアンドルは、生理学ものを、風俗を頽廃させるものと非難してこう述べる。「このいかがわしいジャンル……は、たちまち寿命が尽きてしまった。散策者に……買わせるために三二折り判で登場する生理学ものは、一八三六年には、『フランス書誌』誌に二冊記録されている。一八三八年には八冊、一八四一年には七六冊、一八四二年には四四冊、その翌年は一五冊、二年前からはやっと三、四冊というところだ。個人の生理学の次は、都市の生理学だった。『夜のパリ』『食卓のパリ』『水辺のパリ』『馬上のパリ』『パリ景観』『ボヘミアンのパリ』『文学のパリ』『既婚のパリ』が出た。次に『フランス人自画像』『イギリス人自画像』といった国民の生理学が、その次が、『動物自画像他画像』のような動物の生理学が現われた。最後は……著者たちが……種切れとなって、ついに自分を描くようになり、『生理学者の生理学』が出ることとなった。」シャルル・ルアンドル「文学統計——過去一五年間におけるフランスの知的生産について」(『両世界評論』一八四七年一一月一五日、六八六―六八七ページ)　[p1a, 1]

トゥスネルの命題。「個体の幸福は雌の権威に正比例する。」「種の地位は雌の権威に正比例する。」A・トゥスネル『鳥の世界』I、パリ、一八五三年、四八五ページ。第一の命題が「白隼の公式」である(三九ページ)。　[p1a, 2]

自著『鳥の世界』についてのトゥスネルの見解。「鳥の世界は本書の二義的な主題にすぎず、人間の世界がその主要な主題である。」前掲書、I、二ページ〈著者による「まえがき」〉 [p1a, 3]

トゥスネルは『鳥の世界』の著者「まえがき」でこう述べている。「彼［著者］は、ローストの項目に、科学的著作で通例割り当てられているよりも多くの紙数を割いて、その主題の中で料理に関する部分が重要であることを際立たせようとしたのである。」前掲書、I、二ページ [p1a, 4]

「われわれが鳥を見て感心するのは……鳥にあっては、よく組織された政治ならみなそうであるように、地位を決めるのは雌に対する慇懃さからである。……男性よりも後に造物主の手によって創られた女性は、人間が人間よりも先に現われた獣を支配するために生まれたのと同じく、男性を支配するようにできているのだと、われわれは本能的に感じている。」〈前掲書、三八ページ〉 [p1a, 5]

トゥスネルによれば、女性をもっとも優遇する人種がもっともすぐれた人種で、それはゲルマン人のこともあるが、とりわけフランス人とギリシア人であるという。「アテナイ人とフランス人は隼の性格であるのに対し、ローマ人とイギリス人は鷲の性格である。」(ところが鷲は「人類に仕えようとはしない」。)　A・トゥスネル『鳥の世界』I、パリ、一八五三年、一二五ページ　[p1a, 6]

コミカルな生理学もの。『笑いの博物館』〔一八三九、三巻本〕、『フィリポン博物館』別名『コミック博物館』とか『コミック画報』〔一八四二―四三、二巻本〕、『パリ博物館』〔一八三九〕、『現代の変貌』〔グランヴィル画集、一八二九〕。　[p2, 1]

連作漫画。ボーモン作「ヴェズュヴィエンヌ派」〔二月革命時に結成された革命的婦人団体〕、二〇枚連作。ドーミエの連作「離婚する女たち」。誰の連作か、「青鞜派」〔一八四四年『シャリヴァリ』紙に掲載されたドーミエの連作石版画〕。　[p2, 2]

生理学ものの成立。「一八三〇年から三五年にかけての激しい政治闘争の中で、画家の軍団が結成され、……この軍団は……例の九月法によって政治的に完全に戦闘力を失ってしまった。つまり、彼らがその技術の秘密のすべてを極めていた時代に、突然に彼らは市民生活を描写するという唯一の活動の場へ押しやられたのである。……ここから市民生活を描いた膨大な絵のオンパレードが説明される。これは三〇年代の中葉にフランスで始まったことである。……何から何まで次々と出て来る。……お祝いの日々と服喪の日々、労働と休息、夫婦間の風習と独身者たちの習慣、家族、家庭、子ども、学校、社会、劇場、様々なタイプの人間、様々な職業。」エードゥアルト・フックス『ヨーロッパ諸民族の戯画』I、第四版、ミュンヘン、〈一九二一年〉、三六二ページ　[p2, 3]

世紀末には生理学的事態の記述という形で何という卑しさが新たに定着してしまったことか！　これについて特筆すべきは、女性解放の歴史を扱ったマイヤールの書物の中のインポテンツについての記述で、この書の姿勢全体が、確立したブルジョワジーの人間学的唯物論に対する反応をドラスティックに証明している。クレール・デマールの説の叙述に関連して、そこには次のように述べられている。「彼女は……イタリアの灼熱の空のもと、幼い子供が少なからず、有名な歌手になるために一か八か賭けて、驚くべき大きな犠牲を払う結果生ずるかもしれない落胆について語ることになる。」フィルマン・マイヤール『解放された女性の伝説』パリ、九八ページ　[p2, 4]

クレール・デマールの宣言の重要な箇所。「将来、両性のつながりは、この上なく入念に研究された……共感の結果でなければならない。……そして、たとえ、二つの魂のあいだに親密な、秘密の、神秘的な関係のあることが認められたとしても、……それでもまだ、そうした関係すべてが、決定的であるのみならず必然的で不可避の最後の試練にぶつかって砕け散ることになるかもしれない。物質による物質の試練、肉体による肉体の試用《テスト》だ!!!……。というのは、いよいよ寝室へというところで、焼き尽くすような炎が消えてしまうことがよくあるからである。激しい恋心を抱いた一人ならずの女性にとって、ベッドのかぐわしいシーツが屍衣となってしまうことがよくあるからだ。夜には、情欲と感激に胸をはずませて床入りしたものの、朝起きれば冷たく冷ややかになってしまった一人ならずの女性が……この箇所を読むだろうから。」クレール・デマール『私の未来の掟』パリ、一八三四年、三六―三七ページ　[p2, 5]

人間学的唯物論について。クレール・デマールの『私の未来の掟』の結論。「もはや母性というものはなくなり、血縁の法則もなくなる。私は、もはや母性はなくなると言っているのだ。なぜなら、女性にその肉体の代価を払わなくなる男性から……解放された女性は……自分の仕事によってのみ生活を維持することになるからだ。そのためには、したがって、是非とも女性が仕事をし、職務を果たさなくてはならない。——では、女性が相変わらず、一人ないし数人の子供の教育に手数がかかり、そのために自分の人生のかなり長い期間を割くことを余儀なくされるというのであれば、女性はどうやってそうすることができるというのだろうか。……あなたは女性を解放しようというのだ！　そうなら！　血縁の母の胸から新生児を社会的な母の腕、公務員の乳母の腕に渡しなさい。……そうすれば子供はよりよく育つであろう。……そうして、そうして初めて、男性、女性、子供はすべて、血縁の法則から、人類の人類による搾取から解放されることになろう！」クレール・デマール『私の未来の掟』シュザンヌによる死後出版、パリ、一八三四年、五八―五九ページ　[p2a, 1]

「何ということか！　女性が女性としての気持ちを公然と打ち明けなかったのだから、世話をしてくれる男性たち皆のうちで……誰が好きなのかその女性以外の眼では見分けがつきようもないのだから、……その結果、……女性が……ある一人の男性の奴隷になっているということになろうはずがない……。何ということか！　恋している何人もの男性を同時に喜ばせて、その男性たちがいがみ合うのを恐れずにいられるくらいなのだから……女性が搾取されているなんて言えるだろうか。……私はジェイムズ・ド・ロランス氏〔ジェイムズ・ロレンスのフランスでの筆名〕とともに、秘密に基づいた……制限の……ない自由の……必要性を信じ、秘密を新たなモラルの基礎とするものである。」クレール・デマール『私の未来の掟』パリ、一八三四年、三一―三二ページ　[p2a, 2]

デマールが、性的な結びつきを《公けにする》のではなく、《秘密》にしておくように要求するのは、多少とも長期の試験期間〔結婚する前の〕を要求していることと密接に関連している。しかし、結婚という形式は、一般にはおそらくあのもっと柔軟性のある形式によって排除されるべきであろう。その上、こうした考え方から母権制を求める声が出て来るのが、論理的というものである。　**[p2a, 3]**

父権制に対する反論から。「ああ！　ただ父母という名を聞いただけで、これほど多くの胸からうめきが発する中で、私があえて血縁の法則、子孫の法則に……逆らって声を上げるのは、巨大な束をなす親殺しの匕首に支えられてのことだ！」クレール・デマール『私の未来の掟』パリ、一八三四年、五四―五五ページ　[p2a, 4]

風刺画は、絵に文字の説明が入るようになる上で大きな役割を果たしている。注目に値するのは、アンリ・ブショが『石版画論』(パリ、〈一八九五年〉、一一四ページ)で、ドーミエの風刺画の中では説明が冗長であるとともに、どうしても説明が必要なものになってしまっていると非難していることである。　[p2a, 5]

アンリ・ブショの『石版画論』(パリ、一三八ページ)では、ドヴェリアがその多作のゆえにバルザックとデュマに比較されている。　[p2a, 6]

クレール・デマールがジェイムズ・ド・ロランスとどうかかわっているかを明確にするには、『私の未来の掟』と題された彼女の宣言から数箇所引用する必要がある。その第一は、シュザンヌの序文の中の一節で、これはまず、クレール・デマールがなぜ『女性論壇』紙への寄稿を拒否したかを説明している。「彼女は、この新聞の論調が穏健すぎると言って、一七号までずっと寄稿を拒否してきた。……この号が出ると、私の書いた記事の中の一節が、その形式、その穏健さのゆえにクレールを激昂させた。——彼女は、これに反駁すると私に書いてきた。——ところが……彼女の反駁は一冊のパンフレットとなり、そこで彼女はそれを新聞にではなく、単独で刊行することに決めた。……ともかく次に示すのは、クレールがほんの数行だけ引用した私の記事の一部である。「この世には今もなお、キリスト教を……女性に有利……に……解釈する人物が一人いてくれる。それは『神の子たち、またはイエスの宗教』と題されたパンフレットの著者であるジェイムズ・ド・ロランス氏である。……この著者はサン＝シモン主義者ではない、……彼は母を通して……遺産を相続させるという立場である。間違いなくこの方式は……われわれにたいへん有利である。私は、その一部が……未来の宗教の中に入ってゆき、母性の原理が、国家基本法の一つになるだろうと信じている。」」(クレール・デマール『私の未来の掟』シュザンヌによる死後出版、パリ、一八三四年、一四―一六ページ) クレール・デマールが書いたテクストで、彼女は、ロランスの肩をもち、『女性論壇』紙が彼に対して唱える反論に反駁している。同紙がロランスに反論するのは、ロランスが「規則も限界もない……道徳的自由」を擁護することになってしまうという理由からである。「そうなると……われわれは、下品で嫌悪を催させるような混乱に直進することになろう」というのだ。その罪は、ロランスが、この件で秘密を原理としているところにあり、また秘密に頼れば、われわれは、この件では、神秘的な神にのみ釈明をすればよいことになってしまうことにあるという。『女性論壇』紙は逆に、「秘密はいっそう女性の搾取を引き延ばすことになろうから、未来の「社会」は、秘密の上にではなく、信頼の上に築かれることになろう」と考えるのである。クレール・デマールはこう答える。「なるほど、あなた方のように私が信頼と公開を混同し、あなた方のように私が秘密はいっそう女性の搾取を引き延ばすはずだと主張したとすれば、私は、われわれが生きている現代を祝福で迎えなくてはならないだろう。」彼女は、ついには時代の風俗の粗暴さを描写する。「市長の前に、司祭の前に……一人の男性と一人の女性が、立会人の長いお供を連れて行ったのだ。……これが……いわゆる正規の婚姻である、一人の女性に、赤面もせずに、これこれの日のこれこれの時刻に、私は、《妻としての私の褥》に一人の男性を迎えるのだと述べることを可能にする婚姻なのである!!!……婚姻が群衆の面前で結ばれ、葡萄酒とダンスの乱痴気騒ぎを経て、初夜の床までだらだらと続き、その初夜の床は淫行と売春の床となり、招かれた者たちの度のすぎた想像力が、婚礼の日の名のもとに演じられる猥褻なドラマの……細部をことごとく……辿ることができるのだ！このように若い花嫁を……厚かましい視線の前に召喚し……、気違いじみた欲望に売春させる慣習が……あなた方には恐ろしい搾取と見えないというのであるなら……私は何が何だかわからない。」（前掲書、二九―三〇ページ）　［p3, 1］

『シャリヴァリ』〔不似合いな結婚への嫌がらせとして「大騒ぎ」するの意〕紙の創刊号が出た

日付は、一八三二年一二月一日。　[p3, 2]

女性サン＝シモン主義者による同性愛的告白。「私は、わが女性の隣人をわが男性の隣人と同じくらい愛し始めていて、……男性の肉体的な力と男性型の知性は男性にまかせることにし、女性の肉体美と女性独自の精神的能力を男性と同等の高さにあると考えたのだった。」出典、著者の表記なし。フィルマン・マイヤール『解放された女性の伝説』パリ、六五ページに引用　[p3a, 1]

《母》の後継者としてのウジェニー皇后。

「意志をお示しくだされ、聖別され祝福されたる方よ、

人類は熱狂して、

自分たちの《ウジェニー》様を称揚するでしょう、

港へお導きくださる大天使として!!!」

ジャン・ジュルネ『女性の時代、または普遍的調和の支配』一八五七年一月、八ページ　[p3a, 2]

ジェイムズ・ド・ロランスの格言(『神の子たち、または哲学と宥和せるイエスの宗教』パリ、

一八三一年六月)。「すべての夫婦は神によって結ばれているのだと述べるよりは、すべての子どもは神によって作られたと主張するほうが道理にかなっている。」(一四ページ)ロランスは、罰せられずにすんだ姦婦の挿話から、イエスが結婚に好意的ではなかったという結論を引き出す。「イエスは、姦通を結婚の当然の結果だと考えていたから、姦婦を赦したのであり、もしその時イエスが弟子たちに囲まれていたとしたらこのことを認めもしたことだろう。……結婚というものが存在するかぎり、姦婦は有罪でなくてはならないことになる。なぜなら、彼女は夫に他人の子供を押しつけるからである。イエスはこうした不公平を黙認することができなかったのである。イエスの理論は筋が通っている。すなわちイエスは、子供が母親に所属することを望んだのである。したがって、次のような注目すべき発言が生まれる。「この世では誰のことも父と呼んではならない。なぜならあなたには父は一人しかいなくて、その父は天におられるからである。」(一三ページ)「一人の女性から生まれた神の子たちはただ一家族を成す。……ユダヤ人の宗教は父性の宗教であり、この宗教のもとで族長たちが家族的権威を行使したのである。イエスの宗教は母性の宗教であって、その象徴は一人の子供を腕に抱いた母親である。そしてこの母が聖処女と呼ばれる。なぜならこの母は、母の義務を果たしながら、処女の自立性を放棄しなかったからである。」(一三—一四ページ)　[p3a, 3]

「キリスト教会初期の……宗派にはいくつかイエスの意図を見抜いていたものがあったようである。シモン派、ニコライ派、カルポクラテス派、バシレイデス派、マルキオン派などなどは……結婚を廃止しただけでなく、女性の共同体を創設したのである。」ジェイムズ・ド・ロランス『神の子たち、または哲学と宥和せるイエスの宗教』パリ、一八三一年六月、八ページ

[p3a, 4]

ジェイムズ・ド・ロランスが、カナの婚礼の奇跡から、イエスが結婚に対して反感を抱いているという自分のテーゼの証拠を引き出すために、これに加えている説明は、完全に初期中世風である。「結ばれた二人が自分たちの自由を犠牲にするのを見て、彼が水を葡萄酒に変えたのは、結婚というものは、理性が葡萄酒によって鈍らされてでもいなければできるわけもない狂気の沙汰であることを明示するためだった。」ジェイムズ・ド・ロランス『神の子たち、または哲学と宥和せるイエスの宗教』パリ、一八三一年、八ページ

[p4, 1]

「聖霊、というか自然の魂が、聖処女の上に鳩のように降りて来た。ところが鳩は愛の

象徴であるから、これは、イエスの母が愛に対する自然な好みに屈したという意味である。」ジェイムズ・ド・ロランス『神の子たち』パリ、一八三一年六月、五ページ　[p4, 2]

ロランスの理論的著書のモティーフは、それ以前の彼の四巻本の小説『閨房のパノラマあるいはナイールの帝国』(パリ、一八一七年)の中に現われている。この小説は、ドイツではもっと前に出版されていて、その一部はすでに一七九三年、ヴィーラントの『ドイツ・メルクール』誌に載っている。ロレンスはイギリス人だった。　[p4, 3]

「バルザックはパリ人の人相を忘れがたい筆致で描いている。やつれた顔、なめしたような顔、土気色の顔、《パリっ子の人相の地獄とも見紛う顔色》。それは顔ではなく、仮面である。」エルンスト・ローベルト・クルティウス『バルザック』ボン、一九二三年、二四三ページ(『金色の目の娘』より引用)　[p4, 4]

「バルザックの長寿への関心は、彼が一八世紀と共有しているさまざまな事柄の一つである。この時代の自然科学者、哲学者、香具師は同じ関心をもっている。……コンドルセは未来の時代を輝くばかりの色彩で描いていて、未来に寿命が無限に延びることを期待していた。サン・ジェルマン伯爵は「長寿茶」を、カリオストロは「不老長寿の仙薬」を処方したし、「星の塩」とか「金のチンキ」とか「磁気ベッド」を推奨するものもいた。」エルンスト・ローベルト・クルティウス『バルザック』ボン、一九二三年、一〇一ページ　[p4, 5]

フーリエには（『新世界』〈パリ、一八二九―一八三〇年〉、二七五ページ）、結婚形態に反対するクレール・デマールの意見表明を思わせるような叙述がある。　[p4, 6]

一八四六年春、トゥール病院でのブランキの覚え書。「聖体拝領の時期には、トゥール施療院の修道女たちは近づき難く、冷酷になる。彼女たちは神を食べてしまったのである。その神聖な消化を誇るがゆえに彼女たちは痙攣する。神聖さの器たる彼女たちは濃硫酸〔辛辣〕のフラスコとなる。」ギュスターヴ・ジェフロワ『幽閉者』I、パリ、一九二六年、一三三ページ　[p4, 7]

カナの婚礼について。一八四八年、「貧者の饗宴が計画された。会費二五サンチームでパン、チーズ、葡萄酒を飲み喰いする宴を、サン＝ドニの草原で開こうというのである。

まず六月一一日に、次に六月一八日に、それから七月一四日に開催と決められ、これを準備する会議が開かれ、申し込みの受け付けが開始され、六月八日には申し込み者が一六万五五三二人に達して、ついに世論を過度に刺激するに至り、これは行われなかった」。ギュスターヴ・ジェフロワ『幽閉者』I、パリ、一九二六年、一九二ページ　[p4a, 1]

「一八四八年、女工ジェニーの部屋には、ベランジェとナポレオンと聖母の肖像画が壁にピンでとめてあった。「人類」信仰がまもなく到来することを信ずる人々の心は確固としていたのである。イエスは〔一八〕四八年の偉大な人であった。大衆には前兆を信ずる風潮があった。……一八四九年の『予言暦』は、火星《マルス》〔マルスは戦争の古代神〕の力によって生まれた戦争の彗星である一二六四年の彗星が戻ってくると告げていた。」ギュスターヴ・ジェフロワ『幽閉者』I、パリ、一九二六年、一五六ページ　[p4a, 2]

一〇区選出のコミューン議員で、ポーランド人、労働者から仕立て屋となり、ついで香水屋となったバビック。「彼は……インターナショナルと中央委員会のメンバーであり、同時に融合教《フュジオニスム》の布教者だった。これは当時の新興宗教で、似たような頭脳向きにできていた。ド・トゥレイユ氏とかいう人物によって設立されたこの宗教は……いくつかの信仰を結びつけたもので、バビックはこれに交霊術を付け加えたのだった。この宗教のために彼は、香水屋として、飲み薬や膏薬の匂いがぷんぷんする以外に取り柄のない言葉をこしらえた。彼は手紙の頭に、「パリ＝エルサレム」と書き、融合教暦何年と日付をして、「神の治世の子にして香水業者　バビック」と署名するのだった。」ジョルジュ・ラロンズ『一八七一年のコミューンの歴史』パリ、一九二八年、一六八—一六九ページ　[p4a, 3]

「第一二大隊の大佐が思いつきで行った発議はやはり誉められたものではなかった。それは、徴兵忌避者をこの上なく不名誉にするために、彼らの逮捕を任務とする女性市民志願兵中隊を設立するというものだった。」ジョルジュ・ラロンズ『一八七一年のコミューンの歴史』パリ、一九二八年、五〇一ページ　[p4a, 4]

融合教暦は一八四五年一二月三〇日から始まる。　[p4a, 5]

マクシム・デュ・カンは、著書『回想』の中で、エヴァディスム信者〔Evadiens〕と「逃れる〔s'évader〕」で語呂合わせをしている。　[p4a, 6]

ヴェズュヴィエンヌ派の規約から。「女性市民は陸海軍の徴兵に応じなければならない。……軍籍に登録された女性は、いわゆる予備役となるが、これは労働部隊、従軍商部隊、慈善部隊の三隊に分けられる。……結婚は、一つのアソシアシオンであるから、夫婦はすべての仕事を分担しなければならない。家事の割り当ての履行を拒否する夫は誰でも……国民軍で本来の義務を果たす代わりに、市民軍で妻の分の義務を果たす……刑に処せられる。」フィルマン・マイヤール『解放された女性の伝説』パリ、一七九、一八一ページ

[p5, 1]

「ヘーゲルが「若きドイツ」のメンバーたちに呼び起こした、強力な魅惑とそれより強力な反発とのあいだを揺れ動く感情は、グスタフ・キューネの『精神病院における隔離』に、この上なく具体的に現われている。……「若きドイツ」は主観的な恣意を客観的な自由よりも強調したので、「青年ヘーゲル派」は彼らの「文学的エゴイズム」の「無原則的な支離滅裂」を軽蔑した。……ヘーゲル教えるところの誰も逃れえぬ弁証法は、若者たちから……行動する力を奪い取りかねないという懸念の声が「若きドイツ」の作家たちのあいだで大きくなったとき、この懸念は正当ではないことが実証された。」むしろ逆であった。というのも、「若きドイツ」の詩人たちが「彼らの著作が発禁にな

ってから、それまでまともな市民生活を望んでせっせと文筆活動をしていたのに、その自分たちの手をしたたかに火傷させてしまったことに気がついたとき、彼らの血気は急速に勢いを失っていった」からである。グスタフ・マイアー『フリードリヒ・エンゲルス』第一巻『初期のフリードリヒ・エンゲルス』ベルリン、〈一九三三年〉、三七—三九ページ　[p5, 2]

「生理学もの」が広まったのとおおよそ時を同じくして、ティエリ、ミニェ、ギゾーなどの歴史家が「市民的生活」の分析をとくに強調するようになった。　[p5, 3]

ヴッパータールの町についてのエンゲルスの意見。「ここにはわれわれの基本思想を実現するための豊饒な土地が準備されている。われわれがまずわれわれの荒々しい血気盛んな染色職人や漂白職人を動かすことができるなら、君はヴッパータールとはそんなところだったかと驚くことだろう。労働者たちは数年前からすでに旧文明の最後の段階に到達していて、古い社会組織に対して犯罪や略奪や殺人の急増という形で抗議している。夜になると通りはきわめて物騒で、ブルジョワジーは殴られ、短刀で刺され、所持品を奪われる。当地のプロレタリアートがイギリスのプロレタリアートと同じような法則性に従って発展してきている以上は、彼らはやがてこうしたやり方が……無益なものであるのを知るだろうし、一般的な能力をもつ人間として、コミュニズムによって抗議するようになるだろう。」「エンゲルスよりマルクス宛て書簡、バルメン発一八四四年一〇月」〔カール・マルクス／フリードリヒ・エンゲルス「往復書簡集第一巻」マルクス＝エンゲルス＝レーニン研究所編、〈チューリヒ〉、一九三五年、四―五ページ〕 [p5, 4]

ボードレールにおける英雄の理想は両性具有である。とはいえ、それは彼がこう書く妨げにはならない。「われわれは、博愛主義の女流作家だとか、教条的な愛の女司祭だとか、共和派の女流詩人とか、フーリエ主義やらサン＝シモン主義やらを信奉する未来の女流詩人とかを知った。しかし、われわれの眼はそうした四角ばった醜さすべてにどうしても慣れることができなかった。」ボードレール『ロマン派芸術』（アシェット版、第三巻）、パリ、三四〇ページ（「マルスリーヌ・デボルド＝ヴァルモール」） [p5a, 1]

一九世紀において宗派形成が遅かったものの一つに、融合教〔religion fusionienne〕がある。それを広めたのはL・J・B・ド・トゥレイユ（革命暦Ⅷ年生まれ、一八六三年（あるいは一八六八年？）没）である。彼の歴史の時代区分にはフーリエの影響が認められる。父と母に娘と息子ないし男女両性具有が結び付けられる統一としての三位一体という考えは、サン＝シモンに発するものである。普遍実体のあり方は三段階の規定を受けている。この三段階の定義の中にこの教義の貧弱な基盤が見て取れるのだが、その三段階は次のようなものである。「発散……、普遍実体がもつ自らの外に無限に膨張する性質……。吸収……、普遍実体がもつ無限に内部に閉じこもる性質……。同化……、普遍実体がもつ内部で親密に混ざる性質。」（Iページ）富める者に向けて呼びかけ、貧しき者について語った「貧しき者、富める者」という格言からの典型的な一節。「しかも、あなた方がもし貧しい者たちを自分たちと同じ地位に引き上げたくないし、彼らと交わることを潔しとしないなら、一体なぜ同じ空気を吸い、同じ大気の中に住むのか。彼らの発散物をまったく吸わず、同化しないためには、……そうした世界から脱出して、別の空気を吸い、別の大気の中に住まなくてはならない。」（二六七ページ）死者は多様な形を取るもので、地上のさまざまな場所に一度に存在する。それゆえ人間は生きているあいだに地上の改善に関心を示さねばならない（三〇七ページ）。結局、単一光〔unilumière〕という段階を通り抜けたあと、最終段階で普遍地域〔région universalisante〕において普遍の光〔lumière universelle〕を実現させる一連の太陽の列の中にすべては統一される。『融合教、あるいは真のカトリシズムを実現する普遍化理論』パリ、［一九〇二年］

［p5a, 2］

「私──あなた方はさらに何か注目すべき信仰の勤めをなさるのですか。ド・トゥレイユ氏──私たちはたびたび祈りますが、私たちの祈りは通常「おお永遠なる至高のマップ」という言葉で始まります。私──そのマップMapという音は何を意味するのですか。ド・トゥレイユ氏──母〔mère〕を意味するmと、父〔père〕を意味するpと、愛〔amour〕を意味するaを結び付けた聖なる音なのです。……この三文字が偉大なる永遠の神を指すのです。」アレクサンドル・エルダン〔A・A・ジャコブ〕『神秘主義のフランス』全二巻、Ⅱ、パリ、〔一八五五年〕、六三二ページ〔通しページ〕 [p6, 1]

融合教〔fusionisme〕は諸宗派の折衷ではなく、人間相互の、そして人間と神との融合に向かうものである。 **[p6, 2]**

「共和政が、神の息子〔イエス・キリスト〕をそのお父上〔ヨセフ〕の木工細工場におくりかえすまでは、人類にとって幸福はあるはずもなかった。」この言葉が、クールベの言ったこととして、二月革命の英雄たちを公衆に紹介するビラに載せられたという。 [p6, 3]

r

理工科学校

商業について。「商人たち同士の競争、……あるいはまったく別の原因によって、適当な時期に商品を売ることができなければ、商人は……取引を中止して、その結果、生産者たちに混乱を及ぼさずにはいない。……それゆえ、商業恐慌と産業恐慌を区別することができなくなる。それほど産業は、仲介者に依存しているのである。……現在流通しているあらゆる手形をざっと検討してみれば、それらのうちの膨大な量が無価値であると宣告されるという恐るべき事実が確認される。……手形の価値が問い直されるこのような時期は、恐慌と呼ばれる。」ウジェーヌ・ビュレ『イギリスとフランスにおける労働者階級の貧困について』Ⅱ、パリ、一八四〇年、二一一、二一三ページ　[r1, 1]

「一八六〇年に、保護主義の腕に抱かれてまどろんでいたフランスは、突然「自由貿易という枕」の上で目覚めた。ナポレオン三世は一八五二年の憲法によって委ねられた権限を行使して、議会に諮らずに交渉し、諸外国の製品に対してわが国の国境を開放し、またいくつかの外国の市場をわが国の自由貿易に対して開放させた。……わが国の産業諸力は長年繁栄を謳歌してきたお陰で、世界的競争にたち向かうことができたのだった。」アンリ・フージェール『第二帝政下の万国博覧会における労働者代表団』モンリュソン、一九〇五年、二八ページ　[r1, 2]

理工科学校《エコール・ポリテクニク》の創立。「国内は〔大革命期の〕恐怖政治、国境では侵略。……混乱し破滅の危機に瀕したこの国は、火薬に必要な硝石を外国から取り寄せることもできず、ほとんど蜂起側の手に落ちた工場を武器製造のために利用することもできなかった。こうした状況の最中に審議が繰り返され、その結果、新しい制度〔学校〕が生まれることになる。……ビオはこう言っている。「才能と労働と活力が諸資源から創造しうるすべてのものは、戦争が続くかぎり（それがたとえ果てしなく、かつすさまじいものであっても）、……全ヨーロッパに対抗して、フランスが一国だけでもちこたえられるようにするために用いられることとなった。」……理工科学校の特徴は……純粋に理論的な教育と、公共事業、建築、要塞構築、鉱山さらには造船にさえ関連する一連の実習課程との両立であった。……ナポレオンは……生徒たちが兵営に寄宿することを義務づける命令を布告した。……それからしばらくして、一八一五年……の事件〔王政復古〕が起こった。その後、理工科学校に貴族階級の子弟をますます多く入学させてほしいという希望が、あからさまに口にされるようになった。……こうして、この制度は公的奉仕の準備をするための学校という性格を失った。……純粋科学にとってもよいことは何もなかった。なぜなら、……一八一七年から一八三〇年までの……学年の入学者たちからは、その後学士院会員となった者の割合が〔他の学年に比して〕格段に低かったからである。……一八四八年に、理工科学校は廃校の危機に瀕した。」A・ド・ラパラン『理工科学校の百周年』パリ、一八九四年、六―七ページ、一二―一五ページ　[r1, 3]

コミューンに対する態度を決定すべく一八七一年三月一八日に理工科学校で行われた採決。「三〇万人の市民たちの連合によって選ばれたと自称するこの委員会とはいったい何なのか、……と疑問に思う者がいる。過去の伝統を取り戻して、運動の先頭に立つことを提案する者も……いる。非常に活発な、だが落ち着いた議論の後で、投票に移った。中央委員会の支持者は一四名であった！」G・ピネ『理工科学校の歴史』パリ、一八八七年、二九三ページ　[r1a, 1]

一八七一年に理工科学校は、もっともなこととはいえ、不信感を招いた。次のような声が聞かれたのである。「理工科学校はもはや一八三〇年当時のそれではない。」〔ピネ、〈前掲書〉、二九七ページ〕　[r1a, 2]

エドゥアール・フーコーの『発明家パリ――フランス産業の生理学』には、三月前期［一八四八年の三月革命以前の時代］に産業と労働者についてどのように考えられていたかを特徴的に示す二つの箇所がある。「産業の知性は天の娘である。彼女の愛と献身は社会が……人夫と呼び、聡明な人たちが同胞とか勤労者と呼んでいる者への愛と献身以外のものではない。」（一八一ページ）「ローマ人にとっての所有物、シャルルマーニュ時代の農奴、フランソワ一世時代の平民というみじめな三位一体は、かつて奴隷制によって愚鈍な状態に置かれていた。しかし一九世紀において、それは解放の精霊の力で輝きはじめ、今日では人民と呼ばれているのだ。」（二二〇―二二一ページ）　[r1a, 3]

「金持ちになるか……それとも狭量な頭脳の持ち主にならないかぎり、……年金生活者としての無為の日々は、労働者にとって重くのしかかる負担となる。雲一つない晴れた空が何になろう。彼の住む家の庭が青々として、花々の香りが漂い、小鳥の楽しげな歌声が聞こえていても、それが何になろう。彼の無気力な精神は、孤独の魅惑などには少しも心を動かされない。たまたま、彼の耳が遠くの作業場から発する何かの鋭い物音や、あるいは工場の製粉機の単調な水音さえ聞きつけるなら、たちまち彼の顔は輝く。彼にはもう小鳥の美しい歌声は聞こえない。花々の芳しい香りも感じられない。工場の高い煙突から出るもうもうたる煙を見たり、鉄床が彼に送ってくる響きを聞いたりすると、彼はうれしくなってわくわくする。それらが、脳髄を刺激する霊感に従って行われたあの肉体労働のすばらしい日々を彼に思い出させるからだ。」エドゥアール・フーコー『発明家パリ――フランス産業の生理学』パリ、一八四四年、二二一―二二三ページ　[r1a, 4]

「ヴォーラベルは書いている。「混乱があたりを支配しているなかで、万人に知られ、万人に愛されている彼ら〔理工科学校の生徒たち〕の制服は、彼らにある種の公的な性格を与えていた。この公的な性格によって彼らは……形成されつつあった権力のもっとも活発でもっとも役に立つ官吏となったのだった。」……モーギャン氏は言う。「何らかの助力を必要とする命令を発しなくてはならないときに、われわれはたいていその任務を理工科学校のある生徒に委ねた。するとこの生徒は〔パリ〕市庁舎の正面階段を降りてゆき、最後の段に到着する前に、様子をうかがっていた群衆のほうを向いて、ただ単にこう叫んだ。やる気のある男たち、二〇〇人集まれ！　それから彼は階段を降り切って、一人で人混みのなかを進んでいった。ちょうどそのとき、壁から離れて彼の後から歩きはじめる者の姿が見えた。銃を持った者もいれば、サーベルだけの者もいた。最初は一人、次は二人、それから二〇人、やがて一〇〇人、四〇〇人、五〇〇人にもなった。いつでも、求められた人数の二倍は集められた。」G・ピネ『理工科学校の歴史』パリ、一八八七年、一五六―一五七ページ［二つの引用は、ヴォーラベル『二つの王政復古の歴史』Ⅷ、二九一ページと『プレス』紙に宛てたモーギャン氏の手紙、ソミュール、一八五三年三月八日］ [r2, 1]

理工科学校の学生たちは、『トリビューヌ』紙が罰金を支払うのを助けるために、お金を出し合った。（ピネ、〈前掲書〉、二三〇ページ） [r2, 2]

「詩の運命」のラマルティーヌを語るミシエルの言葉。「ラマルティーヌ氏は、帝政時代の知的隷属状態をその目で見て、こう書いている。……「それは思想と詩に対する数学的諸学問の全面的同盟であった。数字だけが許され、栄誉を讃えられ、保護され、代価を支払われていた。数字は理屈をこねないので、……当時の軍隊の指導者は数字以外の……盲従者を望まなかった。」」アルフレッド・ミシエル『一九世紀フランス文芸思潮史』Ⅱ、パリ、一八六三年、九四ページ [r2, 3]

ピネの本〈『理工科学校の歴史』パリ、一八八七年〉（Ⅷページ）では、百科全書派の人々が理工

科学校の「真の創設者」と呼ばれている。 [r2, 4]

「あらゆる手段を用いて、理工科学校をブルボン王家の味方につけようとする試みがなされたが、うまくゆかなかった。」G・ピネ『理工科学校の歴史』パリ、一八八七年、八六ページ [r2, 5]

理工科学校の慣例と学生規則は、「X法典」〔Xは理工科学校の通称〕に次のように要約されている。「それは、創立以来〔理工科〕学校で認められてきた次の原則に全面的に依拠している。すなわち「たとえ結果としていかなることが起ころうと、投票によるすべての決議には従わなければならない」。」ピネ、一〇九―一一〇ページ [r2, 6]

理工科学校と師範学校《エコール・ノルマル》についてのミシュレの見解。「こうした大きな試練の後に、あらゆる人間的情熱にとって沈黙のひとときが訪れたようであった。もはや自尊心、利害への関心、羨望が存在しなくなるだろうと思えるほどであった。国家において、また学問において最高位にある人物たちが、教育というもっとも控え目な職務を受け入れた。ラグランジュとラプラス〔いずれも18―19世紀の仏の数学者、科学者〕が算数を教えたのである。

一五〇〇名の生徒たち(彼らはみな成人で、中にはすでに名をなした者もあった)が……師範学校の堅い椅子にやってきて、教え方を学んだ。真冬の、貧しさと飢えが支配する時期だからこそ、彼らはやってきた。……偉大な市民カルノーが……理工科学校の真の創立者となった。人々が闘っているときに、彼らは学んだ。……自分たちの師がとぎれることなく行う発明を目の当たりにして、今度は彼ら自身が発明をしようとしていた。ラグランジュほどの人物が授業中に突然、話を中断し、夢想にふける様子を想像してみたまえ。……生徒たちは黙って待っていた。しばらくして、彼はようやく正気に戻り、たったいま彼の精神から生まれたばかりで、激しく熱をおびた新しい着想を、生徒たちに披露したのだった。……あの時代の後では、何という落ちこみようだ！……国民公会《コンヴァンシオン》でなされた報告の後から、フルクロワ〔18—19世紀の仏の化学者、のち文部大臣〕やフォンターヌ〔18—19世紀の仏の詩人、政治家〕の報告を読んでみたまえ。壮年期の力強さからすっかり老いこんでしまっているのが……見てとれるだろう。」J・ミシュレ『民衆』パリ、一八四六年、三三六—三三八ページ　[r2a, 1]

「三角形と直角三角形の斜辺の聖地《パルナッソス》」と、ポール＝エルネスト・ド・ラティエは〔理工科学校のことを〕言った。『パリは存在しない』パリ、一八五七年、「理工科学校」の章(一九ペー

ジ）　　　　　　　　　　　　　　　　　　　　　　　　　　　　　　　　[r2a, 2]

シャルル＝フランソワ・ヴィエル〔18―19世紀の仏の建築家〕は、技術者による設計の反対者でもあれば王党派でもあったがゆえに、理工科学校の敵対者であらざるをえなかった。彼は、「われらの王たちの玉座が覆された恐ろしい時代以降の」芸術としての建築の衰退を嘆いている。シャルル＝フランソワ・ヴィエル『フランスにおける建築物の設計学に迫りくる失墜について』I、パリ、一八一八年、五三ページ。ヴィエルによれば、芸術としての建築を学ぶことは、設計の数学理論を学ぶよりも困難である。その証拠に、理工科学校の学生に与えられた多くの賞はこの数学理論の分野において与えられている。著者はこの新たな教育施設について軽蔑的に「すべてがいっしょくたに教えられる新たな機構」だと語り、同じページで次のように述べる。「数学と建築のあいだにある違いを十分に評価して、建築教育のためにパリの専門学校を維持し、ローマのフランス・アカデミーを再現した政府にここで敬意を表そう。」シャルル＝フランソワ・ヴィエル『建物の強度保証に関する数学の無効性について』パリ、一八〇五年、六三ページ。ヴィエルは〔前掲書、三一―三二ページ〕、建築の真の研究に潜む不合理なものを強調して、「フォルムが設計に先だっているのであり、フォルムこそが建築術の理論の本領をなすものなのである」と語る。さらに彼は〔『……迫りくる失墜について』Ⅱ、一二〇ページ〕、「建築を産業芸術の一つとして位置づけてしまうような、美術一般を支配している時代の風潮」を非難している。

[r2a, 3]

ナポレオン一世以来、理工科学校は実践教育に対して理論的基盤を重視しすぎているという非難が常になされてきた。一八五五年にはついにさまざまな改革案が出されるに至ったが、〔フランソワ・〕アラゴは誰よりも断固としてこれらの改革案に反対した。だが同時に彼はまた、学校は革命精神を育てる場所たるべきだという主張にも抗議した。「理工科学校の教育に対して向けられたある種の非難について、耳にしたことがある。それによれば、たとえば微分や積分のような数学の研究は、それに没頭する者をもっともたちの悪い社会主義者に変貌させるという結果をもたらすだろうというのだ。……このような非難を唱える者は、自分がホイヘンス、ニュートン、ライプニッツ、オイラー、ラグランジュ、ラプラスのような人物を社会主義のもっとも激烈なデマゴーグと見なそうとしているだけだということを、どうして理解できなかったのだろうか。こうした比較に至るとは、まったく恥ずべきことである。」アラゴ『かつての理工科学校について』パリ、一八五三年、四二ページ

[r3, 1]

バルザックが一八三七年から一八四五年にかけて書いた『村の司祭』には（グレゴワール・ジェラールが彼の後援者である銀行家のグロッステートに宛てた手紙の中に）、理工科学校に対するきわめて辛辣な非難が見出される。バルザックは、精密諸科学の過度の研究が学生の精神的な素質と寿命に有害な影響を及ぼすのではないかと懸念している。なかでも、次のような省察は典型的である。「理工科学校出の技師に、レオナルド・ダ・ヴィンチが建てるすべを心得ていたあの奇跡のような建築の一つでも建てられるとは、私は思わない。なにしろダ・ヴィンチは機械技師であり、建築家であり、画家であり、水力学の創始者の一人であり、運河の不屈の建設者であったのだ。理工科学校出の優等生たちは年少のころから数学の定理の絶対的な単純さに従って仕立て上げられ、優雅さと装飾のセンスを失っている。円柱などは彼らには不要のものに見える。彼らはまさに芸術が始まろうとする地点にまで後戻りしてしまい、有用性だけに固執しようとするのである。」H・ド・バルザック『村の司祭』シエークル版、パリ、一八四ページ　[r3, 2]

要塞問題に関するアラゴの演説は、ティエールの報告とラマルティーヌに向けられたものである。この演説が行われたのは、一八四一年一月二九日。そのもっとも重要な部分の一つには次のような表題がつけられている。「政治的側面から検討された分離型要塞。これまでの代々の政府が要塞を住民の支配と抑圧の手段とはけっして見なさなかったというのは本当か。」そして、こう書かれている。「ティエール氏は、いかなる政府についても、住民を帰順させるために爆弾による都市の攻撃を行うことなどがあろうとは、けっして認めないのだ。……こんな幻想を抱くことは、たしかに彼の人間性や美術好きの面目を保つものであるかもしれない。しかし、……それに同意する者はほとんどいないだろう。……それゆえ、……分離型要塞や城砦に反対する一八三三年の抗議声明への署名が行われたときも、その際に愚鈍者とか気の触れた連中とかといった悪口、あるいは他の似たような悪口を投げつけられずにすんだのである。」アラゴ『パリの要塞化について』パリ、一八四一年、八七、九二―九四ページ　[r3, 3]

アラゴは、分離型の複数の要塞に反対し、連続型の城壁を支持して闘った。「もっぱらその国民軍と労働者たち、および周辺住民と前線からの分遣隊のいくつかの力だけで自衛する手段を、この巨大な都市に与えること。これこそまさしく、パリの要塞化に当たって提起されるべき目標である。……このことが了解されれば、パリにとって最良の砦とは住民が最良と認める砦であることがわかるだろう。すなわち、武装したブルジョワジーの趣向、習慣、発想、欲求にもっとも深く適合する砦である。問題をこのように提起することは、分離型要塞という方法を全面的にしりぞけることにほかならない。連続型の城壁の後ろ側なら、国民軍の兵士はいつでも近親者の消息を知ることができるだろう。負傷した場合にも、身内による手当てにこと欠きはしないだろう。こうした立場に置かれれば、臆病者ですら歴戦の勇士に匹敵することだろう。ところがその反対に、家長や店主としての日々の責務に拘束されている市民たちが、さしたる抵抗もなしに四方を壁で囲まれた要塞に閉じこもってくれるなどと想像したら、そして、困難な状況ゆえに家庭や勘定場や店頭や作業場にいることがいっそう緊急に要請されるときなのに、これらの市民たちが完全な幽閉状態に置かれることに進んで同意するだろうなどと想像するなら、それは奇妙な錯覚であろう。これらの深刻な難題に対して、いかなる回答がなされるか、私にはわかっている。要塞は前線の兵士が占拠すればよいというのだろう！つまり、要塞という方法では、住民が自分たちの力だけで自衛することはできないことがわかる。これは……途方もない、おそるべき告白と言うべきである。」アラゴ『パリの要塞化について』パリ、一八四一年、八〇―八一ページ　[r3a, 1]

六月蜂起についてのマルクスの発言。「民衆の最後の幻想が消え失せ、過去とのきずなが完全に断たれてしまうためには、フランスにおける反乱をいつも詩的に飾ってきた者たち、つまり、熱狂的なブルジョワ青年、あの三角帽の理工科学校の学生たちでさえ、弾圧者の側にまわることが必要であった。」カール・マルクス「六月の闘士たちを偲んで」〔『思想家、人間および革命家としてのカール・マルクス』D・リャザノフ編、ウィーン／ベルリン、〈一九二八年〉、三六ページ〕　[r3a, 2]

ブランキは一八七一年になってもまだ、そのパリ防衛戦略において、ルイ＝フィリップがパリ中の反対を押し切って築いた要塞が無益であったという話題に立ち帰っている。　[r3a, 3]

ルドゥ〔18―19世紀仏の建築家〕において真価を発揮するようになる革命以後の建築の傾向は、建築の主要部分がそれぞれブロック状に切り離されており、しばしば階段や台座が「ユニット・システム風に」それに接合されるという特徴をもっている。この様式には、ナポレオンの戦争技術の反映を見ることができよう。量塊《マッス》によって特定の効果を生み出そうとする努力も、これに関連している。カウフマンによれば、「革命的な建築術は、威圧的な量塊と、形の重厚感――エジプト的なものへの愛好はこれに起因するのであって、ナポレオンのエジプト遠征によって初めて惹き起こされたものではない――と、最後に建築材の処理とによって印象を与えようとした。〔アルケ＝スナンのルドゥ設計の〕製塩所の建物のキュクロプス的な浮き彫りからも、エックスの裁判所〔設計ルドゥ〕の力強い構えからも、この都市のために造られた刑務所のきわめていかめしい様子からも、こうした意図をうかがうことができる」。エミール・カウフマン『ルドゥからル・コルビュジエまで』ウィーン／ライプツィヒ、一九三三年、二九ページ　[r4, 1]

ルドゥによって設計されたパリの通行税徴収所の市壁。「彼は初めからその目標をできるだけ高いところに置いた。彼の壁は、首都の栄光を遠くまで知らしめるものでなければならなかった。四〇以上の監視所のどれ一つとして同じものはなく、そのうえ彼の遺稿には、それ以外の監視所についてもさらにいくつかの未完の設計図が見出された。」エミール・カウフマン『ルドゥからル・コルビュジエまで――自律的建築の起源と発展』ウィーン／ライプツィヒ、一九三三年、二七ページ　[r4, 2]

「一八〇〇年を過ぎてまもなくすると、ルドゥやブーレにおいては情熱的な性格の荒々しいほとばしりとして登場してきた着想が、早くも公けに教えられるようになった。

……フランス古典主義の学説を……いまだに体現しているブロンデル晩年の作品と、その発言が帝政期とそれに続く時期に決定的な影響力をもっていたデュランの『建築術講義概要』とのあいだには、ほんの三〇年の隔たりしかないのである。ルドゥが活躍した時期は、この三〇年間に当たっている。パリの王立理工科学校に身をおいて、そこから新しい建築基準を打ち出したデュランは、……あらゆる本質的な点でブロンデルとは異なっている。デュランの教科書は……古典主義＝バロック的芸術の二つの有名な作品に対する痛烈な攻撃で始まっている。ローマのサン・ピエトロ寺院とその広場と、パリのパンテオンが悪しき実例として挙げられているのである。……ブロンデルが「単調な測地法」を戒め、遠近法効果をけっして忘れようとしなかったのに対して、デュランは基本に忠実な設計図に唯一正当な解決を見出す。」エミール・カウフマン『ルドゥからル・コルビュジエまで』ウィーン／ライプツィヒ、一九三三年、五〇―五一ページ　[r4, 3]

土木局の機構は、大革命にも妨げられずに機能するという比類のない特権をもっていた。[r4a, 1]

バルテルミーによって描かれた理工科学校の生徒たち。

「諸君に栄光あれ、楽しげな、祭り好きの若者たちよ！
豪華な衣装に身を包み、銃を手にして、
諸君が埃まみれの道に姿を現わしたとき、
われわれ詩人たちの心から、何というブラヴォーが叫ばれたことか！」
バルテルミー／メリー『蜂起』パリ、一八三〇年、二〇ページ

［r4a, 2］

初期の草稿

土星の輪あるいは鉄骨建築

鉄骨建築が試みられたのは一九世紀のはじめだった。この試みの成果は、蒸気機関のもたらした成果と相俟って、この世紀〔一九世紀〕の終わりにはヨーロッパのイメージをすっかり変えてしまうことになる。この過程の歴史的な発展を跡づける代わりに、われわれはいくらかの大ざっぱな考察を一枚の小さな挿し絵に結びつけようと思う。この絵はこの世紀のただなかから取り出されたものだ（ちょうどこの絵が分厚い本の中から取り出されたのと同じように）。そしてこの絵は、突拍子もない仕方においてではあるが、人々が鉄骨建築の中にどんな無制限な可能性が開かれるのを目にしていたかを示唆している。それ〈図5〉は一八四四年のある作品——グランヴィルの『もう一つの世界』——に由来していて、小さな妖精コボルト〔ドイツの俗信に登場するいたずら好きの妖精〕の冒険を伝えている。コボルトはここで自分がちょうど宇宙のどの地点にいるのかを知ろうとするのである。「両端を同時に見渡すことができず、惑星に橋脚を置いた橋が、すばらしく磨き上げられたアスファルトの道となって、一つの天体から別の天体に続いている。

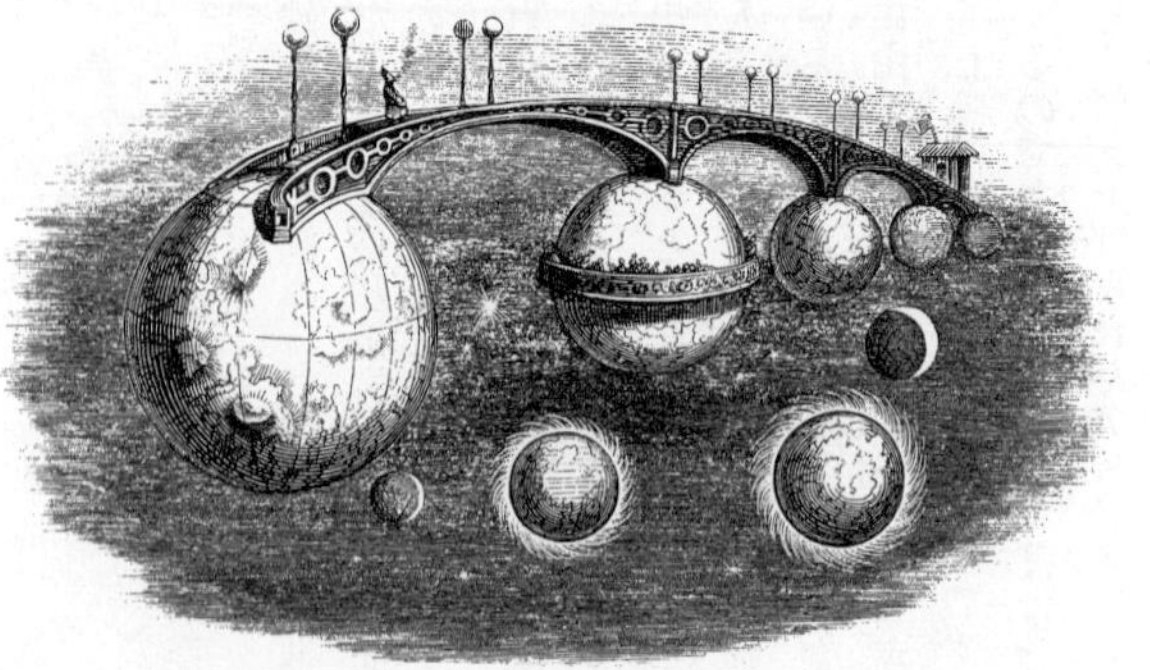

図５　グランヴィル「惑星の橋」1844年

土星には三三万三〇〇〇本目の柱が立っていた。そこでわれらがコボルトが見てとったのは、この惑星の輪がこの惑星のぐるりに巡らされたバルコニーにほかならず、土星の住人たちはこのバルコニーで夕方新鮮な外気を吸うのだ、ということである。」

われわれの絵のなかにはガス灯も描かれている。技術の輝かしい成果が話題となる場合には、当時ガス灯を取り上げないわけにはいかなかった。ガスの照明は今日ではわれわれにときにはむしろ薄暗い重苦しい印象を与えるのだが、当時それは豪華絢爛の極致を表わしていた。ナポレオンが廃兵院《アンヴァリッド》〔パリにあって、ナポレオン一世ほか多くの軍人の墓がある〕の聖堂に埋葬されたとき、墓の上にはビロード、絹、金、銀、不滅花〔ムギワラギクなど、不死を象徴する草花」とならんで、永遠に燃え続けるガスランプも忘れられていなかった。ランカシャーのエンジニアによる発明を、人々はまごうことなき奇跡の技と称賛した。塔の時計に合わせて黄昏どきになると自動的にガス灯に明かりが灯り、日の出とともに自動的に火が消えるメカニズムを、この発明家は実現したのだ。

ところで、人々がガスと鋳鉄が一つになった姿に出会うのはいつも、まさしくその当時出現したエレガントな商店街、つまりパサージュにおいてだった。流行の品を扱う大商人やシックなレストラン、評判の干菓子屋《コンフィズリー》等々にとって、パサージュの回廊に店舗を確保することは、彼らの威信のために不可欠だった。そしてその後、この回廊からいくつかの大百貨店が現われることになる。その草分けがオー・ボン・マルシェ百貨店であって、これもエッフェル塔を作った建築家によって設計されたのである。

鉄骨建築は、温室庭園やパサージュといったもともとがぜいたくな施設とともに始まった。だが、またたく間に鉄骨建築はその真の技術的・産業的な適用領域を見出すことになる。そして、市場用ホール、駅、博覧会会場といった、過去に手本をもたないまったく新しい需要から生まれたあの建築物が成立した。先陣をきったのはエンジニアたちだったのだ。しかし、詩人たちのなかにも驚くべき千里眼の持ち主たちがいた。フランスのロマン主義者〔テオフィル・〕ゴーティエはこう述べている。「新しい産業の提供する新しい手段が利用されると、その同じ瞬間に、独自の建築様式が創り出されることになるだろう。鋳鉄の利用は、駅やつり橋、温室庭園の丸天井に見られる多くの新しい様式を、可能にするとともに不可避ともしたのだ。」オッフェンバックの『パリの生活』は、駅を登場させた最初の戯曲だった。「鉄道駅」と人々は当時口にしたものだった。そしてこのうえなく奇怪なイメージがこの鉄道駅と結びついていった。とりわけ進歩的なベルギー人の画家アントワーヌ・ヴィールツがこの世紀〔一九世紀〕の中頃に、駅のホールにフレスコ画を描く許可を得ようと努力している。

今日ではもはや容易に思い描くことができないような種々の障害や抗議に抗して、技術は当時一歩一歩〈新たな領域を〉攻略していった。三〇年代には英国で鉄道のレールをめぐって苛烈な論争が燃え上がった。英国に鉄道網を張り巡らせるだけの鉄を調達することはどう転んでも不可能だ(当時の鉄道網はきわめて小さな規模で計画されていたのではあるが)、花崗岩を敷いた道路のうえを「蒸気機関車」を走らせねばならないだろう、と人々は主張した。

理論的な論争とならんで素材をめぐる実際上の論争も行われた。このことに関して、〔英国の〕テイ湾にかけられた橋の建築史はとりわけ印象深い例となっている。一八七二年から七八年にかけて六年間この橋の建築作業が続けられた。そして、完成間際の一八七七年二月二日、ハリケーンでいちばん堅固な橋脚のうちの二つが吹き飛ばされてしまったのだ（このときはちょうどテイ川河口でいくつものハリケーンが前代未聞の猛威をふるい、一八七九年にも大災害を引き起こしている）。ところで、建築物にこの種の耐久性が求められるのは、橋の建設に際してだけではなかった。トンネルの建設においても事情に変わりはなかった。一八五八年にモン・スニ〔フランス南東部とイタリアの間のアルプスの峠〕を通り抜ける一二キロのトンネルが計画されたとき、人々は七年にわたる工事期間を覚悟した。

大規模な分野においては、模範となる画期的な業績に英雄的な仕事ぶりが発揮されていたのに比べて、小規模な分野においては奇妙なことに、しばしばなお遊戯的な混乱が支配的だった。人々、とりわけ「芸術家」は、まるでこの新しい素材のすべての可能性を認める勇気がない、といった具合だった。われわれが現在のスティール家具を飾りのない剝き出しのかたち、あるがままの姿で備え付けるのに対して、一〇〇年前の人々は、当時すでに生産されていた鉄の家具に塗装を凝らし、それが高価な木材でできているかのような外観を与えようと腐心していたのである。当時人々は、陶器に似せてガラス製品を作ったり、革ベルトに似せて金の装身具を細工したり、籐細工に見える鉄製のテーブルを作ったり等々といったことに、面目をかけようとしていたのである。

技術の発展は新しい流派の設計者と古いタイプの芸術家のあいだに裂け目を作り出したのだが、これを覆い隠そうとする試みはことごとく不十分なものだった。しかし水面下では、様式の形態を重視するアカデミックな建築家と規格を重視する設計者のあいだで、熾烈な争いが繰り広げられていた。一八〇五年にいたってなお、古い流派の指導者の一人は『建物の強度保証に関する数学の無効性について』というタイトルの本を公刊している。この争いがこの世紀〔一九世紀〕の終わりにエンジニアに有利なかたちで決着がついたとき、急激な転換、すなわち技術のもたらす形態を大事にしてそこから芸術を革新しようとする企てが生じたのであって、これがユーゲントシュティールだった。だが同時に、技術のこの英雄時代は自らの記念碑を比類なきエッフェル塔のうちに見出した。エッフェル塔について、鉄骨建築の歴史の最初の研究者〔A・G・マイアー〕はこう書いている。「ここでは、彫塑的な造形力は沈黙する。精神的エネルギーの途方もない緊張のためである。……一万二〇〇〇個もの金属部分、二五〇万個もの鋲の一つ一つがミリ単位で正確に決められている。……こうした作業現場では、石から形を刻み出す鑿の音が響くことはなかった。そこでも筋肉の力を支配していたのは思考であって、思考がこの筋肉の力を安定した構脚や起重機に転化したのである。」〔[F4a, 2]参照〕

『パサージュ論』に関連する書簡

ベンヤミンからホフマンスタール宛て

一九二八年五月五日、ベルリン〔書簡番号 471〕

〔略〕

私は仕事を続けていますが、ほとんど「パリのパサージュ」論にかかりっきりです。自分が望んでいるものは眼前にくっきりと浮かび上がっているのですが、しかし、理論的直観と思想的な装備の幸福な統一を描き出そうなどと願うのは、まさしくここでは、あまりに大胆なことなのです。さまざまな経験が呼び出されねばならないだけでなく、歴史意識についてのいくつかの決定的な認識が、思いもかけぬ光のもとで、実証されねばなりません。こう申してよろしければ、あなたの「牧師見習い」〔フーゴ・フォン・ホフマンスタール『戯曲』Ⅲ、ヘルバート・シュタイナー編、フランクフルト・アム・マイン、一九五七年、四九一―四九三ページ、参照〕の数世紀にもわたる歩みがひとつのパサージュのように私には思われています。〔〔S2, 3〕参照〕

〔以下略〕

ベンヤミンからショーレム宛て

一九三〇年一月二〇日、パリ（書簡番号 505-507）

〔略〕

それにしかし、これから主に問題になってくるのは、私の「パリのパサージュ」の本です。まさしく私の闘争のすべて、私の思想のすべての劇場であって、それに関することはどれを取っても、残念には思いますが、会って話すしか可能な伝達手段はありません。それは手紙で表現されることにはまったく向いていないのです。ここでは、今までに推進してきたのとは違った水準でこの仕事を続けてゆくつもりであることだけを記しておきます。これまで私を惹き付けていたのは、いっぽうでは資料集め、他方では形而上学でしたが、仕上げるためには、それにこの仕事全体にしっかりした足場を築くためには、少なくとも、ヘーゲルのあるいくつかの側面ばかりか、『資本論』のあるいくつかの部分に踏み込んで研究する必要があることに気づいています。今日の私にとって当たり前なこととして実感されるのは、この本にしても、『ドイツ悲劇の根源』同様、認識論に――そして、今回は特に歴史をめぐる認識論に――言及するような序文なしでは済まされない、ということです。そこで道すがらハイデガーに出くわすでしょう。互いにきわめて異なる二つの、彼と私の歴史認識が衝突して生じる何らかのきらめきを私は期待しています。

〔以下略〕

アドルノからベンヤミン宛て

一九三四年一一月六日、オックスフォード

あなたの手紙に心から感謝いたします。こちらの生活に適応するためのさまざまな問題に情け容赦もない形で曝されていたとはいえ、私が長い間沈黙していたのはそのこととは無関係ですし、私たちのあいだで沈黙の状態が続くというのはありえないことです。私はあなたにまず最初にそうお答えします。

グレーテル〔アドルノの妻〕があなたのもとを訪れましたので、私がいままで沈黙していた理由を、あなたはもうご存知でしょう。グレーテルがあなたを訪問し、あなたの手紙にもさまざまなことが示唆されていますので、障害物は取り除かれました。その障害物はあくまで私たちの仕事の領域に存在していたのです。つまり、あなたが発表された文章のいくつかに対して、私はきわめて深刻な疑念を抑えることができなかったのです（私たちが親しく接して以来こんなことはおそらくはじめてのことです）。すなわち、フランスの小説についての研究〔『全集』第二巻、七七六―八〇三ページ、参照〕とコメレル論〔『全集』第三巻、四〇九―四一七ページ、参照〕ですが、コメレル論は個人的な意味でも私をひどく傷つけるものでした。というのもこの著者は、私〔アドルノ〕のような人間は銃殺刑に処されるべきだと、公言していた人物なのですから、この点についてそれ以上の説明は不要でしょう。

しかし、議論すべきことがらはまずもってあまりに深刻で、あらゆる点で込み入っていましたので、手紙での説明で済ますわけにはゆきませんでした。まして、あなたはコペンハーゲンに滞在されていたのですから。くわえて私自身、ロンドンにいた三カ月のあいだは、そのような議論の前提となる自由と安全からほど遠いところにいると感じていました。そこで私は、誰かがやって来て私を連れ出してくれるのを期待して、沈黙していたのですが、そんなときにあなたの手紙が届いて、その役目を果たしてくれたというわけです。あの手紙は他とは違った特別なものでしたので、なおさらそうでした。

こう打ち明けても不当な干渉と咎められる謂われはないと思いたいのですが、議論すべき事柄の一切合財は、ブレヒトという人物およびあなたが彼に与えている信頼に関連しています。それゆえその一切合財はまた、唯物論的弁証法の根本諸概念とも関連しています。私が昔と同様現在も中心的な位置を認めることができない使用価値はその一例です。私の間違いでなければ、あなたはこういった事柄に距離を取っておられました。そして、私にはこれがもっとも重要な問題と思えるのですが、あなたのそういう振舞いに私は全面的な賛意を保証しますし、その際、それは順応主義だとか態度保留的な本能の現われだ、などとあなたに受け取られる心配を、私はいささかも抱いていません。

準備期間を終えて、何はさて置きいよいよ「パサージュ」論に取りかかる、とあなたがおっしゃっていることは、実際のところ、ここ何年ものあいだであなたから私が耳にした、もっとも喜ばしい知らせです。あなたもご存知のように、私はあの研究こそ私たちに課せられた第一哲学《プリマ・フィロソフィア》であると本当に見なしてきましたし、私の願いはまさしく、長く苦しい停滞をへたいま、あの巨大な対象が必然的に要求するだけの力を身につけて、あなたが実行に取りかかることができる、ということです。そこで、あの研究に対していくつかの希望を申し添えさせていただきますが、どうか差し出がましいとお受け取りにならないでください。

とにかくあの研究は、そこに付与されていた神学的内容と言葉の厳密さのすべてを、もっとも極端なテーゼの形で留保なく実現すべきでしょう（つまり、かのブレヒトの無神論からの異議など考慮せずに、ということです。ブレヒトの無神論を裏返しの神学としていつか救出するのは、私たちに似つかわしいことでしょうが、そのまま受容するのは決して似つかわしくありません！）。

それから、その内容物のために社会理論と表面的に関連づけるといったことは、極力抑制すべきでしょう。といいますのも、もっとも決定的な事柄、もっとも真剣な事柄が本当に問題になっているここにおいては、一度はすべてが語り尽くされねばならず、模範的な深みが十分に達せられねばならないと、どうしても思われるからです。その際、神学に触れずに済ます、というわけにはゆかないでしょう。

その場合しかし、マルクスの理論に追従して表面的に利用するということを控えれば控えるほど、私たちはその決定的な深層においてマルクスの理論に寄与することができるのだ、と私は信じています。すなわち、ここにおいては「美的なもの」が、機械仕掛けの神《デウス・エクス・マキナ》としての階級理論などとは比較にならないほど遥かに深く、現実のなかへ革命的に介入することになるのだ、ということです。ですから、「常に同一のもの」と地獄といった互いにもっともかけ離れたモティーフが存分に威力を発揮し、同時に弁証法的イメージという概念が十全な光のもとで照らし出されることが、私には是非とも必要なことと思われます。あの仕事のどの文章にも政治的なダイナマイトが装塡されていること、装塡されていなければならないことは、誰よりも私がよく心得ています。しかし、そのダイナマイトは深いところに沈められれば沈められるほど、いっそう破壊力を高めるのです。

私はあなたに「忠告」を与えるなどという大それたことを企てているのではありません。私が試みているのは、あなたの面前で、あなた自身の意図のいわば擁護者として登場して専制に抗すること以外ではありません。この専制は、まさしくあなたがクラウスに関してされたように、その名を呼ぶだけで消え去ってしまうものなのです。

——ちなみに、ちょうどいま「パサージュ」論はある重要な刺激を外部から受け取っているように思われます。私はイギリスの映画雑誌でブルトンの新刊書(『通底器』[パリ、一九三二年])についての書評を読んだのですが、私が間違っていなければ、その本は私たちの意図しているものと多くの点で似通っています。つまりその本は、夢の心理学的解釈に対抗して、さまざまな客観的イメージを目指す解釈を主張していますし、そのイメージに歴史を読み解く中心的な役割を与えているように思われます。全体はあなたの問題構成にあまりに近いため、まさしく中心点において根本的な反転がおそらく不可避になるでしょう（それがどの地点においてかは、書評からは判然としませんが）。しかし、その反転を惹き起こすということによって、この本はきわめて重要なもの、おそらくは――何という対応関係でしょうか！――あのバロックに関する本〔『ドイツ悲劇の根源』〕にとってのパノフスキーとザクスルにも匹敵する重要なものとなりえるのです。

さらに「パサージュ」論について申し上げてよろしければ、あなたの言語経験のすべての統合を意味すべきこの研究がもしもフランス語で書かれるならば、すなわち、どんなにすばらしく習熟されていようと、まさしくあなた自身の言語生活の弁証法を前提にしているこの統合には利用されようもない媒体で書かれるならば、私には不幸なことと思われます！　仮に出版上の問題があるのでしたら、翻訳が適切な方法だと私には思われます――それに対して、ドイツ語の原文が失われるなら、率直《サン・フラーズ》に申し上げて、ウーラント〔一八二六年に刊行された『ヘルダーリン詩集』の編者の一人〕が自分の手元のヘルダーリンの遺稿を焼却して以来、まさしく私たちの言葉が被るもっとも重大な損失を意味しています。――当然のことながら、出版のために私に可能な手立てはすべて尽くします。いちばん見込みがありそうなのはオーストリアです。あそこでは、〔エルンスト・〕クシエネクがいまでも一連の重要な地位を押さえています。彼なら疑いもなく、考えられるいっさいのことを果たしてくれるでしょう。

〔以下略〕

アドルノからベンヤミン宛て

一九三四年一二月五日、オックスフォード

〔略〕
「パサージュ」論について再び、二、三のことを。
あなたの「集団の夢」とユングの集合的無意識との関係(そもそもユングの最近の出版物については、ジョイスについてのそこそこ重要な論文〔C・G・ユング「ユリシーズ」、『魂の現実――新しい心理学の応用と進歩』チューリヒ、ライプツィヒ、シュトゥットガルト、一九三四年、一三二―一六九ページ、参照〕以外、私は目にしていないのですが)は、確かに拒絶しがたいものがあります。しかし、私がこれまでいつも格別に賛嘆せざるをえなかったのは、一見あなたにもっとも近いものから、あなたがもっとも厳格かつ容赦なく距離を置いてこられたことです。すなわち、『親和力』論ではグンドルフから、同様に〔『ドイツ悲劇の根源』においては〕表現主義からハウゼンシュタインとチザルツに至るバロック評価から。ちなみに、チザルツのシラーに関する本〔ヘルベルト・チザルツ『シラー』ハレ、一九三四年、参照〕は、最悪の予感をも上まわるものですね。実際私は、このようなあなたの志向に一貫した尊厳を認めたいのです。それは、目下私にとって格別重要なものとなっている「極端なもの」というカテゴリーとある種の連関を持っています。そのようなわけで、一〇年以上も前に私がとりわけ深い印象を受けたのは、当時あなたが神学的な命題ないし神権政治的・存在論的な命題をまだためらいもなく口にされていたにもかかわらず、当時のシェーラーに対してもっとも仮借のない批判を浴びせられたことでした。

ですから、もっぱらこのような意味においてのみ、ユングやたとえばクラーゲス（『敵対者としての精神』の「イメージの現実性」における「幻影」についての彼の考え〔ルードヴィヒ・クラーゲス『魂の敵対者としての精神』第三巻第一部、ライプツィヒ、一九三二年、とくに一二二三―一二三七ページ、参照〕は、私たちの問題に比較的近接したところにあります）との関係を私は思い浮かべることができるのです。あるいはもっと正確に言いますと、まさしくここに、太古的イメージと弁証法的イメージの境界線、私がかつてブレヒトに抗して定式化した表現を用いれば、太古的イメージと唯物論的イデア論との境界線が存在しているのです。

ところで、私におそらく確かだと思えるのは、ここではユングに対するフロイトの対決のうちにひとつの手がかりを見出すことができる、ということです。もちろんフロイトは私たちの問題など一切関知していませんが、どれだけの負荷に耐えられるか唯名論の立場からユングを試練にかけています。あのような負荷試験は、一九世紀の根源の歴史への通路を獲得するために、おそらく不可欠でしょう。しかしこのこと、すなわちこれらのイメージの弁証法的性格ときわめて密接に連関していると私に思えるのは、それらのイメージが内在的な意味で「心的なもの」としてではなく客観的に解釈されねばならない、ということです。私がさまざまな概念の布置関係〔Konstellation〕を正しく見て取るならば、まさしく個人主義的でありながら弁証法的なフロイトの批判は、あれらの人々の太古性を打破するのに役立つでしょうし、さらにはまた、弁証法的な意味で、フロイト自身の内在的な立場を止揚するのにも役立つでしょう。

漠然とした位相論的な示唆の数々をどうかお許しください――具体的に細々と述べれば、あなたの理論を先取りするにも等しくなるでしょうし、私はそんなことをするつもりは毛頭ありません。とはいえ、精神分析それ自身を解釈するフロイトのさまざまな文献がこれらの問題全体にとってきわめて重要であることはとにかく疑いない、と私には思われます。あなたはバロックに関する本〔『ドイツ悲劇の根源』〕において、帰納法を救出されました。同様にここでは、ブルジョワ的存在論主義を壊滅させ、これを凌駕するために、唯名論者にして心理学者であるフロイトが救出されるべきでしょう。

ちなみに、あなたがコペンハーゲンで〔ヴィルヘルム・〕ライヒおよびそのサークルと知り合いになられたかどうか、私は興味があります。彼らにはまともな部分もいくらかあります。もちろん、ロマンティックなフォイエルバッハ、アナーキズムへの逆戻り、「性器的」な、そのかぎりで非歴史的な、セクシュアリティのいかがわしい讃美、といった要素のほうが多くはありますが。

〔以下略〕

アドルノよりベンヤミン宛て

一九三四年一二月一七日、ベルリン

ベンヤミン様、私にあなたが送って下さったカフカ論〔『全集』第二巻、四〇九―四三八ページ、参照〕について大急ぎでいくばくか述べるという約束を果たさせて下さい。というのもフェリーツィタス〔アドルノの後の妻グレーテルのこと〕がそれを私から取り上げようとしているので二度しか通読できなかったのです。さて私がこのカフカ論について語ろうとするのは、何といってもこの論を前にして私を捉えた自発的な、いや圧倒的といってよい感謝の念を表わさんがためなのです。けっして私がこの驚くべきトルソの完全な姿を推察したり「判定」したりできるとうぬぼれているからではありません。また、私とあなたの哲学的核心における一致がこの論におけるほど完璧なかたちで意識されたことはなかったというところから始めても、どうか不遜だと思わないで下さい。

まず私のもっとも古い、九年前に遡るカフカ解釈の試みを引用させていただくと、カフカというのは救済された生の視角から捉えられた地上の生の写真なのです。その写真に救済された生のほうは黒い布の先っちょ以外は写っていませんが、写真の映像がおそろしく歪んでしまっているのはカメラがずれて設置されているからに他なりません。——私たちの見方の一致にこれ以上の言葉を費やす必要はないでしょう。あなたの分析がたとえこうした私の思いつきをはるかに凌駕した地点にまで至っているとしてもです。こうしたことは同時に、また根本的な意味において「神学」への姿勢に関しても当てはまります。あなたの「パサージュ」論への入り口の前でそのような姿勢を私自身あなたに強く求めたのですから、私には次のことが二重の意味で重要であるように思えます。すなわち私たちの思想がそこにむかって溶融するところを見届けたいと私の思っている神学のイメージが、このカフカ論であなたの思想を養っているものと同一であるということです。――それはおそらく「逆さまの」神学と呼ばれるものでしょう。そして同時に自然的、超自然的解釈に反対する立場がそこで初めて非常に先鋭なかたちで定式化されるのですが、それはもっとも厳密な意味において私自身の立場でもあると思われるのです。つまり『キルケゴール』〔Adorno, Kierkegaard. Konstruktion des Ästhetischen, Tübingen, 1933 参照〕において問題になっていたのがその立場に他ならないということです。そしてあなたはカフカをパスカルおよびキルケゴールと結びつけることを嘲笑されていますが、私はあなたに次のことを思い出していただく必要があります。すなわち『キルケゴール』において私も同様にキルケゴールをパスカルやアウグスティヌスと結びつけることを嘲っているということです。これとは反対に私はキルケゴールとカフカの結びつきをはっきり確認しているのですが、その結びつきはシェプス〔H・J・シェプス（一九〇九―八〇年）。M・ブロートの友人でカフカの死後『支那の長城の建設に際して』の編纂にあたった〕が代弁している弁証法的神学とはもっとも縁遠いものです。それはむしろあの「文書〔Schrift〕」の箇所にまさしく存在するものです。それに関してあなたは決定的なことをおっしゃっています。すなわちカフカがその文書の残滓か何かと考えていたものは、よりよいかたちで、言い換えるならば社会的なかたちで理解されうるとするならばむしろ「文書」の序言として理解されたほうがよいということです。そしてこうしたものが実際のところ私たちの神学の暗号なのです。けっして暗号以外の何ものでもなく、何ひとつ割り引かれることのない暗号です。けれどもこの神学がここでかくも巨大な力を発揮しているということは、私が初めて「パサージュ」論の断片を目にして以来もっともすばらしい哲学的成功をあなたが収めたということの保証であると思われます。

——

［……］

あなた自身がこのお仕事〔『カフカ論』〕を「未完」であるとおっしゃっているとき、私がそれに異を唱えようとしてもそれはまったくのところ慣例的で馬鹿馬鹿しいことでしかないでしょう。あなたは、ここで重要なものと断片的なものが入り混じっていることを正確すぎるほど承知されています。しかしながらそのことによって、未完の箇所を指摘することが許されないというものでもないと思います。——というのもこのお仕事は「パサージュ」論とまさに踵を接しているからです。この点に未完である理由もあります。というのも根源の歴史と現代の関係がまだ概念にまで高められていないのです。そしてカフカ解釈が成功するか否かはその点にこそかかっていると言わねばなりません。最初の空白〔未完〕箇所は冒頭のところのルカーチの引用があるあたりで、世界の年齢《ヴェルトアルター》と時代の年齢《ツァイトアルター》が互いにアンチテーゼとされているところです。このアンチテーゼはたんなる対照関係としてではなく、それ自体弁証法的なものとして実りの多いものになりうるはずのものです。あえて申し上げるなら、私たちにとって時代の年齢という概念はまったく実在しないのであり（あなたがここで破壊しているあからさまな意味におけるデカダンスや進歩など私たちにとってどうでもよいのと同様に）、存在するのは化石化した現在から推測されるものとしての世界の年齢だけなのです。私は、このことを理論において私に対しあなた以上によろこんで認めて下さる人間など他には存在しないことを知っています。だがあなたのカフカ論においてはこの世界の年齢という概念はヘーゲルの言う意味で抽象的なままにとどまっているのです。〔……〕このことが語っているのはカフカにおける根源の歴史の想起《アナムネーシス》が――あるいは「忘却」が――あなたのカフカ論においては本質的に、太古的な意味で解釈されていて、徹底した弁証法的意味では解釈されていないということです。ということは、それによってこのあなたのお仕事は「パサージュ」論への入り口へとつながってゆくのです。ここで私は裁き手の位置になどけっして立てません。同じ欠陥が、神話概念の不十分な分節化という同じ欠陥が私の『キルケゴール』にも同様に存在するのですから。私はそのことをよく知っています。そこではなるほど神話概念が論理的構成として扱われてはいますが、具体的には扱われていません。まさにそうであるからこそ私にこの点を指摘することが許されるでしょう。いくつかの逸話が解釈されているなかで、カフカの幼年期の写真だけが解釈されていないのは偶然ではないのです。もしそれが解釈されていたとすればそれは世界の年齢を一瞬のうちに中和してしまうことと等価になるだろうからです。そのことはあらゆる齟齬の可能性を具体的に意味しています。――太古的なものへのとらわれの、神話的弁証法が貫かれていないことの徴候がここにはまだ残っています。

〔以下略〕

ベンヤミンからアルフレート・コーン*宛て

一九三四年一二月一九日、サン・レモ（書簡番号 631f）

〔略〕

そして私のほうはどうかと言うと、本当のところ君のような世なれた人間に向かって長々と語るのは憚られると言わねばならない。もし誰かが、こんなすばらしいところで——実際サン・レモというのはとくに綺麗なところだ——日々の生計を心配することなく散歩したり書いたりしながら自分の思考を追いかけることが許されているなんて、おまえは何と幸せなんだと言ったとすれば、私はそれにどう反論できるだろう。また他の誰かが私の前に立ちはだかり、面と向かって、おまえがあらゆる課題や友人や生産手段から遠ざかって自分の過去の廃墟のなかにいわば巣籠もっているのだとすれば、それは何と惨めで恥ずべきことだろうと言ったとすれば、——その男の前で私は当惑しながら沈黙する他ない。

もちろん私は日々の課業ゆえに当惑しているわけではない。とはいえもう一度この課業について幅広く全体的に規定しなおしてみる時期に来ているのかもしれない。「パサージュ」論についての研究を精確かつ体系的に点検しはじめてみて以来、なお一層それを痛感している。残念ながら当面のところ滞在地を自由に選べる見込みはない。もし滞在地を変えることができれば、それだけでも喜ばしいことだとしなければならない。

〔以下略〕

＊アルフレート・コーン（一八九二—一九五四年）。ベンヤミンの少年期からの友人でベンヤミンが一度婚約したグレーテ・ラートと結婚した。彼の妹ユーラはベンヤミンのもっとも重要な女

友達の一人であり『ベルリン年代記』に印象的な記述が残されている。ユーラは後に彫刻家となりベンヤミンの胸像を制作した。

ベンヤミンからアドルノ宛て

［一九三五年四月］モナコ、ラ・コンダミーヌ　オテル・ド・マルセイユ

〔略〕

あなたに会えなかったことは［……］かえすがえすも残念なことでした。いつ頃また会うことができるでしょうか？　もしあなたの帰還がパリ経由だったとしても、その際に私たちが会える見込みはほとんどありません。生活状況がきわめて厳しくなっているので、運を天にまかせてパリへ行くことなどできないのです。パリで生活基盤を確保することはますます困難になっているように思えます。パリの最近の様子はジークフリート［・クラカウアー］の手紙で知ることができますが、あの都市での生活は暗澹たるものです。あの都市に生じたもっとも深刻な変化は、多くのより良い条件で保護されている観察者の目にも明らかになっています。最近あるフランスの雑誌で一人のイギリス人――

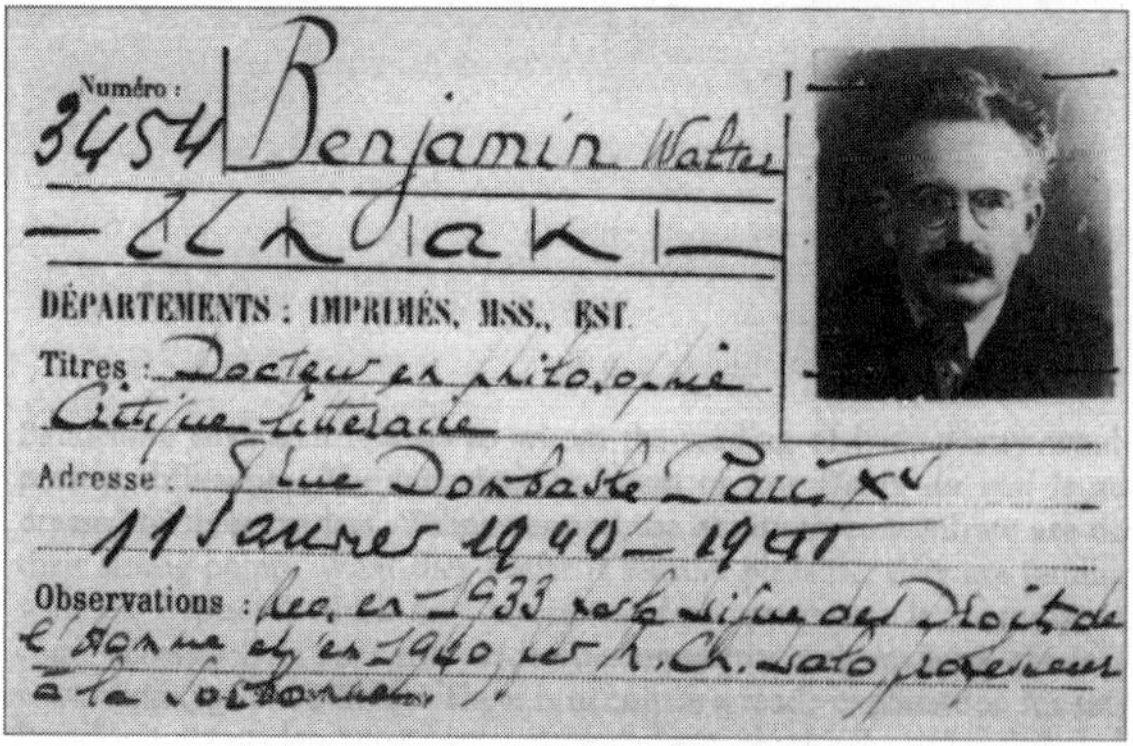
Numéro : 3454 Benjamin Walter

DÉPARTEMENTS : IMPRIMÉS, MSS., EST.

Titres : Docteur en philosophie
Critique littéraire

Adresse : 10 rue Dombasle Paris XV
11 Janvier 1940 – 1941

Observations :

図6　ベンヤミンのパリ国立図書館登録証

まぎれもなく知識人です——の手紙を読んだのですが、彼はその手紙のなかで、自分がなぜパリを避けるのかを説明しています。彼の叙述は私の経験と共鳴しました。

もちろんパリ国立図書館が私のもっとも望ましい仕事の場であるということに些かの変化もありません。そして研究所〔フランクフルト社会研究所〕が私にせっついているフックスについての論文〔『全集』第二巻、四六五―五〇五ページ、参照〕にしても、本来ならばそこでしかなしえない仕事なのです。しかしこの仕事場には何もかも自分で持ち込まねばならないし、とても先にならないとちゃんと見てもらえるものにはならないのです。

ベンヤミンからショーレム宛て

一九三五年五月二〇日、パリ

〔略〕

その後、ちょっとインターヴァルを置いて、私の文通全体をストップさせる事情がさらに加わりました。ジュネーヴの研究所〔ジュネーヴに亡命していたフランクフルト社会研究所〕が、恐ろしく無愛想に、たんなる礼儀からと言いたいところですが、私に「パサージュ」論の概要〔『パリ――一九世紀の首都』と題され『パサージュ論（一）』に収録されている〕をまとめるよう言ってきたのです。この「パサージュ」論については〔研究所に対して〕ときおり、多くを漏らすことなく内密にいくばくかを伝えてきただけなのですが。同じ時期に国立図書館が年次休館期間になったので、私は本当に何年かぶりにパサージュ研究とだけ向き合うことになりました。そして生産的な事柄というのはそれが重要であればあるほど予測のつかないかたちで始まるように、私がそんなに深く考えることもなくまとめるのを約束したこの概要とともに〔パサージュに関する〕仕事は新しい段階へと入ったのです。すなわち〔パサージュ研究は〕はじめて――遠くからではあるが――一冊の本へと接近しはじめたのです。

書かれなかった『横断面』誌〔ベルリンで刊行されていた隔月刊の雑誌〕のための論文の私の構想が何年前に遡るのか、私はもう覚えていません。それがじつに九年に及ぶとしても私は驚かないでしょう。もしこのパリに関する著作が成立したとすれば、悲劇に関する著作〔『ドイツ悲劇の根源』〕が成立するときよりもさらに長く弓を引きしぼっていると言えるはずです。しかし、大きな問題が残っているのは言うまでもないことです。というのも、私は自分の仕事の条件をコントロールできないからです。例えばジュネーヴの研究所にこの著作への積極的な関心を抱かせる見込みは極めて小さい。この本はどんな側面でも譲歩しないものなので、私がこの本についてとにかくわかっていることは、どんな流派もその本を自分たちのために役立てようなどとはしないだろう、ということだけです。

ところで、私はときおり次のような誘惑にかられます。すなわち外見上は全然似通っているはずのないバロックの著作〔『ドイツ悲劇の根源』〕とこの〔パサージュをめぐる〕著作のあいだの内的な構造上の類似を浮かび上がらせたいという誘惑です。そしてあなたにこれだけは伝えておきたいのですが、ここでも一個の継承された概念を展開することが中核となるのです。それはバロックの方では悲劇という概念でしたが、パサージュの方では商品の物神的性格という概念になります。バロックの方が独自の認識理論〔『ドイツ悲劇の根源』の「認識批判的序説」のことを指す〕を動員していたとすれば、パサージュの方にもそのことが少なくとも同じ尺度で当てはまるでしょう。その際私にはそうした認識理論が独立して書かれるのか、それにどの程度成功するのか見通しをたてることはできません〔現在『パサージュ論(三)』に収録されている「N：認識論に関して、進歩の理論」が書かれることになる〕。『パリのパサージュ』というタイトルは最終的に消え、構想には「パリ——一九世紀の首都」〔Paris die Hauptstadt des neunzehnten Jahrhunderts〕という名がつけられています。私自身は秘かにそれをフランス語で"Paris capitale du XIXᵉ siècle"と呼んでいます。それによってさらに一個の類似が暗示されているのです。すなわち『ドイツ悲劇の根源』が一七世紀〔という時代〕をドイツから繰り広げてみせているのと同様に、パサージュに関する著作は一九世紀〔という時代〕をフランスから繰り広げてみせるのです。

多年にわたって携わってきたこの研究を私は相当に大がかりなものと思ってきましたが、何をなすべきかいくらかはっきりわかってきてみると、私が手にしているのはとても小さなものです。数多くの問題がまだ解かれていないままです。もちろんそうした問題に対応する文献は底の底まで完全に自家薬籠中のものになっているし、その答えは遅かれ早かれ手に入るでしょう。信じがたいような難しさにつきあいながら、私はしばしばその中に留まり、この繰り返し中断されるとともに一〇年毎に更新され、もっとも遠く隔たった領域にまで押し広げられた研究のなかに、何という惨めさと豊かさの弁証法的な総合が存在するのか、楽しく考察に耽るのです。この著作の弁証法が同時に堅牢なものとして確証されたとすれば、私はきっと満足することができるでしょう。

こんな風に今全体のプランが目の前に見えているということは、間接的にはおそらく研究所の幹部の一人〔フランクフルト社会研究所の指導メンバーで経済学者のフリードリヒ・ポロックのこと〕と、私がパリに到着した直後に会った結果です。この出会いは、私がさしあたり一カ月(!)は世事に忙殺されることなく暮らすことを可能にしてくれました。しかしこの一カ月はもう過ぎてしまい、この後どうしたらよいのかまだ全然わかりません。今私がフックスに関する仕事に取りかからねばならないとすれば――じつのところはまだ一ページも手をつけていませんが――、それは私にとって二重に不快なことになるでしょう。しかし一方で、研究所が私のパリに関する著作に物質的な意味で関心を持ってくれるなどという僥倖は、まったくあてにはできないでしょう。

私に望むことがあるとすれば、それは今何カ月か連続して国立図書館で仕事をし、私の研究に多かれ少なかれ明確な決着をつけた上で、一〇月か一一月にイェルサレムへ行くのが可能になるということです。たとえ私の願望などおかまいなしに世界が動いているとしても、せめてこの願望の後半だけは私たちで共に持ち続けようではありませんか。たぶんここ〔パリ〕で今いった時期までにちょっとした手管を使って何とか旅費をかき集めることができるでしょう。

私はわくわくしながらあなたの予告している著作を待っています。あなたのゾーハルの小著〔G. Scholem, Die Geheimnisse der Schöpfung. Ein Kapitel aus dem Sohar, Berlin, 1935 参照〕がまず第一です。私が恐れているのは、それがブロッホに届くのが遅くなってしまうことです。かりに私の本が書かれ――さらに印刷され――たとしても同じ状況になるでしょう。

〔以下略〕

解説　モナド論的思考のアクチュアリティ

細見和之

本巻には、『パサージュ論』の「覚え書および資料」の最後の部分にくわえ、初期の草稿から「土星の輪あるいは鉄骨建築」、「『パサージュ論』に関連する書簡」、さらには「引用文献一覧」と「人名総索引」が収められている。ただし、凡例にあるとおり、岩波現代文庫版に収録されていた、原著の編纂者ロルフ・ティーデマンの解説の翻訳は省略している。

「『パサージュ論』に関連する書簡」については、原著では一四八通が収録されているのに対して本巻に収録されているのはわずか八通であり、それも紙数の関係でかなり省略されている。関連書簡は以下の形で翻訳が刊行されているので、そちらも参照いただきたい。

●『ベンヤミン著作集14　書簡Ⅰ　1910–1928』編集解説 野村修、晶文社、一九七五年
●『ベンヤミン著作集15　書簡Ⅱ　1929–1940』編集解説 野村修、晶文社、一九七二年
●「ベンヤミン／ホルクハイマー 往復書簡」山本尤訳、『現代思想 ベンヤミン〈生誕一〇〇年記念特集〉』青土社、一九九二年、三六七—三九八頁
●ヘンリー・ローニツ編『ベンヤミン／アドルノ 往復書簡 1928–1940』野村修訳、晶文社、一九九六年
●ゲルショム・ショーレム編『ベンヤミン－ショーレム往復書簡 1933–1940』山本尤訳、法政大学出版局、一九九〇年
●H・ローニツ／C・ゲッデ編『ヴァルター・ベンヤミン／グレーテル・アドルノ 往復書簡 1930–1940』伊藤白・鈴木直・三島憲一訳、みすず書房、二〇一七年

また、本巻では訳出していない『パサージュ論』の初期の覚え書三篇（「パサージュ」、「パリのパサージュ〈Ⅰ〉」、「〔パリのパサージュ〈Ⅱ〉〕」）が以下に翻訳収録されている。

●『ベンヤミン・コレクション6　断片の力』浅井健二郎編訳、ちくま学芸文庫、二〇一二年

さて、本巻に収録されている「覚え書と資料」のなかで、「覚え書」としていちばん興味深いのは「m：無為」だろう。ここに登場する断章のなかで「無為」が単純に肯定されているのではないにしろ、ひたすら「進歩」と「発展」をめざすかの一九世紀のなかで「無為」は、確実にそこに切断を、あるいは異化をもたらすものであるだろう。たとえば、[m4, 6]ではこう記されている。

神は天地創造の仕事を果たしたのち、休息した。第七日目のこの神こそは、市民が無為の模範としたものである。遊歩において市民は神の遍在を手に入れ、賭けごとにおいて神の全能を、研究において神の全知をものにする。——この三位一体こそは、ボードレールのサタニズムの根源にあるものである。

もとより、ここに記されている「神の遍在」、「神の全能」、「神の全知」はいずれも一九世紀の「ファンタスマゴリー」であって、覚醒によって救済されるべき夢と言うべきだが、「遊歩」、「賭けごと」、「研究」という『パサージュ論』を構成しているだいじな要素と「無為」が結びつけられている。

一方、「資料」としていちばん興味深いのは、「d:文学史、ユゴー」としてまとめれている断章群だろう。孤独な貧窮状態で暮らさざるをえなかったボードレールとは対照的に、一九世紀を代表する作家として大活躍していたヴィクトール・ユゴー、アレクサンドル・デュマ、バルザックなどを軸にして、いささか荒唐無稽でもあるエピソードの数々を私たちはそこに読むことができる。「大西洋、ヴィクトール・ユゴー様」と宛名を書くだけで手紙が届いたとされるユゴー([d15a, 6])は、ノートル=ダムの塔の形を見てそこに自分の頭文字Hを読み取っていたという[d17a, 1]。あるいはデュマは、一八四八年、つまり二月革命の年に、パリの労働者にむけて「二〇年のあいだに四〇〇の小説と三五の劇を創作し、そのおかげで校正係、印刷工から劇場の道具方、座席案内嬢、さくらの親分にいたるまで、八一六〇人もの人々を食べさせてきたこと」を宣言してみせたという[d4, 2]。これらのエピソードもまた一九世紀ならではの「ファンタスマゴリー」、覚醒によって救い出されるべき夢と呼べるだろう。

「d:文学史、ユゴー」には、スーザン・バック=モースが『ベンヤミンとパサージュ論——見ることの弁証法』(高井宏子訳、勁草書房、二〇一四年)のなかで注目している、ベンヤミンが書き写している同時代(一九三六年)の政治分析に関わる断章[d12a, 2]もふくまれている。当時のイタリアのファシズム体制をジャーナリズムと広告の視点で批判的に捉えていた記事である。つまり、一九世紀に見られていた夢を覚醒にもたらすためには、現在からの鋭い視点が不可欠なのだ。

いま紹介したバック＝モースの『ベンヤミンとパサージュ論』の原書は一九八九年に刊行されている。『パサージュ論』が一九八二年に出版されて七年後である。バック＝モースの論調には、当時隆盛をきわめていたディコンストラクションやポストモダニズムの流れにベンヤミン解釈を引き渡してはならないという思いが強く感じられるが、総じてきわめてまっとうなものという印象をいまも受ける。あるいは、いまだからこそ、と言うべきかもしれない。とくにベンヤミンの『パサージュ論』を読み解くうえでは、アドルノ、ティーデマン、バック＝モースのラインがやはり本筋ではないかと私は思う。アドルノは一九二九年にベンヤミンから『パサージュ論』の企図を聞かされて以来、ベンヤミンの主著となるべきものとして熱い思いを抱き続けていた身であるし（その結果、一九三〇年代後半には書簡をつうじてベンヤミンと論争することになる）、ティーデマンはそのアドルノの指導のもとベンヤミン論を著わすとともに、アドルノとベンヤミンの全集版の編集に長く携わり、『パサージュ論』刊行のための編集作業を粘り強く続けた。バック＝モースの『パサージュ論』研究は、この二人の解釈を強く引き継いでいるものである。

たとえば、『ベンヤミンとパサージュ論』の六〇—六一頁にかけて、バック゠モースは『パサージュ論』のすべての断章を、第一期（一九三五年六月以前）、第二期（一九三七年一二月以前）、第三期（一九四〇年五月まで）の書き込み時期に区分して示した表を掲載している。私たちの翻訳では第一巻に収録されている「A：パサージュ、流行品店、流行品店店員」は、［A1］から［A5a］までが第一期、［A6］から［A10a］までが第二期、［A11］から［A13］までが第三期に書かれている、といった具合である（それぞれの断章記号の最後の数字は省略した記載の仕方である。つまり、［A1］というのは厳密には［A1, 1］のことである）。これに照らせば、本巻に収録されている「i：複製技術、リトグラフ」と「m：無為」の断章群はすべて第三期になってはじめて書かれたものであることが分かる。

またバック゠モースは、『パサージュ論』におけるベンヤミンの全体的な企図を、明快な図解の形で示している（同書、二六二頁）。縦軸に「夢」から「目覚め」にいたる線分、横軸に「硬直した自然」から「はかない自然」にいたる線分を引き、その座標軸の交点に「商品」を彼女は置いている。そして、その座標軸を用いた図解では、二つの線分によって作られる四つの領域（象限）に「歴史的自然 廃墟」（第一象限）、「自然の歴史 化石」（第二象限）、「神話的歴史 物神」（第三象限）、「神話的自然 願望形象」（第四象限）が配置されている。この座標軸による理解は、ベンヤミンが想定していたボードレールに関する本へのベンヤミン自身による座標軸を用いた注解によって正当化されてもいる（同書、二六四―二六五頁）。

このようにバック＝モースの『ベンヤミンとパサージュ論』は、錯綜した『パサージュ論』の断章に私たちが分け入ってゆくうえで、貴重なハンドブックの役割も果たしてくれている。

バック＝モースが図解のなかで、夢と目覚め、硬直した自然とはかない自然の座標軸の交点に「商品」を置いていることを紹介したが、本巻に収められているショーレム宛の一九三五年五月二〇日付の書簡でベンヤミンはこう書いている。

私はときおり次のような誘惑にかられます。すなわち外見上は全然似通っているはずのないバロックの著作〔『ドイツ悲劇の根源』〕とこの〔パサージュをめぐる〕著作のあいだの内的な構造上の類似を浮かび上がらせたいという誘惑です。そしてあなたにこれだけは伝えておきたいのですが、ここでも一個の継承された概念を展開することが中核となるのです。それはバロックの方では悲劇という概念でしたが、パサージュの方では商品の物神的性格という概念になります。（本書、二七一―二七二頁）

これは『ドイツ悲劇の根源』と『パサージュ論』がベンヤミンのなかではっきりと連続した関係にあったことを告げている一節でもある。同じ書簡のさきでさらにベンヤミンはこう説いている。「『ドイツ悲劇の根源』が一七世紀〔という時代〕をドイツから繰り広げてみせているのと同様に、パサージュに関する著作は一九世紀〔という時代〕をフランスから繰り広げてみせるのです」(本書、二七二頁)。

ただし、こういったことは、アドルノとホルクハイマーにとっては『パサージュ論』の基本的な性格として早くから分かりきっていたことだっただろう。

本巻には収録していない一九三五年五月三一日付のアドルノ宛の書簡のなかで、ベンヤミンは一九二九年九月もしくは一〇月に、フランクフルトとケーニヒシュタインで交わされたアドルノとの「〈歴史的(historisch)〉対話」について振り返っている。このときベンヤミンは、アドルノ、ホルクハイマー、アンナ・ラーツィス〔アーシャー・ラツィスの本名〕、グレーテル・カルプス〔のちのアドルノの妻〕を相手に、『パサージュ論』の企図を語るとともに、初期稿のいくつかを朗読したのだった。アドルノとホルクハイマーはそれに魅惑されるとともに、マルクスの分析をそこに組み込むよう強く主張したようだ。

ティーデマンは、初期稿「パリのパサージュ〈I〉」の[Q°, 4](前掲『ベンヤミン・コレクション6』六五二頁)に記されている『資本論』の参照すべき頁数が当時すでに稀覯本に属していた初版のものであることに注目して、ベンヤミンがその際に、ホルクハイマーとアドルノからその箇所を示唆された可能性を指摘している。『資本論』第二版では「商品の物神的性格とその秘密」という独立した見出しが置かれて大幅に書き直される部分の冒頭である(ただし、ベンヤミンは四〇頁と記しているが、私が所持している初版の復刻版では三九頁からはじまっている)。ティーデマンによれば、フランクフルト社会研究所の図書室には『資本論』初版が一冊所蔵されていて、ホルクハイマーは『資本論』についてはたいていそこから引用していたという(岩波現代文庫版『パサージュ論』第5巻、二六八―二六九頁および二九八頁の注(12)を参照)。

実際、このころからベンヤミンは本格的なマルクス研究に入ってゆくのである。『パサージュ論』に頻出する「ファンタスマゴリー」も表現としては『資本論』の「商品の物神的性格とその秘密」の節に由来する。そして、「パリ――一九世紀の首都(ドイツ語草稿)」にはこう記されることになる。

両義性は、弁証法の形象化であって、静止状態にある弁証法の法則でもある。こうした静止状態は、ユートピアであり、弁証法的形象はそれゆえに夢の形象である。商品そのもの、つまり物神としての商品が、こうした形象である。家であるとともに道路でもあるパサージュも、こうした形象である。売り子と商品を一身に兼ねる娼婦も、こうした形象である。（『パサージュ論（一）』岩波文庫、四五頁）

ただしここでは、「物神としての商品」とともに、「静止状態にある弁証法」、「弁証法的形象」、さらには「ユートピア」、「夢」といった『パサージュ論』のキーワードが、いささか無防備に並べられている。アドルノはベンヤミンの「パリ——一九世紀の首都〔ドイツ語草稿〕」を読んで、一九三五年八月二日から四日にかけてじつに長大な手紙を書いて批判を述べる。アドルノは、「素材」の問題と「認識論」の問題を区別する必要性を指摘し、とくに右に引用した箇所について、「模写リアリズム Abbild-Realismus」ではないかと批判を提示している。確かにここでのベンヤミンの書き方では、商品がそのままで静止状態の弁証法のもとに置かれていて、そのままで「夢の形象」であり「ユートピア」であるかのようにも読めてしまう。アドルノからすると、「商品」をそういうものとして浮かび上がらせるものこそが弁証法であって、そのためには批判的な認識の機能が不可欠なのである。おそらくはこの書簡におけるアドルノの批判も踏まえて、一九三九年三月に脱稿された「パリ——一九世紀の首都〔フランス語草稿〕」では、相変わらず「ファンタスマゴリー」と「物神としての商品」は繰り返し登場しながらも、「弁証法的形象」も「静止状態の弁証法」も表面上は削除されることになる。

とはいえ、ベンヤミンは『パサージュ論』研究を継続するなかで「静止状態の弁証法」や「弁証法的形象」という発想をたんに後退させていったのではなかった。たとえば、バック＝モースの提示している分類によれば第三期（一九四〇年五月まで）に書かれた[N9, 7]にはこう記されている。

弁証法的な形象は一瞬ひらめく形象である。こうして、認識可能性としてのこの今において一瞬ひらめく形象として、かつてあったものが捕捉されうるのである。救いはこのようになされる――このようにしかなされえない――以上、それはいつも、次の瞬間にはもう救いえないものとして失われるであろう形象においてのみ成就されうる。

パサージュや百貨店に並んでいる商品がそのままで「弁証法的形象」なのではない。あくまでそれは「この今において一瞬ひらめく形象」でなければならない。そのためには、やはりそれをそのようなものとして捉える「今」のまなざしと出会うのでなければならない。逆に言うと、そのようなまなざしと出会うことによって、当の商品は「弁証法的形象」として浮かび上がるのである。

「静止状態の弁証法」のほうは以降の『パサージュ論』の断章からは読み取りにくいのだが、一方でそれはまさしく「弁証法的な形象」を「一瞬ひらめく」ようにさせる働きそのものとして、他方では『ドイツ悲劇の根源』の「認識批判的序説」以来の「モナド論」を支える理論として捉え返されていったと思われる。「モナド」という言葉自体は『パサージュ論』全体のなかではほとんど後景に退いているが、[N10, 3]ではまとまった形でこう書かれている。少々長くなるが全体を引用しておく(原語を補足している)。

歴史の事象(historischer Gegenstand)を歴史の流れの連続性からもぎ取ることが要求されるのは、そのモナド的構造のゆえである。このモナド的構造はもぎ取られた事象においてはじめて露わになる。いいかえればこのモナド的構造が露わになるのは、歴史における対決という形態を通してなのである。この対決が歴史的事象の内部(いわば内臓)を形づくっていて、歴史のもつ諸力や関心の全体の中へと新たに若返ったかたちで踏み込んでいく。この歴史的事象の持っているモナド的構造のおかげで、歴史的事象はみずからの内部に自分固有の前史と後史が出現するのを見出すのである。(たとえばボードレールの前史は、この研究〔『パサージュ論』〕が述べているように、アレゴリーであり、その後史はユーゲントシュティールである。)

「歴史的事象」のひとつとしての商品もまた、「歴史の連続性」から「もぎ取られる」のでなければならない。そのときその商品ははじめて、みずからの内部にその「前史」と「後史」を写し出す「モナド的構造」を持つものとして「露わ」になるのである。このようにして捉え返された「モナド論」はベンヤミンの遺稿となった「歴史の概念について」の第一七テーゼに結実することになる。二〇〇八年に刊行されはじめた新しいベンヤミンの全集版にもとづいて、「歴史の概念について」のフランス語版をふくめて、さまざまなヴァリアントを独自に考証したうえでなされた、鹿島徹氏の訳から引いておきたい。

普遍史には理論的基礎というものがない。そのやりかたは、加算的なものである。つまり、大量の事実を取り集め、均質で空虚な時間を満たしてゆくのだ。／これにたいして唯物論的な歴史叙述には、構成〔構造体形成〕という原理が根底にある。というのも思考作用には、思考の動きだけでなく、その停止(Stillstellung)もまた属している。〔現在と結びついている過去の〕一定の星座的布置がさまざまな緊張をはらんで飽和状態にいたっているときに、思考作用が急に停止すると、その布置は衝撃《ショック》を受け、モナドとして結晶することになる。史的唯物論者が歴史的対象(geschichtlicher Gegenstand)に取り組むのは、ほかでもない、対象がモナドとして自分に向きあってくる場面においてのみのことなのだ。／このようにして成立する構造体のうちに史的唯物論者は、ものごとの生起がメシア的に停止するしるしを見てとる。言い換えるなら、抑圧された過去を解き放つための戦いにおける、革命的チャンスのしるしを見てとる。(鹿島徹『〔新訳・評注〕歴史の概念について』未來社、二〇一五年、六五頁。スラッシュは鹿島訳で便宜上与えられている段落分け箇所。〔　〕は訳者鹿島による補足。原語は引用者による補足)

ここにいたると、あの「パリ――一九世紀の首都〔ドイツ語草稿〕」に見られたような、アドルノに批判された無防備なたたずまいはすっかり払拭されている。「静止状態の弁証法」がどういう力学のもとに成立しているかが、ベンヤミンなりのモナド論と結びつけて力強く説かれている。「思考の運動」には「停止」もまた含まれるとして、その「停止」こそが「歴史的対象」をモナドとして結晶させるというのである(ちなみに、この箇所はベンヤミンの旧全集版のテクストに依拠して、「思考がモナドとして結晶する」と従来は訳されてきた。そのため、以下の論述と捩れた関係になっていた。鹿島訳はその問題を解消してくれている)。それは、連続していると見えていた歴史がさながらゼネストを起こすような瞬間である。そのようなモナドの一つひとつと向き合うようにして歴史と向き合うこと——。

それもあくまで「史的唯物論者」の頭のなかでの出来事であって、現実の「革命」とはなんの関係もないことである、と冷めて批評することも可能だし、場合によってはそれは必要なことでさえあるのかもしれない。しかし、たとえば明治以来「大東亜戦争」にいたる日本の近代の歩みを『パサージュ論』のような視点で考察すればどうなるか、といったことを私たちは一度は考慮してみる必要があるだろう。鹿鳴館、大逆事件、関東大震災、白樺派、二・二六事件、日本浪曼派……。キーワードはいくらでもありそうだ。その際、ボードレールの役割を果たしてくれるのはやはり萩原朔太郎だろうか。「じぼ・あん・じゃん！　じぼ・あん・じゃん！」という日本の近代の暗部を撃つような奇怪なオノマトペを記し(『定本青猫』所収「時計」)、最後に陰鬱きわまりない翼賛詩「南京陥落の日に」を朝日新聞のもとめに応じて書いてしまったあの朔太郎——。あるいは、小野十三郎を軸にして、通天閣の建設、千日前道具屋筋商店街の長いアーケードをふくめて、大阪を舞台に描き出された『パサージュ論』……。そんなことを考えてみれば、ベンヤミン『パサージュ論』の企図の途方もなさをあらためて私たちは感じ取れるのではないだろうか。

*

私たちの翻訳作業の中心のひとりだった故今村仁司氏は、最初の単行本として刊行された『パサージュ論 I パリの原風景』に寄せられた「解説」のなかで、ベンヤミンの『パサージュ論』について「外見上「草稿」にみえる本書全体がそのまま一つの「作品」であると考えたほうがいいのではないだろうか」と卓見を述べられている(この「解説」は岩波現代文庫版第1巻にも収録されている)。

その今村氏とともに、訳者のひとりだった山本尤氏もすでに鬼籍に入られている。もうひとり、『パサージュ論』翻訳のための最初の原動力を与えられたとうかがっている矢代梓氏(本名、笠井雅洋)も亡くなってしまった。単行本『パサージュ論 V ブルジョワジーの夢』の三島憲一氏の「解説」によれば、『パサージュ論』の翻訳作業がはじまったのは一九八九年夏とのことである。私が訳者のひとりとして参加させていただくようになったのは一九九二年ごろだったと記憶している。月に一回、岩波書店の一室に翻訳者全員が集まって一行一行、ほんとうに真剣な議論を交わし合った。いまから思うと、ちょっとありえない時間だった。それから長い年月が流れた。『パサージュ論』が新たな「古典」として今後とも熱心に読み継がれてゆくことを願わずにいられない。

ヴィクトル・ユゴー
(1802-1885)

オーギュスト・ブランキ
(1805-1881)

オノレ・ドーミエ
(1808-1879)

ルイーズ・ミシェル
(1830-1905)

人名総索引

1　人名は，(1)ベンヤミンが書いた文章中のもの，(2)ベンヤミンが引用した引用文中のもの，(3)引用文献の著者，(4)訳者による注の中のもの，の四種があるが，この四者の区別は煩雑になるので行っていない．該当箇所は，ページではなく，基本的に断片番号をアルファベットの大文字〜小文字の順に記すにとどめた．

2　断片が第1巻から第5巻のどの巻に収録されているかは，巻頭の全巻構成を参照のこと．

3　第1巻の「概要」部分に人名があるとき，例えばI=40は1巻の40ページを示す．断章冒頭のエピグラフにあるとき，例えばI=210(C)は第1巻の210ページで断章[C]のエピグラフを示す．第5巻の「土星の輪あるいは鉄骨建築」に人名があるときは，V=242などとした．

4　人名原綴のあとに[　]内の表記がある場合は，本名を示す．

5　人名に対する説明は本文の理解に資するものだけにとどめた．

ア　行

ルクス研究』誌の創設者の一人．主著『マルクス主義社会学』(1930-32)．　U3, 4

アドルノ　Adorno, Theodor Wiesengrund　A7a, 2/H2a, 5/I3, 6/I3a/J22, 2/J87, 8/K4, 3/M2, 9/N2, 7/N5, 2/R3, 1/S2, 4/S2a, 2/S5a, 4/X13a

アブー　About, Edmond(1828-1885)　フランスの小説家，劇作家．　J35, 3

アブデル・クリム　Abdel Krim(1885-1963)　モロッコのムーア人の指導者．　Q2, 2

アポリネール　Apollinaire, Guillaume　I＝68/B2a, 9/B3a, 1/I＝210(C)/J10a, 5/J11, 6/J20a, 2/J84, 1

アミエル　Amiel, Henri-Frédéric(1821-1881)　スイスの詩人，哲学者．主著『日記』の内省的態度で有名．　J15, 5

アラゴ　Arago, François(1786-1853)　フランスの物理学者．光学と電磁気学で名高い．1830年七月革命に参加，1848年臨時政府の国防大臣を務める．ナポレオン3世の敵対者．　I＝32/E9a, 4/J41a, 1/Y1a, 5/Y4, 1/r3, 1/r3, 3-3a, 1

アラゴ　Arago, Jacques(1790-1855)　フランソワ・アラゴの弟．小説家，劇作家．　a10, 1/a12, 5/p1, 1

アラゴン　Aragon, Louis(1897-1982)　フランスの詩人，小説家．パリ・ダダを経てシュルレアリスムを主導．その後コミュニストとして活動，対独レジスタンスを代表する作家となる．主著『パリの農夫』(1926)，『エルザの瞳』(1942)．　C1, 3/C2a, 9/D1a, 2/J84, 1/N1, 9/N3a, 4/O1a, 3/O2a, 1/R2, 1/k1a, 2

アラール　Allard, Roger(1885-1961)　フランスの詩人．　J10a, 4-11, 1/J11, 6/J20a, 2

アラン　Alain[Emile-Auguste Chartier]　O12, 3/d15a, 3

アリストテレス　Aristotelēs　Z3/m1, 1

アルガン　Argand, Aimé(1750-1803)　スイスの物理学者．高輝度オイルランプの発明者．　T3a, 1

イットルフ　Hittorf, Jacques-Ignace(1792-1867)　フランスの建築家．公共建築の専門家としては，パリの北駅などを設計した．　F2, 6/Q1a, 2
イプセン　Ibsen, Henrik(1828-1906)　ノルウェーの劇作家．自然主義派に属し，市民社会を批判する問題劇などで近代劇の祖とされる．代表作『人形の家』(1879)．　J74a, 5/S4, 6/S5a, 3/S7a, 5/S8, 1/S9a, 3/k3a, 3
イルシュ　Hirsch, Charles-Henry(1870-1948)　フランスの文学者，シナリオ・ライター．　J36, 1
ヴァイス　Weiss, Hilde　a15a, 2
ヴァイス　Weiss, J.-J.(1827-1891)　フランスの文学者，政治家．　J28, 4/V8a
ヴァイス　Weiss, Louise(1893-1983)　フランスのジャーナリスト，政治家．欧州議会議員．　I7, 4
ヴァイトリング　Weitling, Wilhelm　a18, 3
ヴァーグナー　Wagner, Richard　I=47/J1, 5/J5, 1/J5a, 5/J12a, 1/X13a/d5, 7
ヴァザーリ　Vasari, Giorgio　H4, 1-2
ヴァックリー　Vacquerie, Auguste(1819-1895)　フランスのジャーナリスト，劇作家．ユゴーの友人．　d5, 4
ヴァトー　Watteau, Antoine　J19a, 2
ヴァトリポン　Watripon, Antonio(1822-1864)　フランスのジャーナリスト，批評家．ボードレールの友人．　J7a, 3
ヴァルラン　Varlin, Louis-Eugène(1839-1871)　フランスの製本職人でプルードン主義者．第一インターナショナルのリーダーの一人で，国民軍の中央委員会メンバー．　k4, 7
ヴァレス　Vallès, Jules(1832-1885)　フランスのジャーナリスト，作家．社会主義者でパリ・コミューンの参加者．著作に，自伝的小説『ジャック・ヴァントラス』(1879-86)．　J21, 6/J77a, 7/J87, 3/k1a, 2
ヴァレリー　Valéry, Paul(1871-1945)　フランスの詩人，批評家．文学・

芸術・文化全般に大きな影響を与えた．　B5a, 2/B8, 2/I5a, 5/J1, 1/J3, 4/J3a, 3-4/J24a, 5/J59a, 2/K9, 3/M12a, 1/M20, 2/N5a, 6/N7a, 6/S6, 1/S10, 2/S10, 6/d14, 8/m1a, 4/m3a, 5

ヴァレンシュタイン　Wallenstein, Albrecht Eusebius Wenzel von　O2a, 5

ヴァロン　Wallon, Jean(1821-1882)　フランスの哲学者．ボードレールの友人．　d15a, 1

ヴァンサール　Vinçard aîné, Jules Vinçard(1796-1886)　サン＝シモン主義者，職人，シャンソニエ．　a12, 2-3

ヴァン・デ・ヴェルデ　Van de Velde, Henry(1863-1957)　ベルギーの建築家，工芸家．アール・ヌーヴォーの指導的人物．　I＝40/I＝73/S3a, 3/S4, 4

ヴィイェルメ　Villermé, Louis-René(1782-1863)　医学者．　a5, 2/a22, 2

ヴィエル　Viel, Charles-François(1745-1819)　フランスの建築家，理論家．　C6a, 2/F4, 3/F6a, 3/F7, 1/F7a, 2/l1a, 3/r2a, 3

ヴィエル＝カステル　Viel-Castel, Horace de(1802-1864)　フランスの美術コレクター，ルーヴル美術館館長．　O1a, 1

ヴィオレ＝ル＝デュック　Viollet-le-Duc, Eugène(1814-1879)　フランスの建築家．フランスにおけるゴシック再評価の中心人物．　F8, 1/d18a, 2

ヴィダル　Vidal, Jérome-Léon こと Léon de Céran[Léon Vidal](1797-1873)　フランスのジャーナリスト，劇作家．　Y3a, 2

ヴィドック　Vidocq, François-Eugène(1775-1857)　フランスの探偵．　V9, 3/d14a, 4

ヴィニー　Vigny, Alfred de(1797-1863)　フランスの詩人，小説家，劇作家．ロマン派の代表．　J14, 7/J14, 9/J20a, 4/J28, 1/J30a, 6/J33, 1/J37a, 5/J44a, 3/J51a, 2/M12, 6/N7, 1/a10a, 1/a18a, 3

ヴイヨ　Veuillot, Louis(1813-1883)　フランスの保守系ジャーナリスト，編集者．著作に，『パリのにおい』など．　D1a, 10/D2, 2/D2, 5/E2,

2/J59, 8/K1a, 1/O1a, 3/T1a, 3/d10a, 1
ヴィヨン　Villon, François(1431?-1463?)　フランスの詩人．近代詩の先駆．逃亡・入獄・放浪の生涯を送り，詩風は韜晦・皮肉・嘲笑などが特色．　J45a, 4/L3a, 2
ヴィリエ　Villiers, Roland　20世紀前半フランスの映画史家．　Y7, 7/Y7a, 1
ヴィリエ・ド・リラダン　Villiers de L'Isle-Adam, Auguste(1838-1889)　フランスの詩人，作家．象徴派の創始者と目される．著作に，『残酷物語』(1883)，『アクセル』(1890)など．　J67a, 8
ヴィールツ　Wiertz, Antoine-Joseph(1806-1865)　ベルギーの画家，著述家．歴史画で知られる．　I=30/I=33/F3a, 3/G2a, 4/I2, 5/I2a, 7/K2a, 2/Q1a, 5/Q2, 1/S7, 2/IV=274(Y)/Y1, 1/Y6, 6/Y8, 4/V=244
ヴィルドラック　Vildrac, Charles(1882-1971)　フランスの詩人．　P1a, 1
ヴィルヘルム3世　Wilhelm III, Friedrich　H2, 4
ヴィルマン　Villemain, Abel-François(1790-1870)　フランスの文学史家．　J35, 6/J65a, 5/K2, 1/d14, 5
ヴィルメサン　Villemessant, Jean-Hippolyte(1812-1879)　フランスのジャーナリスト．『フィガロ』紙の創刊者で編集長．　J27a, 3/U2a, 2-3/U12, 5/d13a, 4
ヴィレール　Villèle, Joseph(1773-1854)　フランスの政治家．過激王党派のリーダーとしてルイ18世のもとで首相を務める．　V4, 2/g3, 2
ヴィンター　Winter, Amalie　IV=326(Z)
ヴェイ　Wey, Francis(1812-1882)　ドイツ系フランス人の評論家．　Y8, 4
ウェイドレ　Weidlé, Wladimir(1895-1979)　ロシア生まれの美術・文芸評論家．1924年フランスに亡命．　G14a, 3/I6a, 2/Y8a, 2/Y9, 1
ヴェストハイム　Westheim, Paul　E12, 2
ヴェッツォルト　Wätzold, Wilhelm　Y4, 3
ヴェーデキント　Wedekind, Frank　O1a, 3

ヴェラーレン　Verhaeren, Emile(1855-1916)　ベルギーの詩人．象徴主義と自然主義の混合した手法で書く．　J37, 3/J76, 6/a18a, 3
ウェルギリウス　Vergilius Maro, Publius　I=44/I=210(C)/D3a, 2/J13a, 3/d14a, 2
ヴェルディ　Verdi, Giuseppe　T2, 1
ヴェルニィヨル　Vergniol, Camille 筆名 Charles Dambrus(1862-1932) 教師，ジャーナリスト，文芸評論家．　J28, 4
ヴェルニエ　Vernier, Charles(1813-1892)　アングルの弟子．風刺画家．B1a, 3
ヴェルレーヌ　Verlaine, Paul(1844-1896)　フランスの詩人．象徴主義の代表．　D1, 2/J11, 2/J13, 8/J33a, 3/J62, 6
ヴェロネーゼ　Veronese, Paolo[Paolo Caliari]　J39a, 1/J90a, 3/S10a
ヴェロン　Véron, Louis-Désiré(1798-1867)　フランスの医学博士，ジャーナリスト．ヴェロン博士の通称で知られる．『ルヴュ・ド・パリ』『シャリヴァリ』などの編集長．　U11, 7/U12, 3/d9a, 1/d14a, 5
ヴェロン　Véron, Théodore(1820-1898)　詩人，美術評論家．　J45, 6
ヴェロン=クルヴェル　Véron-Crevel　マルクスの造語．Véron, Louis-Désiré はコンスティテュシオネル紙社主．Crevel はバルザックの小説の人物．　J74, 3
ヴェンデル　Wendel, Hermann　J87, 3
ヴォーカンソン　Vaucanson, Jacques de(1709-1782)　フランスの発明家，機械技術者．フルートを吹く自動人形，アヒルの動きを真似る自動機械，さらには絹織機械を考案した．　Z2
ヴォダル　Vaudal, Jean[Hyppolite Pinaud](1900-1945)　フランスの技師，小説家．　D5, 6
ヴォルギン　Volgin, V.　U5, 2-5a, 2/U5a, 6-6, 2/W4a, 4
ヴォルテール　Voltaire[François Marie Arouet dit]　J3a, 1/J34a, 6/J64a, 6/U6, 5/U16, 1/a8, 1/a11a, 2/d2, 3/d5, 2/m2a, 5
ヴォルト　Worth, Charles(1825-1895)　イギリス系フランス人のファッション・デザイナー．ウジェニー皇后がひいきにした．パリで最初

の高級衣装店を営み，長らくファッション界をリードした．
d13a, 4

ヴォルネー　Volney, Constantin François(1757-1820)　フランスの政治思想家．三部会のメンバーでフランス革命の擁護者．　a8a, 1

ヴォルフスケール　Wolfskehl, Karl(1869-1948)　ドイツのユダヤ系哲学者，詩人．ゲオルゲ，クラーゲス，ベンヤミンと親交を結ぶ．
H2a, 2

ウォルポール　Walpole, Hugh(1884-1941)　ニュージーランド生まれのイギリスの作家．第一次大戦中赤十字の活動に従事し，『要塞』など多数の著書がある．　G10, 1-2

ウジェニー皇后　Eugénie, Maria de Montijo de Guzmán, Comtesse de Teba(1826-1920)　ナポレオン3世の妃(1853-1871)．　J31, 1/L2, 2/p3a, 2

ウーセ　Houssaye, Arsène(1814-1896)　フランスの文人，コメディー・フランセーズの支配人．小説，詩，文芸批評などを著した．　C7, 1/E8, 7/G13, 2/J28, 8/K5a, 2/d10, 1/d15a, 1

ウーゼナー　Usener, Hermann(1834-1905)　ドイツの古典学者，宗教史家．　J53, 5

ウルソフ　Ourousof, Alexandre[Aleksandr Ivanovitch Ourousof](1843-1900)　ロシアの貴族，弁護士，ボードレール研究者．　J37, 4

ウルリアック　Ourliac, Edouard(1813-1848)　フランスの文士．
d15a, 1

ウロンスキー　Wronski, Hoëné(1776-1853)　ポーランド生まれの数学者，哲学者．フランスで活躍．　J36, 5/W9, 3-9a, 1

エジソン　Edison, Thomas(1847-1931)　キネトグラフ(映画の撮影・映写機)，フォノグラフ(蓄音機)などで知られる，アメリカの大発明家．
Y7a, 1

エスコリエ　Escholier, Raymond[Escolier](1882-1971)　フランスの文学者，美術評論家．　I7, 1/M6a, 1/M13a, 4/d15a, 5-6/d16a, 2

エスメナール　Esménard, Joseph-Alphonse(1769-1811)　王党派の新聞

『コティディエンヌ』その他で活躍したジャーナリスト，作家．長篇詩「航海」(1805)が代表作．　d7, 7

エッカルト　Eckardt, Julius　d14, 7

エヌビック　Hennebique, François(1842-1921)　フランスの技師．鋼鉄で強化した鉄筋コンクリートを考案(1892年特許)．　S9a, 7

エヌリ　→デヌリー

エヌリ／ルモワーヌ　Ennery/Lemoine　A4a, 1

エノー　Enault, Louis(1824-1900)　フランスの作家，古典学者．　C7, 1/F6a, 2

エベール　Hébert, Jacques René(1757-1794)　フランス革命期のジャーナリスト，政治家．民衆的風刺新聞『デュシェーヌ親父』を発行(タイトルは彼の仇名)．ジャコバン党右派との闘争で処刑された．　V9a, 4

エーム　Heim, François-Joseph(1787-1865)　フランスの歴史画家．ボードレールに称賛された．　L2, 1

エリティエ　Héritier, Louis(1862-1898)　スイスのブランキ系アナーキスト．　U4, 1

エルサン　Hersent, Louis(1777-1860)　フランスの画家．　E1, 5

エルダン　Erdan, Alexandre[Alexandre André Jacob](1826-1878)　フランスのジャーナリスト．　p6, 1

エルラー　Erler, Fritz(1868-1940)　ユーゲントシュティールの代表的なグラフィック・アーティストで，ミュンヘン芸術家劇場の舞台デザイナー．その「意図的な独創性」ゆえにカンディンスキーの批判を受ける．　J85, 3

エレディア　Heredia, José Maria de(1842-1905)　キューバ生まれのフランス詩人．ルコント・ド・リールの影響を受け高踏派詩人として活躍．詩集に『戦勝牌』(1893)など．　G3, 5

エレーヌ　Hélène de Surgères[Hélène de Fonsèque](1545-1618)　詩人ロンサールがうたった女性．　J10a, 4

エロ　Hello, Ernest(1828-1885)　フランスの哲学者，批評家．著作に，

『様式(スタイル)』(1861),『哲学と無神論』(1888)など. J35a, 6/J90, 4

エロー・ド・セシェル Hérault de Séchelles, Marie Jean(1759-1794) フランスの弁護士, 政治家. 国民公会議員(1792)で, 新憲法草案に協力したが, ギロチンにかけられた. Y2a, 2

エングレンダー Engländer, Sigmund B4, 2/C3a, 1/E6, 3/G3, 1/G4, 7/P2a, 4/T2a, 2/U1a, 7/U2, 3/V1, 6-1a, 2/W1, 3/W1a-2, 1/W2a, 2-2a, 5/a2, 1-2a, 3/a3, 1

エンゲルス Engels, Friedrich I=43/I=49/I=81/A4a, 2/D2a, 4/D3, 6/D8, 8/E1a, 5/E9a, 6/E12, 1/I4, 3/J64, 2/J73, 1-2/M5a, 1/M19, 4/N4a, 4/N6, 7-6a, 1/N9, 1/N10a, 2/N17-17a/O9a, 4-5/U3a, 1/V3, 2/V7a, 1/W3a, 3/W10, 4-10a, 2/W15a, 1/X9a, 1/X12, 1/a4, 1/a15a, 2/a16, 4/a16a, 2-3/a17, 1/a17a, 1-3/k2a, 7/k3, 2-3a, 1/l1, 8/p5, 4

エンゲルマン Engelmann, Gabriel(1788-1839) フランスの石版画家. 石版画の発明者ゼネフェルダーの技術をフランスに移入した. G13, 5

オイラー Euler, Leonhard(1707-1783) スイスの数学者, 物理学者. r3, 1

オウィディウス Ovidius Naso, Publius J18a, 8/J69a, 3/S3a, 3

オーウェン Owen, Robert(1771-1858) ユートピア社会主義者, 博愛運動家. イギリス社会主義・協同組合運動の父といわれる. 自説にもとづく共同体を英米で設立し, 機関紙や著書を通じてオーウェン思想の宣伝と実現に励んだ. W10a, 2/X12, 1

オザンファン Ozenfant Amédée(1886-1966) フランスの画家, 理論家. F8, 1/S6a, 2

オースマン Haussmann, Georges Eugène(1809-1891) フランスの政治家. ナポレオン3世下でセーヌ県知事となり, グラン・ブールヴァール, オペラ座, 中央市場(レ・アール)の建設など, パリの大規模な再開発事業を実行したが, そのために多くの古い建物やパサージュが取り壊された. I=47-50/I=52/I=57/I=80-83/I=85/C3, 8/I=320

スに帰化したドイツの実業家．木綿プリント工場設立．　G9a, 3

オランヌ　Hauranne, Duvergier de, Prosper(1798-1881)　フランスのジャーナリスト，政治家．　J52a, 5

オリヴィエ　Ollivier, Emile(1825-1913)　フランスの政治家．帝政に反対し，後にナポレオン3世を支持．1870年内閣を率い，普仏戦争へ至った．　Z1a, 2

オルシニ　Orsini, Felice(1819-1858)　イタリア出身の革命家．1858年1月にナポレオン3世の暗殺を企て，死刑．　V3a, 3

オルバック　Holbach, Paul Henri Thiry d'[Paul Heinrich Dietrich von](1723-1789)　ドイツ生まれのフランス啓蒙主義の唯物論哲学者．著作に，『キリスト教暴露』(1761)，『自然の体系』(1770)，『社会の体系』(1773)など．　U6, 5

オロー　Horeau, Hector(1801-1872)　フランスの建築家．　F2a, 1/F5, 3

カ　行

ガイスマール　Geismar, Eduard　M2a, 2

ガイヤール　Gaillard, Napoléon-Louis　通称 Gaillard père(1815-1900)　靴職人，コミューン戦士．『履物の技芸』を著す．　E8, 6/E11, 2

カイヨワ　Caillois, Roger(1913-1978)　フランスの作家，思想家．バタイユやミシェル・レリスとともに，ベンヤミンも時に参加した社会学研究会を1937年に創設．　B8a, 2/C8, 4/D4a, 2/E10, 3/G15, 5/K5a, 5/L5, 3/M11a, 5/M12, 1/N7, 1/S7, 1/V7a, 6-8, 1/Z2a, 1/d16a, 1/l2, 2

ガヴァルニ　Gavarni, Paul[Sulpice Chevalier](1804-1866)　フランスの風刺画家，挿絵画家．「ロレット」などの風俗風刺を得意とする．ゴンクール兄弟に高く評価された．　J52a, 3/J61, 2/J82a, 5/M1, 1/O10a, 1/a13a, 6/b1, 4/b1, 9

カヴェニャック　Cavaignac, Louis Eugène de(1802-1857)　フランスの軍人．二月革命後アルジェリア知事．後に国防大臣．革命後の左翼の

反乱を弾圧．12 月の大統領選挙で後のナポレオン 3 世に敗れる．
J28a, 5/V6a, 2/a17a, 2/d3, 6/d3a, 2

カウツキー　Kautsky, Karl(1854-1938)　ドイツ社会民主主義の指導者．1883 年『ノイエ・ツァイト』を創刊，エンゲルスの支援を受けるが，ロシア革命を批判しレーニンから「背教者」と非難された．著作に，『資本論解説』(1887)，『キリスト教の起源』(1908)など．　U5a, 5/W10a, 1

カウフマン　Kaufmann, Emil　E10a, 6-11, 1/U17, 1-3/W17a, 4/r4, 1-3

カエサル　Caesar, Gaius Julius　C4/D4a, 4/D9, 5/J84a, 3/U10a, 2

カサニャック　→グラニエ・ド・カサニャック

カサノヴァ　Casanova de Seingalt, Giovanni Giacomo(1725-1798)　イタリア・ヴェネツィア出身の作家．色事師で有名．『回想録』がある．
O1a, 4

カスー　Cassou, Jean　D10, 4/E13a, 1/J88a, 4/J89, 1-89a, 2/S5a, 1/a22, 3-4/a22a, 1-3/d18, 6-18a, 1/i2/k2a, 6/k3, 1

カスティネリ　Castinelli 原文誤植．正しくは，カンティネリ Cantinelli, Richard(1870-1932)　フランスの美術批評家，司書．　J2a, 2

ガスティノー　Gastineau, Benjamin(1823-1904)　フランスのジャーナリスト，歴史家．　D3, 3/U10, 2-10a, 1/d11, 4

カスティーユ　Castille, Hippolyte(1820-1886)　フランスのジャーナリスト，作家．　J29, 2/M12a, 2

カステラーヌ　Castellane, Victor Boniface(1788-1862)　ナポレオン 1 世の戦役に加わったフランスの政治家．後に元帥．　d4, 1

カスルレー　Castlereagh, Viscount[Robert Stewart](1769-1822)　イギリスの政治家，公爵．国防大臣としてナポレオンとの戦いを指導．ウィーン会議でも重要な役を演じる．　M18

カゾット　Cazotte, Jacques(1719-1792)　フランスの小説家．『恋する悪魔』(1772)などを書く．超感覚的な世界を描いてロマン派の先駆ともされる．1792 年処刑される．　J10a, 5/J20a, 2/J35, 1

カティリナ　Catilina, Lucius Sergius　D4a, 4/J84a, 3/J85, 1
ガニール　Ganilh, Charles（1758-1836）　フランスの経済学者，政治家．　O10a, 2
ガノー　Ganneau, Simon（1805頃-1851）　フランスの彫刻家．1835年頃エヴァダミスム（エヴァ＝アダム主義）と呼ばれる，男女両性の融合を目指す宗教を創設し，みずから「ル・マパー」と名乗った．　U12, 7/a15a, 2-4/p1, 3
カノヴァ　Canova, Antonio（1757-1822）　バロックの雰囲気も残しているイタリアの擬古典主義の彫刻家．ヨーロッパ中で好まれ，ナポレオンとその家族の彫刻も作った．　I5, 3
カバネス　Cabanès, Augustin（1862-1928）　フランスの医師，著述家．　J18, 1
カピュ　Capus, Alfred（1858-1922）　フランスのジャーナリスト．1914-22年『フィガロ』紙の政治欄主幹．　J46, 1/O13, 5/S7a, 4
カフカ　Kafka, Franz　I3, 3/J42a, 8/S1, 4/S2a, 3/S5, 2
カベ　Cabet, Etienne（1788-1856）　フランスの急進社会主義者．七月革命に参加．オーウェンの影響下のユートピア共産主義者．『イカリアへの旅』（1840）の著者．　A9, 3/B4, 2/J87a, 7/V1a, 2/W2a, 3-5/a10, 1-2/a10a, 2/a16, 4/a16a, 3/a18, 1/a19a, 6/a22, 4
カリオストロ　Cagliostro[Giuseppe Balsamo]（1743-1795）　ヨーロッパの宮廷を渡り歩き魔術や錬金術を披露した．政治的詐欺師の代名詞．　p4, 5
カリップ　Calippe, Charles（1869-1942）　フランスの聖職者．「働く司祭」を論じた．　d7a, 7/d8, 3-4/d9, 1/g3a, 2
カリマコス　Kallimachos　Y6, 3
ガリマール　Galimard, Auguste（1813-1880）　フランスの画家，版画家．　Y7, 5
ガリマール　Gallimard, Paul（1850-1929）　フランスの美術品蒐集家．　J37a, 1
カール　Karr, Alphonse（1808-1890）　フランスのジャーナリスト，小

説家.『フィガロ』紙の編集者で, 風刺雑誌『レ・ゲップ(雀蜂)』を創刊. 著作に,『わが庭をめぐる旅』(1845)など.　B1, 6-7/I5, 5/L1, 7/R1, 7/T3a, 3/d10, 1/d10a, 1/d15, 3
ガル　Gall, Ferdinand von　A3, 9/D2a, 6-7/M2, 1/O1a, 5-2, 1
カルヴァン　Calvin, Jean　N6a, 1/m3a, 1
カルジャ　Carjat, Etienne(1828-1906)　初期の大写真家の一人. ボードレールの写真で有名.　C8a, 4
カールス　Carus, Carl Gustav(1789-1869)　ドイツの哲学者, 心理学者, 画家. シェリングの影響下に宇宙論的な生命の流れを説いた.　D1a, 8
カルスキー　Karski, Ceslaw　Y6, 2
カルスキー　Karski, J.　S4, 4
カルセル　Carcel, B.-G.(1750-1812)　フランスの時計職人. カルセル式ランプを1800年頃に発明.　T3a, 2
カルダーノ　Cardano, Girolamo(1501-1576)　イタリアの数学者, 自然哲学者. 医学, 数学, 音楽, 機械学などに著作を残した.　Z2
ガルニエ　Garnier, Charles(1825-1898)　フランスの建築家(オペラ座等).　L2a, 5/i1a, 2
カルネ　Carné, Louis de(1804-1876)　フランスの政治家, 歴史家.　E8a, 1
カルノー　Carnot, Lazare(1753-1823)　フランスの政治家, 軍事技術者. 革命軍の創設者の一人.　r2a, 1
カルリエ　Carlier, Pierre(1794-1858)　政治家, 警視庁長官. ルイ・ナポレオン・ボナパルトのクーデタに加担.　l1, 11
カレル　Carrel, Armand(1800-1836)　ジャーナリスト, リベラル派指導者の一人. ジラルダンに決闘で殺される.　V4, 5/d8a, 6
カロンヌ　Calonne, Alphonse de(1818-1902)　フランスの文芸評論家.　J44, 1-2/J90, 4
カロンヌ　Calonne, Charles Alexandre de(1734-1802)　ルイ16世の下での大蔵大臣. 革命前に道路や運河を建設した.　U2, 1

カーン　Kahn, Gustave(1859-1936)　フランスの象徴派詩人．美術批評家．　J37, 5-7
カント　Kant, Immanuel　H2, 7; H2a, 1/J64, 2/J64, 4/N6a, 1/W15a, 1/g1, 2
カンドル　Candolle, Augustin Pyrame de(1778-1841)　スイスの植物学者．リンネに替わる植物分類法を作成．　a8a, 1
カンパネラ　Campanella, Tommaso(1568-1639)　獄中で書いたユートピア小説『太陽の国』で知られるイタリアの思想家．　J63a, 1
ガンベッタ　Gambetta, Léon(1838-1882)　共和主義者．普仏戦争のとき政府閣僚を務めていたが，気球でパリから脱出し，地方でレジスタンスを組織．1881 年から 1882 年までフランス共和国首相．　Z1a, 2
ギース　Guys, Constantin(1802-1892)　オランダ生まれのフランスの挿絵画家．第二帝政下のパリの風俗描写の作品をボードレールが「現代生活の画家」で取り上げている．　D4a, 4-5, 1/D5, 3/J6, 2-6a, 1/J6a, 3-4/J7, 4/J7a, 2/J26a, 4/J28, 8/J47, 4/J80a, 5/O10a, 1/O12, 2/S9a, 1/Y8a, 3/Z2a, 2/d8a, 3
キセーリョフ　Kiselyov, Nicolai Kisseleff　d12, 2-3
ギゾー　Guizot, François(1787-1874)　フランスの歴史家，政治家．1840-48 年首相を務めるが，1848 年の二月革命で失脚．　I=39/E9a, 8/P4, 2/U16, 4/a1, 3/a16a, 4/a18a, 8/a22a, 2-3/d14, 5/g1a, 1/p5, 3
ギーディオン　Giedion, Sigfried(1888-1968)　スイスの美術史家．「現代建築国際会議」の最初の書記を務め(1928)，のちハーヴァード大学教授(1938)．主著『空間・時間・建築』(1941)．　A3, 4-6/F2, 4-8/F2a, 1-3/F3, 1/F3, 3/F3, 5/G2, 3-4/I1a, 7/K1a, 5/K1a, 7/L1, 8/L1a, 2-4/M3a, 3/M3a, 5/M21a, 2/N1, 11-1a, 1/T1a, 4
キネ　Quinet, Edgar(1803-1875)　フランスの歴史家，政治家．科学と社会の進歩を謳った多くの作品がある．ミシュレの親友．著作に『アハシュエロス』(1833)，『フランス革命』(1865)など．　U16a, 2/Y6, 6/Y6a, 1/d6a, 5/d16a, 3/g1, 2

キュイザン　Cuisin, P.[Jean-Pierre Cuisin](1777-1845？)　フランスの軍人．文学者．　Q3a, 6
キュヴィエ　Cuvier Georges(1769-1832)　フランスの博物学者．比較解剖学の創始者．コレージュ・ド・フランス教授．　d7, 6
キュヴィリエ　Cuvillier, Armand(1887-1973)　フランスの哲学者，社会学者．　A11a, 2/a19, 4-19a, 5
ギュダン　Gudin, Théodore(1802-1880)　フランスの風景・海景画家．　d7, 7
ギュタンゲール　Guttinguer, Ulric　J26, 3
ギューテルマン／ルフェーヴル　Guterman, Norbert(1900-1984)　ポーランド生まれの研究者．翻訳者．/Lefebvre, Henri(1901-1991)　フランスのマルクス主義哲学者，社会学者．　H3a, 6/d11, 1
キューネ　Kühne, Gustav(1806-1888)　ドイツの小説家，批評家．「青年ドイツ」派の指導者の一人．　p5, 2
ギユマン　Guillemin, Léon　a7a, 6
ギユモ　Guillemot, Gabriel(1833-1885)　フランスのジャーナリスト，劇作家．理工科学校出身者．　M7, 5/U8a, 2/d4, 3
ギヨ　Guillot de Paris　フランス13世紀末の詩人．パリの街路を扱った作品がEdgar Mareuse編で1875年に刊行された．　III＝354(P)
キリコ　Chirico, Giorgio de(1888-1978)　イタリアの画家．広い意味でシュルレアリスムの創始者の一人．　D1a, 7
キルケゴール　Kierkegaard, Sören　I3, 5/I3a/J59, 5/J62, 3/J62a, 3-63, 6/M2a, 2/N2, 7/R3, 1/S2a, 2
ギルベール　Guilbert, Yvette(1865-1944)　フランスの歌手．　G1a, 1
グアン　Gouin, Edouard(17??-18??)　フランスの演劇人．　p1, 1
グエン・チョン・ヒエップ　Nguyễn Trọng Hiệp[Nguyễn Văn Tuyên 阮文瑄](1834-1902)　パリに駐在の大南の外交官・詩人．フランス語と中国語の36篇の詩集『大法國玻璃都城襍詠』の著者(ハノイ，1897年)．　I＝24
クーゲルマン　Kugelmann, Ludwig(1828-1902)　ドイツの医者．1848-

49年のドイツ革命で活躍した．マルクス，エンゲルスの友人．
W10a, 2
クーザン　Cousin, Victor(1792-1867)　フランスの哲学者，政治家．折衷学派とも言われた．　J65a, 5/W8a, 3/d14, 5
グージョン　Goujon, Julien(1854-1912)　フランスの弁護士，劇作家，政治家．　V5a, 4
クストゥ　Coustou, Guillaume(1677-1746)　フランスの彫刻家．
Q1, 2
グダル　Goudall, Louis(1830-1873)　小説の筆名 Emile Montady．フランスのジャーナリスト，文士．「フィガロ」紙で1855-56年，ボードレールを批判．　J24a, 3/J29, 6/J45, 3
グツコウ　Gutzkow, Karl(1811-1878)　ドイツのジャーナリスト，小説家，劇作家．1830-50年，ロマン主義に対する「青年ドイツ」派の指導者となる．『霊の騎士』は近代ドイツで社会小説への道を拓いた．
I=52/B1a, 2/B2a, 1/D1a, 1/E1, 3-4/F1, 5/I1a, 5/I2, 2/I2a, 3/III=14(K)/M3, 2/R1, 1/T1, 1/U1, 5/W8, 1/Z1, 3
クーテュリエ・ド・ヴィエンヌ　Couturier de Vienne, F. A. Amable-Félix(1798-1879?)　フランスの軍人，法学博士，文士．『近代パリ』(1860)でユートピア的構想を練る．　K7, 2
グーテンベルク　Gutenberg[Johannes Gensfleisch]　d6, 3
クーパー　Cooper, Fenimore　M11a, 5-6/M13, 2-13a, 1/M17, 1/d9, 5
クビーン　Kubin, Alfred(1877-1959)　オーストリアの画家，著述家．パウル・シェールバルト『小遊星物語』の挿絵も描いている．　M2, 2
クライシッヒ　Kreißig, Friedrich　Y1, 2
グーラウアー　Guhrauer, E.　M19, 4
クラウス　Kraus, Karl　R2, 3/W14a, 7
クラカウアー　Kracauer, Siegfried(1889-1966)　ドイツ生まれの社会学者．フランス，アメリカに亡命．著作に，『サラリーマン』(1930)，『カリガリからヒトラーへ』(1947)など．　D4a, 1/E10, 1/M11a, 2-4/O9a, 6/O10a, 7/Q4a, 1/U16a, 6/a18a, 4/a18a, 7-8/b2, 1/d14, 1

クラーゲス　Klages, Ludwig(1872-1956)　ドイツの哲学者．ゲオルゲ・サークルと交流．著作に，『夢の意識について』(1919)，『宇宙形成のエロス』(1922)，『心に抗争する精神』(1929-32)など．　K1a, 3

グラシアン　Gracián, Baltasar(1601-1658)　スペインの作家，モラリスト．イエズス会士．ショーペンハウアーに再評価された．著作に『機知と創意の技法』(1648)，アレゴリー作品『クリティコン』(1658)など．　O13a, 4

クラッセン　Klassen, Peter　J39a, 4/J40a, 2

グラッベ　Grabbe, Christian Dietrich(1801-1836)　ドイツの劇詩人．主著『ドン・ジュアンとファウスト』(1829)は，ゲーテとモーツァルトを凌駕しようとした野心作．　V＝194(p)

クラデル　Cladel, Judith(1873-1958)　フランスの小説家，劇作家．『ロダン伝』の著者．レオン・クラデルの娘．　J18a, 7/J29, 1

クラデル　Cladel, Léon(1835-1892)　フランス象徴主義の作家．ボードレールの仲間．　J29, 1/J30a, 1/V9a, 1

グラニエ・ド・カサニャック　Granier de Cassagnac, Adolphe(1806-1880)　フランスのジャーナリスト．1850年以後，熱心なボナパルト派となる．雑誌『ル・ペイ(国土)』の編集人．『第二帝政の回想』(1879)を書く．　J55, 5/J74, 3/a7a, 3

クラーネ　Crane, Walter　Y2a, 5

グラパン　Grappin, Henri(1881-1959)　フランスのポーランド文学者，スラヴ文学者，言語学者．　J85, 5/M17a, 4

クラルティ　Claretie, Jules(1840-1913)　ジャーナリスト，作家．コメディ・フランセーズの劇場長．　E1, 5/H1, 6/J37, 2/L2, 2/M3, 9/M13a, 4/Q1, 5

クラルティ　Claretie, Léo(1862-1924)　フランスのジャーナリスト，批評家．　C5, 4/D4, 2/L4, 2

グランヴィル　Grandville[Jean Ignace Isidore Gérard](1803-1847)　フランスの風刺画家，挿絵画家．『シャリヴァリ』『カリカチュール』等の雑誌で活躍した．『もう一つの世界』はグランヴィルの挿絵に

『シャリヴァリ』編集長タクシル・ドロールの文章を付して1844年に刊行された作品.　I＝37-38/I＝67-68/A1, 2/B1a, 2/B2a, 9/B4, 5/B4a, 2/F1, 5/F1, 7/F2, 3/G1, 3/G2, 1-2/G5a, 2/G7, 2/G11a, 1-2/G12a, 3/G14a, 1/G16, 3-4/J79, 4/K4, 1/M3, 7/M7a, 6/W4a, 3/W17a, 5/V＝241

グランヴォー　Granveau, Antoine　歴史・社会問題をとりあげて19世紀後半に活動. フランスの「電信局」員.　E7, 5/U10, 1

グラン＝カルトレ　Grand-Carteret, John(1850-1927)　フランスのジャーナリスト, 風俗史家.『ドイツの風俗と風刺』(1885),『フランスの風俗と風刺』(1888)など, 挿絵入りで風俗を紹介する本を書いた.　A2, 8/B1a, 4/D1a, 6/I1a, 1

グランサーニュ／プラン　Grandsagne, Stéphane Ajasson de(1802-1845)　フランスの文学者, 古典文学者. ジョルジュ・サンドの幼なじみ. /Plant 原文誤植. 正しくは, プロートかプラウト Plaut, Maurice. 地図作成師.　E8, 9

グランジェ　Granger, Ernest(1844-1914)　フランスの政治家. ブランキ系社会主義からブーランジェ派に移る.　V9, 1

クーリエ　Courier, Paul Louis(1772-1825)　フランスの著作家で, 政治パンフレットで聖職者たちや復古主義者たちを糾弾. 後に殺害される.　b1a, 1

グリエ　Grillet, Claudius(1878-1938)　リヨン・カトリック大学教授.　I7, 3/J35, 1/J35, 6/J35a, 1

グリーナウェイ　Greenaway, Kate　C1, 3

クリュソストモス　Chrysostomos, Iōannēs(347頃-407)　ギリシア正教会の教父. コンスタンチノープル主教で大説教家. 多くの著作がある.　J35a, 8/K7a, 4

グリューン　Grün, Karl(1817-1887)　ドイツの作家. フォイエルバッハの信奉者で, プロイセン国会議員となる. 1840年代の「真正社会主義」の代表的論客.　I＝30/I＝63/O9a, 4/U3a, 1/W4, 3/a16a, 2

グリルパルツァー　Grillparzer, Franz(1791-1872)　オーストリアの劇

作家，詩人.　N7, 5/N10, 4
クルゾ／ヴァランシ　Clouzot, Henri(1865-1941)　フォルネー図書館館長．/Valensi, R.-H.　フランスの装飾芸術史家.　A8, 3-4/A9, 2/Q4, 1/d8, 1
クルティウス　Curtius, Ernst Robert(1814-1896)　ドイツの古典文献学者，考古学者．ドイツのオリンピア発掘隊(1875-81)の指揮を執った.　I6, 4-5/M10, 2-3/P1a, 7/Q4, 3/U16, 3/V7, 1-2/W10, 3/d10, 4/d12a, 4-7/p4, 4-5
グルドン　Gourdon, Edouard(1820-1869)　フランスの多産な作家，歴史作家.　O2a, 4-3, 3/O12a, 2
グルドン・ド・ジュヌイヤック　Gourdon de Genouillac, Nicolas Jules Henri(1826-1898)　フランスの歴史家，紋章学者.　A4a, 1/J68a, 3/M4, 3/M5, 2/a3a, 4/a4, 2-4a, 1
クールノー　Cournot, Antoine Augustin(1801-1877)　数学者，経済学者．経済問題の解決に確率論の適用を試みた.　X2a, 1
クールベ　Courbet, Gustave(1819-1877)　フランスの画家．写実主義の巨匠．パリ・コミューンに参加．後にスイスに亡命.　I=52/I=85/J7, 8/J16a, 9/J57a, 4/L4, 3/O10, 6/U8a, 5/d10, 1/k1a, 2/k2a, 5-6/k4, 6/p6, 3
グールモン　Gourmont, Remy de(1858-1915)　フランスの詩人，文芸批評家.　H2, 2/J9, 3/J17, 2-3/J23, 1/M14, 2/M17, 1/III=428(S)/S1a, 1-2
グルント　Grund, Helen[Helen Hessel](1886-1982)　ベンヤミンの友人 Franz Hessel の妻．ファッション・ジャーナリスト.　B4a, 3/B4a, 5/B5, 1/B5, 3/B10, 1
グレコ　Greco, El　J33a, 7
グレゴロヴィウス　Gregorovius, Ferdinand　E3, 5
クレティアン　Chrétien, Gilles-Louis(1754-1811)　フランスのチェロ奏者．「フィジオノトラス」発明者.　Y3, 3
グレーバー　Gröber, Karl　Z1, 1

クレペ　Crépet, Eugène (1827-1892)　ボードレールの遺稿の編纂者.　J29, 1/J29a, 1/J30a, 2-6/J31, 2-4/J32, 2/J32a, 1/J34, 1-2/J36, 3-5

クレペ　Crépet, Jacques (1874-1952)　ウジェーヌ・クレペの息子. 父のボードレール編纂の仕事を継続した.　J1, 6/J1a, 2/J19a, 5/J20, 7/J24a, 2/J26a, 3/J29, 1/J29a, 1/J30a, 2-6/J31, 2-4/J32, 2/J32a, 1/J34, 1-2/J35, 2/J35, 4/J36, 3-5/J43a, 10/J44, 2/J45, 5/J85a, 3/J90, 4-90a, 1

クレールヴィル　Clairville, Louis François [Nicolaïe] (1811-1879)　フランスの詩人, ヴォードヴィル作者, 劇作家. 多作で知られる.　Y1a, 6

クレールヴィル／コルディエ　Clairville, Louis François/Cordier, Jules [Eléonore Tenaille de Vaulabelle] (1801-1859)　フランスの劇作家.　G10a, 2-3/Y5a, 1

クレールヴィル／ドラトゥール　Clairville, Louis François/Delatour, A.-G. [Auguste Gay de la Tour de Jonchère] (18??-18??)　フランスの劇作家, 作詞者.　Y5a, 2

グロ　Gros, Antoine Jean, baron (1771-1835)　フランスの歴史画家. ダヴィッドの下で学び, その古典的理論を取り入れた.　D3a, 2

クロザ　Crozat, Emile　フランスの弁護士, 詩人, 劇作家.　a9, 4

クローズ　Croze, J.-L. (1869-1955)　フランスの作詞家, ジャーナリスト.　A8, 2/Q3a, 7

グロスマン　Grossmann, Henryk　X1, 3

クローダン　Claudin, Gustave (1819-1896)　1840年以降パリの種々の新聞の寄稿者.　M3, 9

クローディオ＝ジャネ　Claudio-Janet [Claude Marie Jacques Jannet] (1844-1894)　弁護士, 評論家, 大学教授. 反フリーメイソンの論客.　G9, 1

クローデル　Claudel, Paul (1868-1955)　フランスの詩人, 劇作家, 外交官.　J33, 8/J53, 1

グロナウ　Gronow, Captain Rees Howell (1794-1865)　イギリスの軍人.

ワーテルローで戦い，その後ロンドンでダンディ，賭博者として知られる．1830年代末からパリに移住し，全4巻の回想録を残した(1861-66)．　O1, 2-3

グロピウス　Gropius, Karl Wilhelm(1793-1870)　ドイツの建築家で，演劇の舞台装置を専門とした．1827年ベルリンに，ギリシアとイタリアの風景のジオラマ館を開設．　L1, 1

クロロフ　Kroloff, Eduard　A1, 2/G1, 4/G3, 3/T1, 8

グワイタ　Guaita, Stanislas de(1861-1897)　イタリア生まれのフランスの詩人，神秘主義者．一時期モーリス・バレスと交流．『渡り鳥』(1881)，『黒いミューズ』(1883)を書く．　J35a, 6

ゲー　Gay, Delphine　→ジラルダン夫人

ゲー　Gay, Jules(1807-1887)　フランスの出版者．空想的共産主義者．　W2a, 2

ゲー　Gay, Sophie(1776-1852)　フランスの小説家，劇作家．デルフィーヌ・ゲーの母．　I2a, 5

ゲー＝リュサック　Gay-Lussac, Joseph Louis(1778-1850)　フランスの化学者，物理学者．　U1, 4

G, ヴェロニカ・フォン　G., Veronika von　B3, 5

ゲオルゲ　George, Stefan　J22, 1/J39a, 4/J66, 6/S7a, 4

ゲーテ　Goethe, Johann Wolfgang von　D1, 3/G15, 1/I2a, 1/J22a, 1/J23, 2/J23a, 1/J23a, 4/J72a, 2-3/J76, 1/J86a, 2/L4, 4/M9, 4/M12a, 3/N1a, 4/N2a, 4/N8a, 5/N9a, 4/III-428(S)/S6, 4/m5, 3

ケラー　Keller, Gottfried(1819-1890)　スイスの詩人，小説家．チューリヒ生まれ．著作に，『緑のハインリッヒ』(1854-55)，『マルティン・サランダー』(1886)など．ベンヤミンの評論でも取り上げられた．　J50, 5/J64, 1/N3a, 1/W8, 1

ゲラン　Guérin, Alexandre(1824-1888)　フランスのシャンソニエ．「ボエーム」の代表格．　U7a, 2

ゲラン　Guérin, Pierre Narcisse(1774-1833)　フランスの新古典主義の画家．　E1, 5

ゲルヴィーヌス　Gervinus, G. G.　N6a, 2
ゲルシュテッカー　Gerstäcker, Friedrich (1816–1872)　ドイツの旅行家で，北アメリカなどが舞台の冒険小説の作者．　I4a, 1/M15, 4/R2, 2
ケルメル　Kermel, Amédée (1800 頃–18??)　フランスの文士．『パリのパサージュ』のほか，J・アラゴと共著『不眠症』．　L1, 6/M3, 6
ケンプナー　Kempner, Friederike　C1, 3
コクトー　Cocteau, Jean (1889–1963)　フランスの作家，詩人，映画作家．映画「美女と野獣」(1946)が有名．　Y11, 2
ゴーゴリ　Gogol, Nikolai　G14a, 3/M18a, 1
コーシー　Cauchy, Augustin Louis (1789–1857)　フランスの数学者．　W7a, 1
コシディエール　Caussidière, Marc (1808–1861)　ルイ＝フィリップ治下での秘密革命組織の指導者．二月革命後パリ警視総監となるが，1848 年 6 月イギリスに亡命．　T2a, 2/V9, 3
コシュ　Cochut, André (1807–1890)　フランスの経済学者．公営質屋(モン・ド・ピエテ)局長．　E6, 2
ゴス　Gosse, Nicolas-Louis-François (1787–1878)　フランスの画家．教会，博物館，公共の建物のための仕事が専門．　L2, 1
ゴズラン　Gozlan, Léon (1803–1866)　フランスのジャーナリスト，小説家，劇作家．バルザックの友人．著作に『シャンティイの公証人』(1836)，『素顔のバルザック』(1865)など．　E7, 4/I6, 2/J26, 3/M6, 1/P4a, 3/l1a, 4
ゴダン　Godin, Jean Baptiste André (1817–1888)　フーリエの影響を受けたフランスの企業家，社会改革家．フーリエの共同体「ファランステール」にならった従業員組織「ファミリステール」をつくった．著作に『社会的解決』(1871)など．　W3a, 1
コック　Kock, Paul de (1793–1871)　フランスの小説家，劇作家．ブルジョワ生活の描写で知られる．パントマイムや軽演劇の作者でもあった．　G7a, 6

ゴットシャル Gottschall, Rudolf G3, 4/Y1, 3/Y1a, 1

コッホ Koch, Richard L4, 4

ゴーティエ Gautier, Féli(1864-1940) [Félix-François Gautier] ボードレール全集編者. J37, 1

ゴーティエ Gautier, Judith(1845-1917) 小説家, 詩人. テオフィル・ゴーティエの娘. 代表作『リヒャルト・ヴァグナー』(1882), 『東方の花々』(1893)など. J36a, 2

ゴーティエ Gautier, Théophile(1811-1872) フランスの作家.「芸術のための芸術」を唱えて高踏派を主導するいっぽう, ジャーナリストとして有力新聞に美術批評, 劇評などを多く書いた. C4a, 3/C5a, 2/C7, 1/G9, 2/I6, 1/J3a, 2/J7a, 5/J9a, 1/J11a, 3/J12, 6/J12a, 2/J14, 3/J14a, 6/J18, 3/J18a, 2-3/J24a, 5/J25, 7/J25a, 3/J27a, 5/J28a, 1/J29a, 2-4/J33a, 4/J36a, 1-3/J41a, 6/J41a, 8/J43a, 8/J58a, 4/J62, 6/M9, 3/P4, 3-5/U8a, 5/V7, 2/Y2a, 1/Y9a, 2/d3, 1-2/d10, 1/d15a, 1/d16a, 2/d19

コドリュック=デュクロ Chodruc-Duclos, Emile(1775-1843) パレ=ロワイヤルの名物浮浪者になった王党派志士. A5a, 2/A6a, 5/D4, 3/M8a, 2/O4, 3/p1, 1

ゴードン Gordon, Alexander(1802-1868) イギリスの技師. F3, 4

コペー Coppée, François(1842-1908) フランスの詩人, 劇作家, 小説家. 高踏派の中心的存在. G3, 5

コベット Cobbet, William(1763-1835) イギリスの政治ジャーナリスト. 政治的ラディカリズムを攻撃したが, 後に擁護に回った. M18

コベール Caubert 原文誤植. 正しくはコベ Caubet, Louis-Antoine-Justine(1906-1991) フランスの医学者. J17a, 4

ゴベール Gaubert, Ernest(1881-1945) フランスのジャーナリスト, 作家. J20, 7

コーム Caume, Pierre J83, 2

コリュゾン Colusont 原文誤植. 正しくは, コルモン Colmont, Achille

de(1827-1896) フランスの財務省の役人．1871年5月24-30日のパリの財務省建物の大火事についての記録がある． G10a, 1

コリンズ Collins, Wilkie(1824-1889) イギリスの小説家．ディケンズの友人．代表作『白い服の女』『月長石』． G1, 6

コルシュ Korsch, Karl(1886-1961) ドイツの政治哲学者．1923年に『マルクス主義と哲学』を発表．1926年ドイツ共産党を除名され，1938年渡米．1934年にブレヒトを介してベンヤミンと知り合った．彼のマルクス関係の著作の多くはパリで執筆されている． N16, 3-18, 2/X5a, 1/X6; X6a/X7, 2/X7a, 2-11a, 2/X12, 1-12a, 3

コルティ Corti, Egon Caesar Conte O7a, 5-6/O8, 1/U12, 5-6

コルディエ Cordier, Henri(1849-1925) フランスの東洋学者，中国学者． J8

コルネイユ Corneille, Pierre D1a, 5/U16, 1/V8a

コルボン Corbon, Anthime Claude(1808-1891) フランスの政治家．労働時間の調整や教育問題を扱った穏健派． G11, 2/a8, 5-6/a13a, 2

ゴンクール兄弟 de Goncourt, Jules(1830-1870)/de Goncourt, Edmond(1822-1896) フランスの小説家．多くの社会記録的な小説と『日記』を兄弟で合作した． H2, 2/J35, 3/S1a, 1

コンシデラン Considerant, Victor(1808-1893) フーリエの弟子．1837年以降，フーリエ主義者たちのリーダー．著書『社会的運命』．1855年から57年にかけてテキサスのダラス近郊にフーリエ主義にもとづくファランステール・コミュニティを作ろうとした． W9, 3-9a, 2/a4a, 2/a16, 4/a19, 1/a21, 1/a22, 4/d16a, 3

コンスタン Constant, Benjamin(1767-1830) スイス出身のフランスの政治家，小説家．護民官となるが，ナポレオンの侵略政治に反対して辞任．スタール夫人と交流があった．小説に『アドルフ』など． J15, 5

コント Comte, Auguste(1798-1857) フランスの哲学者．実証的な社会学を創始した社会学の祖．著作に，『実証哲学講義』(1830-42)，『実

証政治体系』(1851-54)など.　N14, 1/U11, 6/X2a, 1
コンドルセ　Condorcet, Antoine de Caritat, marquis de(1743-1794)　フランスの啓蒙主義の思想家，数学者．経済自由主義を唱えると同時に教育を重視．人類の段階的完成を信じた．ロベスピエールによって追放され，獄死.　U11a, 4/Y2a, 2/p4, 5
コンラッド　Conrad, Joseph[Josef Teodor Konrad Nalecz Korzeniowski]　I7a, 3-8, 1

サ　行

ザアール　Zahar, Marcel(1898-1989)　フランスの美術評論家．『クールベ論』.　S9a, 7
ザイフェルト　Seyffärth, Woldemar　M3, 10/O4, 2
サッフォー　Sappho　J21, 5/b2, 3
サド　Sade, Donatien François de　J27, 3/J43, 1/J49a, 1/J80, 1/W11, 2
サドラー　Sadler, Michael Thomas(1780-1835)　イギリスの経済学者，政治家．トーリーの慈善運動の指導者.　a19, 5
サバティエ夫人　Mme Sabatier, Aglaé-Apollonie(1822-1890)　美貌の女性で1850年代に芸術家たちを招いて行われた日曜晩餐会のパトロン．ボードレールの親密な友人.　J10, 3/J10a, 4/J25, 4
ザーフィル　Saphir, M. G.　Q1, 1
サボ　Szabó, Erwin　N4a, 3
サムソン　Samson, Josef W.　B3, 3
サリス　Saliz, Pierre　1841年ボードレールを乗せた船のフランス人船長.　J30, 4/J30, 11
サルヴァンディ　Salvandy, Narcisse, comte de(1795-1856)　フランスの植民大臣．植民地の宣伝のためにアレクサンドル・デュマ(父)を政府の費用でチュニスに招待した.　J54a, 7/d4, 1
サルセ　Sarcey, Francisque(1827-1899)　フランスのジャーナリスト，演劇批評家.　J35, 3

サンヴォワザン　Sanvoisin, Gaëtan(1894-1975)　フランスのジャーナリスト．　E9a, 5
サン＝サーンス　Saint-Saëns, Charles Camille　H1, 6
サン＝ジェルマン伯爵　Saint-Germain, comte de(1707頃-1784)　18世紀の謎の伝説的人物．1750年以降はパリで活躍．賢者の石と錬金薬を求めた．ルイ15世の私的外交官でもあった．　p4, 5
サン＝シモン　Saint-Simon, Claude Henri, comte de　I＝34/I＝64/I＝442(G)/J79, 5/J87a, 7/K5/K5a, 4/K7, 1/M2, 7/N10, 5/U1, 4/U1, 6/U1a, 6/U2, 2/U2a, 4-3, 4/U3a, 2/U4, 2/U4a, 1/U5, 2-5a, 4/U5a, 6-6, 2/U6, 4/U10a, 3/U11, 1-2/U11, 4-6/U11a, 1-4/U12, 1/U12, 7-12a, 4/U12a, 8-13, 2/U13, 7-8/U13a, 1/U14, 3-5/U14a, 4-5/U15, 1-2/U15, 4/U15, 6/U15a, 1/U15a, 4-16, 1/U16, 3/U16a, 1-2/U16a, 4/U17a, 1-18, 4/W3a, 1/W4, 1/W4a, 4/W9, 3/W10, 3/W18/X12, 1/a7a, 7/a10, 2/a10, 5/a15, 1/a18a, 7/a19a, 1/d3a, 3/d6a, 3/d12a, 6/g3, 2/g3a, 3/p3, 1/p3a, 1/p5a, 1-2
サン＝シモン〔公〕　Saint-Simon, Louis de Rouvroy, duc de　M17a, 1
サン＝タマン　Saint-Amant, Marc-Antoine Girard de(1594-1661)　フランスの詩人．優れた技巧で色彩と音楽を詩に織り込んだバロック詩人．初代のアカデミー・フランセーズの会員の一人．　J13a, 3
サン＝ティレール　Saint-Hilaire, Geoffroy　→ジョフロワ・サン＝ティレール
サンド　Sand, George[Aurore Dupin, baronne Dudevant](1804-1876)　あらゆる社会関係における自由な連合のあり方を表徴するフランスのロマン派文学者．彼女の支持者は小農や労働者だった．サンドー，メリメ，ミュッセ，ショパンとの恋愛でも名高い．　J27, 3/J28a, 9/J49a, 1/P3a, 3/U13a, 8/d1, 5/d6a, 7/d8, 5/d8a, 1/d10, 1
サンドー　Sandeau, Jules(1811-1883)　フランスの小説家，劇作家．パリ・マザラン図書館館長．　J12a, 7
サント＝ブーヴ　Sainte-Beuve, Charles Augustin de(1804-1869)　フランスの詩人，批評家．詩集『ジョセフ・ドロルムの生涯，詩，思想』

(1829)や小説『愛欲』(1834)の他多くの文芸批評を書き近代文学批評の確立者の一人と見なされている．　J10, 5/J20a, 2/J24a, 5/J25a, 5/J26, 3/J27a, 7/J32, 2/J37a, 4/J43a, 2/J50a, 3-5/J51, 2-4/J52, 4/J52a, 5-7/J68, 3/J72, 4/J73a, 4/J77a, 5/J92a, 2/N18a, 1/U3, 1/U9, 1-2/U9a, 2/V10, 2/d2a, 2/d10a, 2/d17a, 4/m1, 3

サン＝ピエール　Saint-Pierre, Bernardin de　→ベルナルダン・ド・サン＝ピエール

サン＝マルク・ジラルダン　Saint-Marc Girardin, François(1801-1873)　政治家で文人．フランス下院議員(1835-48)．ソルボンヌ大学教授．著作に，『劇文学講義』など．　m4, 1

サン＝マルタン　Saint-Martin, Louis-Claude de(1743-1803)　フランスの神秘哲学者．ヤコブ・ベーメの『アウロラ』の影響を受けた．著作に，『希求する人』(1790)，『人間＝精神の祭司』(1802)など．　J86, 2

シェークスピア　Shakespeare, William　J38a, 2/N6a, 2/d6, 2

シェニエ　Chénier, André(1762-1794)　フランスの詩人．18 世紀最大の抒情詩人と目される．ジャコバン党と対立し，1794 年 7 月処刑される．　J51a, 2-3/J73a, 4/J84, 3/U11a, 4

シェヌヴィエール　Chennevières, Philippe de(1820-1899)　ボードレールの友人．国立芸術学院(Ecole des Beaux-Arts)院長も務めた．　J26a, 6

シェフェール　Scheffer, Ary(1795-1858)　オランダ出身のフランスの画家．肖像画を描いた．ボードレールに批判される．　L2, 1/Y4a, 1

ジェフロワ　Geffroy, Gustave(1855-1926)　パリ生まれの美術評論家，小説家．クレマンソー，モネ，ミルボーなどの友人で，シャルル・メリヨン，コンスタンタン・ギース，ルイ＝オーギュスト・ブランキなどの伝記を書いた．　A11a, 3/C7, 3/C7a, 1/C8, 6/D6, 1-6a, 2/E10a, 1/J1a, 5-2, 1/J2, 3-2a, 1/J6, 1/J33a, 9/L4a, 4/M9, 2/N7, 3/V8, 4/V8, 6/V8a-9, 2/a20, 1-3/a20, 6-7/d16, 5-6/i1a, 3/k4, 2/p4, 7-4a, 2

ジェラール　Gérard, François(1770-1837)　フランスの歴史画家・肖像画家．ダヴィッドの弟子で，「三人の G」と呼ばれたうちの一人．

L2, 1
シェリー　Shelley, Percy Bysshe　J69, 2/J81, 6/M18
ジェルヴェクス　Gervex, Henri(1852-1929)　フランスの画家．アカデミックな画風だが，印象派の影響を受け，マネやドガの友人でもあった．　Q4, 5
シェールバルト　Scheerbart, Paul[Kuno Küfer](1863-1915)　画家，小説家．『ガラス建築』がある．　I=27/I=30/S10, 5
シェレ　Chéret, Jules(1836-1932)　フランスの画家．色刷りの版画ポスターの開拓者．　B1, 2
シェロネ　Chéronnet, Louis(1879-1950)　フランスの美術批評家．　C8, 2-3/F8, 2
ジスケ　Gisquet(1792-1866)　パリ警視総監として風刺新聞の検閲などに辣腕を振るった(1831-36)．　a11, 3/a12a, 3
シスモンディ　Sismondi, Jean Simonde de(1773-1842)　イタリア系スイス人の歴史家，経済学者．著作に，『経済学新原理』(1819)など．　X12, 1/a6a, 3
ジッド　Gide, André(1869-1951)　フランスの小説家．　D2a, 5/J14a, 3-7/J17, 1/J43, 4-8
ジッド　Gide, Charles(1847-1932)　フランスの経済学者．　W9a, 3-10, 2
シニョレリ　Signorelli, Luca(1441-1523)　イタリアの画家．　J38a, 7
シモン　Simon, Gustave(1848-1928)　フランスの作家．　d11a, 2
シモン　Simond, Charles(1835-1916)　フランスのジャーナリスト．パリの生活史を著す．　G3a, 1
ジャカン　Jacquin, Robert(1902-1978)　フランスのカトリック司祭，言語学者．　U1a, 2
シャッサン　Chassin, Charles-Louis(1831-1901)　フランスの歴史家．ヴァンデ戦争，仏革命史を研究．　a9, 3/a12a, 1
シャテル神父　Châtel, Ferdinand-François, abbé(1795-1857)　フランスのカトリック司祭．離婚の自由や司祭の結婚の自由などを説いた．

U12, 7
シャトーブリアン　Chateaubriand, René de　D1a, 5/D4a, 4/K5a, 3/K9, 2/M3, 9/Q3, 1/d1a, 3/m5, 4/p1, 2
シャトラン　Chatelain, Urbain-Victor(1866-1939)　フランスの文学史家.『ボードレール　人と詩人』やフーケの研究.　J12a, 2-4
ジャナン　Janin, Jules(1804-1874)　フランスのジャーナリスト, 小説家, 批評家.『ジュルナル・デ・デバ』紙に連載小説を掲載. 全6巻の『フランス演劇文学史』を書く.　C2, 3/J8a, 2/J26, 3/J32, 3-4
シャピュイ／ジェリ　Chapuis, Alfred(1880-1958)　スイスの歴史家. / Gélis, Edouard(1876-1955)　フランスの時計製造師, コレクター. 時計の歴史を著す.　M2, 4
シャプタル　Chaptal, Jean(1756-1832)　フランスの科学者, 内務大臣(1800-04).　I=36/I=66/A7a, 4/G4, 7/G4a, 5/V7, 4/a16a, 1/d12a, 8
シャブリラ　Chabrillat, Henri(1842-1893)　フランスのジャーナリスト, 劇作家. アンビギュ座ディレクター.　L2, 2
シャム　Cham[Amédée de Noé](1819-1879)　フランスの風刺画家. アメデ・ド・ノエ伯爵の偽名.『シャリヴァリ』紙に長期間掲載されたドーミエの影響を受けた風刺画は時代のドキュメント.　D3a, 6/E3a, 2
シャラヴェ　Charavay, Etienne(1848-1899)　フランスの歴史家. 出版者. ボードレールとヴィニーの関係を研究.　J37a, 4-5
シャラス　Charras, Jean(1810-1865)　フランスの軍人, 歴史家. エコール・ポリテクニク卒業. ナポレオン3世に反対の立場をとり, 1851年のクーデタの後, 追放される.　a7a, 5
シャール　Chasles, Philarète(1798-1873)　フランスの著述家.『ジュルナル・デ・デバ』紙の編集者.　d9a, 4
ジャルー　Jaloux, Edmond　D5, 6/J33, 2-4/M9a, 3-5/N7, 5/d5a, 2/d10, 5
シャルダン　Chardin, Jean Baptiste Siméon　Y9, 1

シャルパンティエ　Charpentier, John(1880-1949)　主にフランス語で執筆したイギリス人文芸批評家，歴史家，司書．　J43a, 7-8

シャルル10世　Charles X　A5a, 2/A6a, 5/U2, 1/U6, 5/U7, 1/U13, 3/V1, 2/V4a, 1/V7, 2/d3, 1/d16, 6/p1, 2

シャルレ　Charlet, Nicolas Toussaint(1792-1845)　フランスの画家．ナポレオン軍を描いて，19世紀初頭に人気があった．　E9a, 3/G12a, 1/i1a, 3

ジャンセン　Janssen, Pierre Jules César(1824-1907)　フランスの天文学者．1903年モンブラン天文台を創設し，所長となった．　Y7a, 1

ジャンティ　Genty, Alcide　フランス19世紀の労働者，詩人．　a10, 2

ジャンティー　Gentil de Chavagnac, Michel-Joseph(1770-1846)　フランスの劇作家，シャンソニエ．　D2, 4

シャントルイユ　Chintreuil, Antoine(1814-1873)　フランスの風景画家．ボードレールもその卓越した技術に注目した．　d10, 1

シャンヌ　Schanne, Alexandre(1823-1887)　フランスの画家，音楽家，詩人．ミュルジェールの人物ショナールのモデル．　J31, 2-3/d15a, 1

ジャン・パウル　Jean Paul[Johann Paul Richter](1763-1825)　ドイツの小説家．皮肉とユーモアの混じった作品を書いた．著作に，『見えないロッジ』(1793)，『巨人』(1800-03)など．　I=30/W1, 1/W8, 1/W13, 3

シャンピオン　Champion, Edmé(1764-1852)　フランスの宝石商，篤志家．通称「小さな青マント」．　a9, 3/a12a, 1

シャンピオン　Champion, Pierre(1880-1942)　フランスの中世史家，文献学者．書店オノレ・シャンピオンの長男．　H4, 4

シャンフルーリ　Champfleury[Jules Husson](1821-1889)　フランスの小説家，批評家．ボードレールの友人．『犬っころ』『マリエット嬢の情事』などを書く．　J14a, 2/J16a, 8-9/J16a, 11/J25, 5/J29, 7/J29, 10/J30a, 2/J31a, 6/J36, 5/U8a, 5/d10, 1/d12a, 4/d15a, 1

シュー　Sue, Eugène[Marie Joseph Sue](1804-1857)　フランスの大衆作家．初期新聞連載小説の主要な書き手の一人．著作に，『パリの謎』(1842-43)，『さまよえるユダヤ人』(1844-45)など．　G9a, 4/I2, 1/I4a, 2/J73, 6/M7a, 2/M13, 2/M13, 4/U11, 7/W8, 2/a3, 1/a12a, 7/d1, 5/d5a, 3/d6a, 2-3/d6a, 5-6/d7a, 3/d8a, 1-2/d9a, 4/d18, 6

シュアレス　Suarès, André　G16, 1/J11, 2-5/J32a, 2-4/J36, 6

ジュアンドー　Jouhandeau, Marcel　B2, 5/M5, 1

シュヴァイツァー　Schweitzer, Johann Baptist von(1834-1875)　ドイツの政治家，著述家．著書に『社会民主主義者』がある．フェルディナント・ラサールの後任としてドイツ労働者総連合議長の職に就く．　a18, 1-2

シュヴァリエ　Chevalier, Michel(1806-1879)　経済学者，サン＝シモン主義者．自由貿易の提唱者．1832-33年アンファンタンとともに獄につながれる．後にコレージュ・ド・フランス教授．　I＝36/I＝66/F6, 1/G4a, 4/G7, 5/G10, 4/G13a, 1/G14a, 1/U6, 4/U6a, 1-2/U7, 3/U9a, 5/U10a, 2/U12a, 6/U13, 8/U13a, 2/U14a, 3/U15a, 1-3/d9a, 4/k2a, 2

シュヴルール　Chevreul, Michel Eugène(1786-1889)　フランスの化学者．自然史博物館館長(1864-79)．　Y7, 9

シュゼル　Chezelles, Perrot de(1825-1899)　フランスの司法官，詩人．『フラヌールの詩句』(1850)．　d11a, 3

シュタイナー　Steiner, Rudolf　S3a, 3

シュタイン　Stein, Lorenz von(1815-1890)　ドイツの法学者，歴史家．社会主義運動の歴史に関する著作で知られる．大日本帝国憲法制定に向けて調査活動を行っていた伊藤博文らがウィーンを訪問した際に講義を行っている．　U4a, 3/a4a, 2

シュタール　Stahl, Adolf　I＝50/E1, 6/M3, 1/O4, 2/IV＝340(a)

シュタール　Stahl, Fritz　E13a, 2-14a/F8a/G16a, 3/J91, 1/K9a, 1/L5a/P5, 3-4/d18a, 2/l2, 3/l2a, 2

シュティフター　Stifter, Adalbert(1805-1868)　オーストリアの作家．

ありふれた些細な現象にこそ全宇宙存在の原理が宿されているという信念を抱いていた．それを表現しているのが代表作の一つである『石さまざま』(1853)である．長篇小説『晩夏』(1857)もよく知られている．ベンヤミンは彼についてエッセーを書いている． N14a, 5-6

シュテルン Stern, Daniel[Marie d'Agoult](1805-1876) フランスの女性文学者．フランツ・リストとの娘はのちのコジマ・ヴァーグナー． a1, 3

シュテルンベルガー Sternberger, Dolf F8, 5/J83a, 3/N12a, 2/S3a, 1-4, 2/S6, 3/S9, 3/T4a, 1/Y10, 1

シュテンガー Stenger, Erich L1, 1/Q1, 1

シュトロットマン Strodtmann, Adolf IV=326(Z)

シュニュ Chenu, Adolphe[Jacques-Etienne-Adolphe Clérisse](1816-？) フランスの自営靴職人．1848年革命戦士．自著の他，ド・ラ・オッドとの共著がある． V2; V2a

シュヌー／H. D. Chenou, Joseph-Charles(1799-1888) フランスの高等師範学校出身の数学・物理学教員，ポワチエ大学学長．/H. D. Hippolyte-Romain Duthilloeul(1788-1862) フランスの伝記作家，ドゥエ市図書館司書． A6, 1/G8, 3

シュピッツァー Spitzer, Leo P1a, 7

シュピッツヴェーク Spitzweg, Karl(1808-1885) ドイツの画家．ビーダーマイアー様式の風景画や風俗画の代表的作者． J63a, 1

シュピューラー Spühler, Willy M2, 7/U1, 1-4

シュピールハーゲン Spielhagen, Friedrich(1829-1911) ドイツの大衆小説及び演劇の作家だったが，同時に民主主義運動の闘士でもあった．著作に，『高潮』(1876)など． S6, 3

ジュフロワ Jouffroy d'Abbans, Claude marquis(1751-1832) フランスの技師．蒸気船の技術を開発． U1a, 4

ジュベール Joubert, Joseph(1754-1824) フランスの思想家，モラリスト．ディドロ，シャトーブリアンらと交流．フランス革命初期には故郷のモンティニャックで治安判事となったが，その後政治から離れ

る．『パンセ』(1838)を書いた．　N15a, 3–16, 2/O13a, 4/m1, 3
シュペングラー　Spengler, Oswald (1880–1936)　ドイツの哲学者．主著『西洋の没落』(1918–22)で，文化周期の見地から西洋文化は没落の段階に達していると主張した．　C9a, 2/J91a, 4/m5, 5–6
シュミット　Schmidt, Adolf　M1, 6
シュミット＝ヴァイセンフェルス　Schmidt-Weißenfels, Eduard　g1, 2
シュラーブレンドルフ　Schlabrendorf, Gustav von　K5a, 4/U16a, 4/V7a, 3
シュリ・プリュドム　Sully-Prudhomme, René (1839–1907)　フランスの文学者．初のノーベル賞(1901)．　J21, 6/J28, 1
シュル　Schuhl, Pierre-Maxime (1902–1984)　フランスの哲学者．ソルボンヌ大学教授．　N18a, 2/U18, 4/Z2a, 3/Z3/m1, 1–2
ジュールダン　Jourdain, Frantz (1847–1935)　ベルギー出身のフランスの建築家．サロン・ドートンヌ創始者．　S2a, 5
シュルテ　Schulte, Fritz Th.　E7, 1/F5, 2
ジュルネ　Journet, Jean (1799–1861)　フランスの詩人，フーリエ主義の伝道師．クールベによる肖像がある．　J36, 3/O10, 6/W8a, 3/d9a, 3/p3a, 2
シュレーゲル　Schlegel, Friedrich　J87a, 1–3
シュレール　Scherer 原文誤植．正しくはシェレール Schérer, Edmond (1815–1889)　フランスのプロテスタントの神学者，政治家．　J12, 4–5
シュロッサー　Schlosser, Friedrich Christoph (1776–1861)　ドイツの歴史家．『ドイツ民族のための世界史』(全 19 巻)の著者．　N6a, 2
ジョアネ　Johannet, René (1884–1972)　フランスのジャーナリスト．　J28a, 5
ジョット　Giotto di Bondone (1266 頃–1337)　イタリアの画家，建築家．フィレンツェ派の祖．　J90, 1
ショード＝ゼーグ　Chaudes-Aigues, Jacques-Germain (1814–1847)　フ

ランスのジャーナリスト，詩人，批評家．多くの文士と文通した．
d13, 1
ショナール　Schaunard　→シャンヌ
ジョフロワ・サン＝ティレール　Geoffroy Saint-Hilaire, Etienne(1772-1844)　フランスの博物学者．動物の分類法をめぐり，ライバルのジョルジュ・キュヴィエと激しく対立した．　J45, 1/d7, 6/d9, 5
ショーペンハウアー　Schopenhauer, Arthur　I＝56/H2, 7; H2a, 1/S1a, 2
ショル　Scholl, Aurélien(1833-1902)　フランスのジャーナリスト．オッフェンバックの友人でありゾラの擁護者であった．『フィガロ』紙や風刺誌『黄色い小人』に寄稿．　d13a, 4
ジョレス　Jaurès, Jean(1859-1914)　フランスの政治家(下院議員)，国際社会主義運動の指導者で『ユマニテ』の創刊者．ドレフュス事件では被告を擁護し，第一次大戦直前には独仏和解を説いて暗殺された．著作に，『フランス革命の社会主義的歴史』(1901-08)など．
X11a, 4/g1a, 2
シラー　Schiller, Friedrich　X5a, 2/d5a, 3
シラノ・ド・ベルジュラック　Cyrano de Bergerac[Savinien de Cyrano](1619-1655)　フランスの文学者．天体を扱ったSF的著作がある．　J41a, 1
ジラルダン　Girardin, Emile de(1802-1881)　年間購読料を40フランという破格の安さに設定した『プレス』紙の成功によって，19世紀フランスのジャーナリズム界に旋風を巻き起こした新聞王．国会議員もつとめた．　I＝31/E6a, 4/G5a, 1/G8, 4/U1, 7/U1a, 7/U13, 4/U14, 1-2/d8a, 6/d12a, 3
ジラルダン夫人　Mme de Girardin(1804-1855)　シャルル・ド・ローネー子爵のペンネームで，小説，喜劇などを書いた．夫の新聞『プレス』に連載された『パリ便り』が有名．　G9a, 4/M1a, 4/a10, 3/d16, 1
シルヴィ　Silvy, Camille(1834-1910)　最初期の男性写真家．ナダールに賞賛された．　Y6a, 4

シルベルラン　Silberling, Edouard (1838-1912)　フランスの郵政公務員，フーリエ主義者．1911 年からフーリエ用語の辞典を刊行，続編を出せずに没した．　A3a, 5/J68a, 7/W2a, 1/W3a, 3/W11a, 6/W14a, 3/W14a, 9

シンケル　Schinkel, Karl Friedrich (1781-1841)　ドイツの建築家，画家．擬古典様式にもとづくベルリン東部地区(王宮・劇場・博物館など)の都市計画で名高い．空襲やベルリン攻防戦での破壊に耐えて現在も国立美術館等の建物が残っている．　F7, 4

シンツェル　Schinzel, Elisabeth　J13, 6

ジンメル　Simmel, Ernst　O11a, 1

ジンメル　Simmel, Georg　B7, 7-7a, 3/I7a, 2/M8a, 1/M16a, 2/M17, 2/N2a, 4/N14, 3/X6; X6a/X7a, 1/X, 9

スウィフト　Swift, Jonathan　U9, 1

スウィンバーン　Swinburne, Algernon Charles　J41a, 3/J45a, 2

スウェーデンボリ　Swedenborg, Emanuel [Svedberg] (1688-1772)　スウェーデンの神秘哲学者．カントの『視霊者の夢』で知られる．著作に，『天界の秘儀』(1749-56)など．　J12a, 5/J36, 5/J86, 2/U12, 7/W1a/W3a, 5

スクリーブ　Scribe, Eugène (1791-1861)　フランスの大衆劇作家．喜劇作品で知られるが，オペラ座やオペラ・コミック座で上演されたマイヤーベーアなどのオペラやオペレッタの台本作者としても著名．　A2a, 6/J25a, 1/J27a, 7/K2, 1/Y1, 2/d6a, 1

スケルリッチ　Skerlitch, Jean [Skerlić, Jovan] (1877-1914)　セルビアの作家．文芸批評家．　P4, 2/a10a, 3/a10a, 5-11, 2/d7, 7-8

スコット　Scott, Walter　J41a, 1/M13, 2-3/d9, 5/d13a, 2

スゴン　Second, Albéric (1817-1887)　フランスのジャーナリスト，作家，劇作家．バルザックのリュバンプレのモデルと称した．　M9, 1

スタール夫人　Staël, Germaine de　J51, 4/U17a, 2

スタンダール　Stendhal　S6a, 2/a8a, 4

スタンラン　Steinlen, Théophile A. (1859-1923)　スイス生まれのフラ

ンスの挿絵画家．そのポスターやリトグラフはよく知られている． N15, 4

スーデ　Souday, Paul(1869-1929)　フランスの文芸評論家．　J42a, 1-3/J42a, 7/J77a, 7/d6a, 1

ステヴァンス　Stevens, Alfred(1823-1906)　ベルギーの画家．パリの風俗世界を描いた絵で知られる．　Q4, 5

ストー　Stowe, Harriet Elizabeth　d9a, 3

ストリンドベリ　Strindberg, Johan August　C2a, 5/H1a, 3/N9a, 1/S9, 3

スピノザ　Spinoza, Baruch de　N17a

スピュレール　Spuller, Eugène(1835-1896)　ドイツのSpulerrがフランスに帰化してSpuller(1857)．政治家，弁護士，ジャーナリスト．外務・文部大臣などをつとめた．　d8a, 5

スーポー　Soupault, Philippe(1897-1990)　フランスの詩人，小説家．1919年にブルトンと最初の自動記述の実験(『磁場』)を行い，シュルレアリスムなど前衛芸術運動に深く関わった．ボードレールの評伝(1931)を著している．　J15, 6/J16a, 1

スミス　Smith, Adam　N6a, 1/U4, 1/X10a

スメ　Soumet, Alexandre(1788-1845)　フランスの詩人，劇作家．歴史に題材を求めた．代表作に『神へ捧げる叙事詩』がある．　U2a, 4

スーリエ　Soulié, Frédéric(1800-1847)　フランスの小説家，劇作家． d14a, 6

セヴィニェ夫人　Sévigné, Marie de(1626-1696)　フランスの作家．早くに夫を亡くした夫人は最愛の娘にあてて膨大な書簡を残した．この書簡は17世紀のもっとも優れた書簡文学の一つであり，同時にこの世紀の貴重な年代記でもある．　a5, 1

セガンティーニ　Segantini, Giovanni(1858-1899)　イタリアの画家でフランス印象派の影響を受ける．代表作に「悪しき母」など． S5a, 3/S7a, 4/S9a, 5

セシェ　Séché, Alphonse(1876-1964)　フランスの詩人，劇作家，劇場

支配人. J23a, 6/J24a, 1/J25, 1-7/J25a, 2-26, 3/J26a, 2-3/J26a, 5/M15a, 1

セシェ Séché, Léon(1848-1914) フランスの詩人，文学史家. M12, 6

セナンクール Senancour, Etienne Pivert de(1770-1846) ペシミスティックな性向を持つフランスの文学者. 書簡体小説『オーベルマン』(1804)などを書いた. J28, 3/J43a, 6

セニョボス Seignobos, Charles(1845-1942) フランスのプロテスタントの歴史家. B7, 3/N5a, 5/U13, 3/a9a, 1-2

セヌヴィル Senneville, Louis de →メナール(Ménard)

セネカ Seneca J35a, 8

ゼネフェルダー Senefelder, Aloys(1771-1834) チェコ出身で石版画の発明者. ミュンヘンにあるバイエルン王立印刷所の地図検閲官であった. J31a, 4/U9a, 3/Y3, 3/i1a, 1

セリエール Seillière, Ernest(1866-1955) フランスの評論家. J18, 7-18a, 1/J18a, 3-5/J18a, 7/J18a, 9-10/J19a, 8/J19a, 10/J21, 4-5/J27, 1/J27, 6/J27, 8-27a, 2

セリーヌ Céline, Louis Ferdinand[Louis Ferdinand Destouches](1894-1961) フランスの作家. 反ユダヤ主義の色濃い作品で知られる. 代表作『夜の果てへの旅』(1932). J40, 1/K7a, 2/N8a, 1

セルヴァンドーニ Servandoni, Giovanni Niccolo(1695-1766) イタリアの建築家，画家，舞台美術家. 1724年，王のための建築家としてパリに招請される. 彼の代表作としては，パリの聖シュルピス教会の擬古典主義的なファサードやリヨンのカルトジオ会教会の祭壇がある. T2, 5

セルクレ Cerclet, Antoine(1797-1849) フランスの弁護士. U2a, 4

セールベール／クリストフ Cerfberr, Anatole(1835-1896) フランスのジャーナリスト. /Christophe, Jules(1840-1929以降) フランスの文士. ヴェルレーヌの青春時代の友人. M17, 4-17a, 1/V10, 2/d18, 2

ゼンパー Semper, Gottfried T4a, 1

ソヴァージョ　Sauvageot, Charles (1781-1860)　フランスの考古学者，ヴァイオリン奏者．オペラ座のオーケストラピットでヴァイオリンを弾く傍ら多くの，とくにルネサンス期の芸術作品のコレクションを行った．そのコレクションは後にルーヴルへ寄贈される．　H3a, 9

ソクラテス　Sōkratēs　J58a, 5

ソーニエ　Saulnier, Paul　U8, 3

ソノレ　Sonolet, Louis (1872-1928)　フランスの文学者，歴史家．B3a, 2-3/I3, 7-9

ソフォクレス　Sophoklēs　J24, 6

ソムラール　Sommerard, Alexandre Du (1779-1842)　フランスの考古学者．パリのクリュニー館にフランス工芸品のコレクションをつくった．　H3a, 4/H3a, 9

ゾラ　Zola, Emile　I=30/E6a, 1/H1, 3/W3, 3/W5, 1/d13a, 4

ソルヴァディ　Szarvady, Friedrich (1822-1882)　セルビア人著述家．『スエズ運河』がある．　E6a, 4/d1a, 2

ソレル　Sorel, Georges　N17

ソロン　Solōn　I=63/W13, 4

タ　行

ダイイ　d'Ailly, Pierre [Petrus de Alliaco] (1351-1420)　神学者．J74, 2

ダヴィウー　Davioud, Gabriel (1824-1881)　フランスの建築家．G4, 4

ダヴィッド　David, Félicien-César (1810-1876)　フランスの作曲家．作品に「砂漠」「ヘルクラーヌム」などがある．サン＝シモン主義を中東で説いた．　H1, 5/K5a, 1/U12a, 4/U16a, 6

ダヴィッド　David, Jacques Louis (1748-1825)　フランスの画家．ロベスピエール，ナポレオンを称賛．古典主義を画風としてフランス画壇に君臨．　I=31/D3a, 2/E1, 8/Q1a, 9/i1a, 1

ダ・ヴィンチ　→レオナルド・ダ・ヴィンチ

ダヴネル　d'Avenel, Georges(1855-1939)　フランスの歴史家，経済学者．　A9a, 2/A12, 1/F7, 2

ダゲール　Daguerre, Louis Jacques(1787-1851)　フランスの画家，発明家．パリのディオラマの開発に協力．ダゲレオ・タイプの写真の発明者．　I=32/I4a, 4/Q1a, 1/Q1a, 7/Q2, 5/Q2a, 3/Q3a, 1-2/Q4, 3/Y3, 1/Y4a, 7/Y8a, 1/Y10, 1/Y10a, 1/d16, 1

ダッツ　Datz, Philippe[Philippe Poidatz](1897-1967)　フランスの著述家．　Y9, 2

ダリ　Dali, Salvador　S2, 5-2a, 1

ダリスト　d'Ariste, Paul[Dariste](1845-1924)　フランスの政治家．　A7, 6-7/B6a, 5/M7, 3/O7a, 2

ダルセー　d'Arçay, Joseph[Joseph de Malherbe](1809-1895)　フランスの医師，文学者．　U12, 3

タルデュー　Tardieu, Charles(1838-1909)　ベルギーの音楽・美術評論家．　J12, 1

タルデュー　Tardieu, Emile(1858-1918)　フランスの心理学者，詩人．　D1, 5/D2, 8/J12, 1

ダルトワ　Dartois　フランソワ・ヴィクトール＝アルマン(1788-1867)，ルイ＝アルマン＝テオドール(1786-1845)およびアシル(1791-1868)の三兄弟のことで，19 世紀のフランスの演劇およびヴォードヴィルで活躍．　Y1a, 6

タルマ　Talma, François Joseph(1763-1826)　フランスの傑出した悲劇役者でナポレオンに好まれた．　O2a, 4

ダルマーニュ　d'Allemagne, Henri-René(1863-1950)　フランスの歴史家，図書館司書．装飾芸術を研究．　F6, 1/K4a, 3-K5/U13, 7/U13, 9/U13a, 2

ダルメラ　d'Almeras, Henri　M1a, 4

タルメール　Talmeyr, Maurice[M. J. Maurice Coste](1850-1931)　フランスの作家，評論家．『フリーメイソンとフランス大革命』の中で反フリーメイソン的立場を表明．　B2, 1/F1, 6/G1, 6/G1, 8/G2a, 5/

V5a, 4
タルレ　Tarlé, Eugène[Yevgeny Tarle](1874-1955)　ロシアの歴史家.　U5a, 4/a6a, 1-2
タレイラン　Talleyrand-Périgord, Charles Maurice de(1754-1838)　フランスの聖職者，のち政治家．後のイギリス大使．七月革命を援助する．　O2a, 4
ダングルモン　d'Anglemont, Edouard(1798-1876)　フランスの劇作家.　A5a, 1/IV＝340(a)
ダンセル　Dancel, Jean-François(1804-18??)　フランスの医師．肥満についての著書もある．　M6, 4
ダンテ　Dante Alighieri　J3, 1/J3a, 1/J11, 3-4/J21, 6/J23a, 2/J26, 1/J33a, 1/J33a, 10/J37, 3/J42a, 1/J45a, 3/J53, 4/J76a, 5-6/J77, 2/J89a, 1/N6a, 2/X7a, 3
ダントラグ　Dantrague, Gabriel(？-1867)　フランスのジャーナリスト，劇作家．「ボエーム」たちの頭と言われた．　J7a, 3
ダントン　Danton, Georges Jacques　W5, 2
チェスタートン　Chesterton, Gilbert Keith(1874-1936)　イギリスの作家，批評家．カトリックの伝統主義に立った風刺的な作風．著作に，小説『ブラウン神父の童心』(1911)，評論『ディケンズ論』(1906)など．　A11, 3/J3, 2-3/M11, 1-11a, 1/Q4, 4/d13a, 2-3/d16, 4
チラーク　Czillag, Anna(1852-1940)　オーストリアの女性実業家.　H1a, 1
ツェルター　Zelter, Karl Friedrich　N8a, 5
ティエリ　Thierry, Augustin(1795-1856)　フランスの歴史家．1814年から17年にかけて，サン＝シモンの秘書を務め，のちに七月革命の推進役の一人となる．著作に，『ノルマンによるイングランド征服史』(1825)など．　U16a, 1/U17a, 2/V3a, 1/p5, 3
ティエリ　Thierry, Edouard(1813-1894)　フランスの詩人，批評家．ボードレールの友人．　J3a, 1/J23a, 2/J25a, 5/J26, 1/J33a, 2
ティエール　Thiers, Adolphe(1797-1877)　フランスの政治家，歴史家.

七月王政下で指導的な政治家となり，パリ・コミューンを鎮圧したのち，第三共和制下の初代大統領に選出される． E6a, 4/F3a, 6/H3, 1/M2, 1/U11, 7/U12a, 6/V8a/V9a, 5/a18, 2/a21, 3/d1, 1/d7, 3/k2, 6/k4, 6/l1, 11/r3, 3

ディオドルス Diodōros J91a, 3

ディケンズ Dickens, Charles A11, 3/H2a, 4-5/J3, 2-3/M4a, 4/M9a, 5/M11, 1-11a, 1/Q2a, 2/Q4, 4/d13a, 3/d16, 4

ディスデリ Disderi, Adolphe-Eugène(1818-1889) フランスの写真家，企業家．肖像写真に大量生産の原理を導入した．名刺判写真を考案し，これが当たって，第二帝政期に巨万の富を築くが，その後破産する． Y4, 4-4a, 1/Y4a, 6/Y5a, 4

ディズニー Disney, Walter B4a, 2/K4, 1/W8a, 5

ティソ Tissot, Amédée de(1794？-1839) フランスの評論家，劇作家． E13, 5/G16a, 1/M18a, 2

ティソ Tissot, Claude Joseph(1801-1876) フランスの哲学者，フーリエ主義者，ディジョン大学教授． a22, 2

ティツィアーノ Tiziano Vecellio H3, 1

ディーデリヒ Diederich, Franz F4a, 6/U3, 3/W5, 1

ディド＝サン＝レジェ Didot-Saint-Léger[Léger Didot](1767-1829) フランスの印刷業のディド一族の一員．発明家． U2, 1

ディドロ Diderot, Denis J10a, 5/J20a, 2/J42, 5/M7, 7

ティブスト Thiboust, Lambert[Pierre-Antoine-Auguste Thiboust](1827-1923) フランスの多産な劇作家． O7, 1

ティボーデ Thibaudet, Albert(1874-1936) フランスの文芸評論家． J3, 1/J13a, 3/J13a, 5-14, 5/J14, 7-9/U1, 6

ティモン Timōn J23a, 1

テイラー Taylor, Frederick Winslow(1856-1915) アメリカの機械技師．工場の科学的管理法，いわゆるテイラー・システムの提唱者．『科学的管理法』(1911)を書いた． M10, 1

ディルタイ Dilthey, Wilhelm m3, 2

ディンゲルシュテット　Dingelsted, Franz　IV＝326(Z)
デヴィニュ　Dévigne, Roger[Jean-Marie](1885-1965)　フランスの詩人，ジャーナリスト．初代国立フォノテーク館長．　V9, 3/i1a, 2
デカルト　Descartes, René　J80a, 3/U16, 3/W13, 2
テクシエ　Texier, Edmond(1815-1887)　フランスのジャーナリスト，詩人，作家．　P4a, 3
デシャネル　Deschanel, Emile(1819-1904)　フランスの古典学者．反ボナパルト派の論客．　J26, 3
デジャルダン　Desjardins, Paul(1859-1940)　フランスの教員，ジャーナリスト．1910年から1939年まで知識人の集い「ポンティニーのデカード」を主催．　J42a, 5-6/J42a, 9-43, 1
デシュタル　d'Eichthal, Gustave(1804-1886)　サン＝シモン主義者でアンファンタンの弟子．『グローブ』誌の寄稿者．　K4a, 3
デストレ　Destrée, Jules(1863-1936)　ベルギーの弁護士，評論家，政治家．　J76, 6
デゼサール　Désessarts, Perret(1807-1833)　フランスのサン＝シモン主義者．デマールと心中．　U14, 5
テーヌ　Taine, Hippolyte(1828-1893)　フランスの哲学者，歴史家．実証主義の立場に立った研究スタイルを採る．著作に，『イギリス文学史』(1864-69)，『現代フランスの起源』(1875-93)など．　I＝35/I＝65/J36a, 5/X2a, 1
デヌリー　d'Ennery, Adolphe Philippe(1811-1899)　フランスの劇作家，台本作家．　M5a, 2/Y1a, 6
デノワイエ　Desnoyers, Fernand(1828-1869)　ボードレールの友人で「ボエーム」の名物作家．1855年に彼が共同編集したある記念論集に，ボードレールはその散文詩制作の端緒となる二つの詩を寄稿した．　J24, 5/J24a, 1/J31, 3/M15a, 1
デフリーント　Devrient, Eduard　A3a, 4/M4, 1-2/Q2, 9/Q2a, 3/T2a, 1
デボルド＝ヴァルモール　Desbordes-Valmore, Marceline(1786-1859)

フランスの女性詩人，俳優．　M13a, 3

デマール　Démar, Claire(1800-1833)　熱狂的なサン＝シモン主義者であり，マニフェスト『私の未来の掟』(1834)の著者．若くして同志と心中．　U14, 5/p2, 4-2a, 4/p3, 1/p4, 6

デミ　Démy, Adolphe(1824-1910)　フランスの歴史家．商事裁判所判事(consul)．敬虔な篤志家．　F5, 4/G7a, 6/G9, 2-9a, 4/g1a, 3

デムニー　Démeny, Georges(1850-1917)　ハンガリー系フランス人の「フォノスコープ」発明者．E・J・マレーの助手．　Y7a, 1

デモクリトス　Dēmokritos　紀元前5世紀頃のギリシアの哲学者．原子論を唱え，認識作用や社会の説明にまで適用した．　Y2a, 1

デュヴァル　Duval, Jeanne(1820頃-1860年代)　フランスの混血の女優で，ボードレールの恋人となり，その多くの詩に霊感を与えた．　J10, 3/J14, 2/J19a, 3/J30, 8/J35, 5/J37, 4

デュヴェリエ　Duveyrier, Charles(1803-1866)　フランスの弁護士，作家．サン＝シモンの弟子で『クレディ』紙を創刊．　K4a, 3-5/K7, 1/U15, 3/Y1a, 6

デュ・カン　Du Camp, Maxime(1822-1894)　作家，フローベールの友人，『パリ評論』編集長．1848年の六月暴動のさい国民軍に参加して暴動鎮圧に尽くし，カヴェニャックから表彰される．現代文明を称揚した詩集『現代の歌』(1855)のほか，全6巻の詳細な19世紀パリ研究(1875-79)などの著作がある．　I＝49/I＝56/I＝81/B2, 2-3/C2, 2/C4/E1a, 3-4/E9a, 5/E10a, 4/F1a, 5-2, 2/I1, 5/J18, 2-4/M7, 1/N7, 1/O12, 2/P1, 9/S1, 1/T1, 10-1a, 2/U13a, 5/U17a, 1-2/Y5, 4-7/d3, 3/d4, 4/d6a, 4/p4a, 6

デュケネー　Duquesnay, François(1800-1849)　建築家．代表作はパリ国立高等鉱山学校，パリ東駅など．　F1a, 3

デュコ　J. Ducos de Gondrin　A7a, 5/O7a, 7/O9, 1

デュジャルダン　Dujardin, Edouard(1861-1949)　フランスの作家，象徴派詩人．　S5a, 1

デュゾリエ　Dusolier, Alcide[François Alexis](1836-1918)　フランス

のジャーナリスト，政治家． J21, 6/J42, 1-7

デュパサージュ Dupassage, Adrien 20 世紀フランスの芸術雑誌寄稿者． K7, 3

デュバルタス Du Bartas, Guillaume de Salluste(1544-1590) フランスのバロック詩人．天地創造を描いた叙事詩『一週間』が主著． T1, 10

デュフール Dufour, Joseph(1757-1827) フランスの室内壁装飾・壁紙製造業者．クック船長の航海に触発された大画面を描いた作品はヨーロッパで大流行した． Q4a, 3

デュベック／デスプゼル Dubech, Lucien(1881-1940) フランスの文芸批評家．「アクション・フランセーズ」の王党派論客． /d'Espezel, Pierre(1893-1959) フランスの歴史家．パリ国立図書館の「古メダル・古銭陳列室」研究員． A3, 11-3a, 3/C3, 8-9/D3, 1-2/E3a, 6/E4a, 5-5a, 5/F3a, 6/F4a, 3-5/G4, 2-4/L2a, 4-5/M3a, 6-8/O2, 5/O2a, 3/P2, 6-2a, 2/S2a, 4-5/T2, 3-4/U1, 7/U1a, 3-6/U2, 1/V1, 4-5/Y1a, 5/a1, 3/a1a, 1/l1, 1-7/l2, 4-2a, 1

デュポン Dupont, Pierre(1821-1870) シャンソン作家，歌手．とりわけ「労働者の歌」などで大衆的な人気を得た．ボードレールの親しい友人で，彼による二つの「ピエール・デュポン論」がある． I=84/I=320(E)/J1a, 1/J5a, 3/J21, 1/J23a, 3/J26a, 6/J29, 9/J48, 9/J58a, 4/J66a, 8/K4a, 1/a7, 2-3/a9a, 6/a18a, 5/d2, 1/d2a, 1/d5a, 1/d8a, 3/d11a, 1

デュマ(父) Dumas, Alexandre(1802-1870) 当代随一の人気を誇ったフランスの小説家，劇作家．『三銃士』を始めとする新聞の人気連載小説を数多く書いた． A2, 10/C8, 5/J54a, 7/M11a, 5-6/M12, 2-4/M13, 3/P3a, 3/U8, 2/U8a, 3/V8, 2/d1, 4/d3a, 8-4, 2/d6a, 1/d7a, 3/d7a, 5/d8, 6-7/d14, 6/k1, 2/p2a, 6

デュマ(子) Dumas, Alexandre(1824-1895) フランスの劇作家，小説家．『椿姫』は一世を風靡した． d7a, 6

デュマ Dumas, Jean(1800-1884) フランスの化学者．パリに国立中

央工芸学院を創設した．蒸気の濃度や空気の組成を研究． a21, 2
デュマノワール／バリエール Dumanoir, Ph.-F.[Philippe-François Pinel, dit]（1806-1865） フランスの劇作家，台本作者．/Barrière, Théodore（1823-1877） フランスの劇作家． O7, 2
デュメニール Dumesnil, Alexis（1783-1858） フランスの歴史家． M8, 2
デューラー Dürer, Albrecht N5, 1
デュラモン Dulamon, Frédéric（1825-1880） 「ボエーム」の一人で，ボードレールの仲間． J3a, 1
デュラン Durand, A. A10, 2
デュラン Durand, Georges 架空の人物． →ヴェロン（Véron, Théodore）
デュラン Durand, Nicolas Louis（1760-1834） フランスの建築家，著述家． r4, 3
デュリ Durry, Marie-Jeanne（1901-1980） フランスの詩人，文学史家．パリ大学フランス文学初の女性教授． b1a, 5
デュリュー Durrieu, Xavier（1814-1868） フランスのジャーナリスト，革命家．1852年以後イギリスやスペインにわたり，マドリッドでペレールと「スペイン動産銀行」設立．亡命者を支援． U4, 1
テュルゴ Turgot, Anne Robert Jacques（1727-1781） フランスの経済学者，政治家．重農主義にもとづく経済改革を行い，理論上はケネーとスミスを橋渡しする位置にある．主著『富の分配に関する考察』（1766）． J83, 5/N11, 7-12a, 1/N13, 1/U15a, 2/d11, 2
デュロール Dulaure, Jacques Antoine（1755-1835） フランス革命期の国民議会議員で，王政復古期も革命の信念を貫く．浩瀚な『パリの歴史』（1821-27）が主著． A1, 6/A1a, 3/F1, 4/N7, 1/T1, 2/l1a, 4
テリーヴ Thérive, André[Roger Puthoste]（1891-1967） フランスのジャーナリスト，作家，文芸評論家． J20, 4-6/K4, 4/S5a, 1/S10, 2
デルヴォー Delvau, Alfred（1825-1867） フランスのジャーナリスト，作家で，ボードレールの友人．『パリの裏側』（1860），『パリの時間』

(1866)などパリについて多くのエッセイがある． A5a, 2/C1a, 1/G3, 1/G3a, 3/G10, 3/J7a, 3/M6a, 2/M7a, 4-5/M9a, 1-2/O3, 5/O10a, 1/P2a, 6/P3a, 4/III＝428(S)/S4, 3/U8a, 5/W7, 7/W9, 2/Y5, 1/Y5a, 5-6/Y6, 1-2/a7a, 7/a9, 2-3/d8a, 3/d10, 1/d11, 3/d18, 1

テルノー Ternaux, Guillaume Louis(1773-1833) フランスの製造業者，政治家．ヨーロッパでカシミヤのショールを開発． A6, 1/G9a, 3

デンナー Denner, Balthasar(1685-1749) ドイツの肖像画家． S5a, 2

ドーヴィファト Dovifat, Emil m3, 4

ドヴェリア Devéria, Eugène(1805-1865) フランスの歴史画家．兄は風俗画家のアシル(1800-1857)で，ボードレールに高く評価された． L2, 1/p2a, 6

ドーヴェルニュ d'Auvergne, Edmund B. S5a, 4

ドゥカン Decamps, Alexandre Gabriel(1803-1860) フランスの画家． J40a, 1

ドゥジェロード Degéraude 原文誤植．正しくは，ドゥジェランド Degérande, Joseph Marie, baron de Gérando(1772-1842) フランスの法学者，哲学者．労働階級の教育論など． a22, 2

トゥシャール＝ラフォス Touchard-Lafosse, Georges(1780-1847) フランスのジャーナリスト．旅行ガイドのさきがけを著す． l1a, 4

トゥスネル Toussenel, Alphonse(1803-1885) フランスの博物学者，フーリエ主義者．著作に，『動物の精神』，『鳥の世界』など． I＝38/I＝67/B5, 2/G11, 4-12a, 1/G12a, 5/G13, 4/J8/U14a, 1/U14a, 3/W2, 2/W7a, 1-4/W8a, 1-2/W8a, 4/W8a, 6/W13, 1/W17a, 3/a13a, 5/d9a, 4/g3a, 3/p1a, 2-4/p1a, 6

トゥーバン Toubin, Charles(1820-1891) フランスの民俗学者．『両世界評論』誌の執筆者であり，ボードレールの友人． J29, 7/J34, 1

ドゥビュロー Deburau(1796-1846) フランスのコメディアン．奸智にたけたピエロ役を演じた．息子シャルル(1829-1873)も第二帝政期に俳優として有名で，ナダール撮影の写真がある． D3a, 4/D5, 5

ドゥーベル　Deubel, Léon(1879-1913)　ラフォルグ，ヴェルレーヌ，ボードレールなどの影響を受け，悲惨さのうちに自殺した「呪われた詩人」の一人.　I=41/I=69/II=12(H)

トゥルケ＝ミルンズ　Turquet-Milnes, Gladys(1887-1977)　イギリスのフランス文学者．ロンドン大学教授.　J36a, 6

トゥレイユ　Toureil, Louis Jean Baptiste de(1799-1863)　フランスのユートピア主義者，フュジョニズム教創立者.　p4a, 3/p5a, 2-6, 1

トゥロウ　Thurow, H.　U2a, 4-3, 1/W3, 3

ドゥンカー　Duncker, Hermann　J64, 2

ドーエレ　Dauhéret　19世紀フランスの労働者，詩人　a14, 6

ドガ　Degas, Edgar　Y8a, 2

ド・クインシー　de Quincey, Thomas(1785-1859)　イギリスの批評家，作家．代表作『阿片常用者の告白』(1822).　M9a, 5

ドストエフスキー　Dostoevskii, Fyodor Mikhailovich　J17, 1/J33, 2/J90a, 4

ドゾン　Dozon, Auguste(1822-1890)　フランスの外交官．ブルガリアやアルバニアの詩を翻訳・紹介した．若き日はボードレールの友人で，Auguste Argonne の筆名を使った.　J37a, 6

トックヴィル　Tocqueville, Alexis de　a13, 2

ドーデ　Daudet, Alphonse(1840-1897)　フランスのベストセラー小説家．レオン・ドーデの父.　b1, 3

ドーデ　Daudet, Léon(1867-1942)　フランスの作家，評論家．1907年シャルル・モーラスと右派の雑誌『アクシオン・フランセーズ』を創刊.　C4/C9a, 1/J10, 1-2/J10, 4-5/J20, 8/J20a, 3/J23, 2-4/d5, 3-4/d16a, 3-17, 2

ドーブラン　Daubrun, Marie(1827-1901)　ボードレールが愛したフランスの女優．『悪の華』のいくつかの詩にインスピレーションを与えている.　J10, 3/J25, 4/J28a, 9/J33a, 5

ド・フロット　→フロット

トマ　Thomas, Emile(1822-1880)　フランスの土木技師．25歳で国立

作業所(アトリエ・ナシオノー)の管理者となる.　a2, 2
トマ　Thomas, Louis(1821-1867)　フランスの文芸評論家.　J8a, 1-5/J10, 8-9
ドマンジェ　Dommanget, Maurice(1888-1976)　フランスの組合活動家, 教育者. フランス革命史・労働運動史の研究.　J91a, 2/J92, 5-92a, 1/a22a, 4
ドーミエ　Daumier, Honoré　E7, 1/F5, 2/I5a, 1/J2a, 5/J52, 1/J52a, 4/J61, 2/J89a, 2/Y8, 3/b1, 1-2/b1, 4/b1, 6/b1, 9/b1a, 3-4/b2, 1/b2, 3-4/p2, 2/p2a, 5
ド・メーストル　→メーストル
ド・モリナーリ　→モリナーリ
ド・モンタリヴェ　→モンタリヴェ
トラヴィエス　Traviès de Villers, Charles Joseph(1804-1859)　フランスの風刺画家. ボードレールの「フランスの風刺画家たち」で論じられている.　J61, 2/J68a, 4/b1, 9/b2, 4
ド・ラ・オッド　de la Hodde, Lucien(1812-1863)　フランスの著述家.『秘密結社と共和党の歴史』(1850)など. 警察のスパイ.　V2; V2a/V5, 8/a20, 6
ドラクロワ　Delacroix, Eugène　I6, 2/J27, 6/J28a, 1/J39a, 2/J40, 8/J49a, 3/S6, 1/Y4a, 2/Y4a, 4/d7a, 5
ドラトゥーシュ　Delatouche, Hyacinthe(1785-1851)　フランスの文学者. 両性具有者についての小説『フラゴレッタ』(1829)がある.　J33a, 4
ドラートル　Delâtre, Auguste(1822-1907)　フランスの画家.　J2, 2
ドラロッシュ　Delaroche, Paul(1797-1856)　フランスの肖像画家, 歴史画家, ロマン主義と古典主義の折衷を図った.　Y4a, 1/Y4a, 5
ドリアック　d'Auriac, Jules Eugène(1815-1891)　フランスのジャーナリスト, 歴史家, 国立図書館司書.　M7a, 3
トリアル　Trial Raymond(1903-?)　フランスの医師. ボードレールの病いを扱った博士論文(1926)以降は, 放射線医学の著書や教材を

1974年まで発表.　J17a, 4/J19a, 1-2

トリコテル　Tricotel, C.-F.[Charles Maurice Descombes](1782-1862)　フランスの文士, 演劇評論家.　O9, 2/a9, 1

トリスタン　Tristan, Flora(1803-1844)　ユートピア社会主義にもとづく, フランスの女性解放論者. 主著『労働者の団結』(1843).　V7a, 2/a22, 3

ドリュモン　Drumont, Edouard(1844-1917)　反ユダヤ主義者, 反ドレフュス派のジャーナリスト.『ユダヤ人のフランス』(1886)で名を挙げ, その後,『リーブル・パロール(自由な言葉)』を創刊して, 激越な国家主義, 反ユダヤ主義の主張を展開した.　G12a, 5/M8a, 3/U14, 1-2/b1, 1-2/d7a, 5-6/d8, 2

ドルーエ　Drouet, Juliette(1806-1883)　女優としてデビューするが, 1833年ヴィクトール・ユゴーに見そめられ, 以後彼の忠実な恋人(同伴者)として, 死ぬまでユゴーに献身的につくした.　d17, 1

ドレ　Doré, Gustave(1832-1883)　フランスの画家. バルザック『風流滑稽譚』(1856), セルバンテス『ドン・キホーテ』(1863), ダンテ『神曲』(1861-68)など一連の挿絵でむしろ本領を発揮した.　Y2, 3/i1a, 2

ドレクリューズ　Delescluze, Louis Charles(1809-1871)　政治家, ジャーナリスト, パリ・コミューンのリーダーの一人. 1871年5月バリケード闘争で殺害される.　k1a, 3/k3, 1

ドレセール　Delessert, Gabriel-Abraham-Marguerite(1786-1858)　パリ警視総監(1836-48).　O9a, 4

トレラ　Trélat, Ulysse(1795-1879)　フランスの医師, 政治家.『ナシオナル』紙の編集委員. 1848年5月から6月に大臣職にあった.　a17, 2

ド・ローネー子爵　vicomte de Launay　→ジラルダン夫人

ドロホジョウスカ　Drohojowska, Antoinette Joséphine Anne Symon de Latreiche(1822-1890)　フランスの旅行記作家. 道徳本や小説もある. 筆名にドンクールやドーノワ.　F5a, 1/G7a, 5/G8, 5/G8a, 2/T3a, 1

ドロール　Delord, Taxile(1815-1877)　フランスのジャーナリスト. 1848年から1858年まで風刺新聞『シャリヴァリ』の編集にたずさわる. 著書に『パリ女の生理学』(1841)などがある.　B7, 2/C4a, 6/U12, 1/d4, 5/g3, 1-2

ドロルム　Delorme, Joseph　→サント＝ブーヴ　J51, 1/J51a, 2/J51a, 4/J52, 3/J77a, 4-5

トロワイヨン　Troyon, Constant(1810-1865)　フランスの風景画家. バルビゾン派に属し, 動物の登場する風景画で知られる.　J34a, 2

ドンクール　Doncourt, A. S. de　→ドロホジョウスカ

ナ　行

ナヴィル　Naville, François Marc Louis(1784-1846)　ジュネーヴ共和国ついでスイスの教育者, 牧師.　N6, 3/a13, 5

ナジャ　Nadja[Léona Delcourt](1902-1941)　ブルトン「ナジャ」の主人公となった女性(自称ナジャ, 本名レオナ・デルクール). ブルトンとの交際(1926-1927)の破綻後, 精神医療施設に終生収容された. 『パサージュ論』では作品名として引用.　B3, 4/E2a, 2/L2, 3/Q1a, 4

ナダール　Nadar[Gaspard-Félix Tournachon](1820-1910)　フランスの肖像写真家, 評論家, 風刺画家. ボードレールをはじめ多くの文学者・芸術家と親交をもち, 肖像写真を撮影している.　I＝33/A4a, 3/C3a, 3-4/C4a, 1/G2a, 10/J1a, 3/J16, 3/J36, 2/J44, 3/J44, 6/J79a, 5/M5, 4/T2a, 3/U3a, 3/U8a, 5/Y2, 2-2a, 1/Y5a, 5-6/Y6, 1-2/Y7, 9/Y8a, 3/d15a, 1/k1a, 1/l1, 9-10

ナッシュ　Nash, Joseph(1809-1878)　イギリスの水彩画家, 石版画家.　G2a, 7

ナドー　Nadaud, Martin(1815-1898)　フランスの政治家. 石工からフリーメイソンになり, 1852年ベルギーに亡命.　A9, 3

ナポレオン　Napoléon Bonaparte　I＝26/I＝60/A2, 10/A9a, 2/A10, 1/C6; C6a, 1/D1, 6/D2, 4/E2, 6/E2a, 3/F1a, 5/F6, 2/I5, 4/J36, 2/J41a, 9/J74, 1/K5a, 4/K9a, 1/L5a/O2a, 4/O9, 5/O12a, 1/Q4, 2/T1,

1/T1a, 10/U2a, 3/U10a, 2/U18, 2/Y8a, 1/Y10, 1/a5, 4/a11a, 2/a15, 2/d2a, 4/d7, 5/d7, 7/d7a, 7/g1, 1/g2, 1/g2a, 3/i1, 1/k2, 1/p4a, 2/r1, 3/r3, 1/r4, 1/V＝242

ナポレオン3世　Napoléon III　I＝48/I＝51/I＝80-81/I＝84/A1a, 7/A2, 10/B6a, 2/C1, 6/E1, 4/E1, 6/E1a, 2/E2, 3/E3, 3-4/E3a, 5/E4a, 4/E6, 2/E6a, 4-7, 1/E8, 8/J26a, 6/J27a, 1/J46a, 7/J48, 1/J61, 4/J71, 4/J73a, 1/J74, 1/J84a, 3/L2, 2/R2, 3/U4a, 5/U12a, 6/U16a, 5/V3a, 3/V5a, 4/V6, 3/V6a, 2/V9, 3/W3a, 2/W12a, 5/Y4a, 5-6/Y8, 2/a7a, 1/a19a, 2/d8a, 5/d11, 4/d17, 3/g2a, 2/i1, 5/k3, 2/r1, 2

ナルジョ　Nargeot, Clara (1829-？)　フランスの女性画家．ボードレールの肖像画を描いた．　J28, 5

ナントゥイユ　Nanteuil, Célestin (1813-1873)　フランス・ロマン派の画家，素描家，版画家．　U8a, 5

ニエプス・ド・サン＝ヴィクトール　Niepce de Saint-Victor, Claude (1805-1870)　フランスの発明家．ダゲールの発明を発展させ，ガラス板に写像を定着させることに成功．　Y2, 3/Y3a, 3/Y8, 4

ニエポヴィエ　Niépovié, Gaëtan [Karol Frankowski] (1796-1846)　ポーランド出身の軍人，著述家．　E9, 3-9a, 1/M8a, 6

ニザール　Nisard, Charles (1808-1889)　フランスの文学史家．コルポルタージュ文学を集め，陰語の研究を手がけた．　a5a, 2

ニザール　Nisard, Désiré (1806-1888)　フランスの文芸批評家．パリの高等師範学校校長を務める．主に17世紀古典主義文学を評価した『フランス文学史』は19世紀の定番．　J83, 1/J83, 3

ニーチェ　Nietzsche, Friedrich　I＝72/D5a, 6/D8, 1-7/D8a, 1-4/D9, 4-6/D10a, 4/J47a, 3/J60, 7/J62a, 2/J74a, 4-5/J77a, 2/J80a, 3-81, 2/S9a, 1

ニボワイエ　Niboyet, Eugénie (1799-1882)　フランスの女権論者．機関紙『女性の声』主幹．　a9a, 5

ニュートン　Newton, Isaac　W16, 3/W17a, 6/r3, 1

ヌシャトー　Neufchâteau, François de [Nicolas François] (1750-1828)

フランスの政治家，言論人．総裁政府で内務大臣．シャン・ド・マルスの第1回産業博覧会を開催．　G4, 4/G4, 7/G9a, 1
ヌワヨン　Noyon, Guilbert von　k3a, 2
ネシオ　Nescio, J. J.　二人の文学者の筆名．Jules David と Jules d'Auriac.（→ドリアック）　a8a, 4
ネッセルローデ　Nesselrode, Karl（1780-1862）　ロシアの政治家，ウィーン会議のロシア代表．　d12, 3
ネットマン　Nettement, Alfred（1805-1869）　フランスのジャーナリスト，歴史家，カトリック系保守の論客．　C5, 3/I6, 2/M12, 5/W8, 5-6/Y6a, 1/b1a, 1/d6a, 2/d7a, 2-3/d8, 7-8a, 2/d8a, 6/d9a, 1/d15, 2
ネルヴァル　Nerval, Gérard de［Gérard Labrunie］（1808-1855）　フランスの詩人，作家．ドイツ・ロマン主義の影響を受けた繊細な夢想の詩とパリのシテ島で遂げた自殺とによって19世紀文学の神話的存在になっている．作品に『東方紀行』（1851）など．　C3, 1/J35, 1/K9, 2/U8a, 5/Y2a, 1/d10, 1/d15a, 1
ネロ　Nero Claudius Caesar Augustus Germanicus　I＝62/J15, 2/J36, 3/Q2, 2/W6a, 2
ノアク　Noack, Ferdinand　C7, 4/C7a, 2-3/C8, 1/L5, 1
ノエル　Noël, Jules（1815-1881）　フランスの風景画家．　J37a, 3
ノディエ　Nodier, Charles（1780-1844）　フランスの作家．ロマン派の詩人たちが集うサロンを開いた．作品に『パン屑の妖精』（1832）など．　T2a, 3/V7, 2
ノルダウ　Nordau, Max　C4a, 3
ノワール　Noir, Victor［Victor Salmon］（1848-1870）　フランスのジャーナリスト．ナポレオン3世の従弟ピエール・ボナパルトに訪問中に射殺された事件で有名．　V9, 1

ハ　行

バイイ　Bailly, Jean Sylvain（1736-1793）　フランス革命開始期のパリ市長．ギロチンで処刑死．　g2, 3

ハイデガー　Heidegger, Martin　N3, 1/N8a, 4/S1, 6
ハイドン　Haydn, Joseph　Q1a, 6/X13a
ハイネ　Heine, Heinrich(1797-1856)　ドイツの詩人，批評家．生まれはユダヤ人だが，キリスト教(プロテスタント)に改宗し，1831年以後パリに住んだ．著作に『旅の絵』(1826-31)，『歌の本』(1827)，『ドイツ・冬物語』(1844)，『ロマンツェーロ』(1851)など．　A7a, 2/J4, 4/J8a, 2/J33a, 3/J38a, 5/J56a, 9/M19, 4/U14a, 6/U16a, 3/U18, 2/V5a, 2/V8, 4/W4, 1/a14a, 2
ハイネ　Heine, Thomas　S4a, 3
ハイム　Heym, Georg(1887-1912)　ドイツ表現主義の詩人．ボードレールとランボーの影響を受けた．詩集に，『永遠の日』(1911)，『生の影』(1912)など．友人を救おうとして水死した．　J48a, 3/J48a, 5/J72, 6-72a, 1
バイロン　Byron, George Gordon, Lord　J4a, 4/J9, 7
バウアー　Bauer, Bruno　W10a, 3/X1, 5
ハウザー　Hauser, Kaspar(1812頃-1833)　1828年，ニュールンベルクで保護された身元不明の少年．高貴な生まれと信じられ，J・ヴァッサーマンの小説『カスパール・ハウザー』(1908)などの文学や映画の題材となった．　R2a, 3
パクストン　Paxton, Joseph(1801-1865)　イギリスの建築家，庭園研究家．温室から想を得た代表的なガラスと鉄骨建築『クリスタル・パレス』は，1851年のロンドン万国博覧会会場から，シドネムに移築された．　F4, 2/F7, 6/G2a, 8/G5, 2/G6; G6a, 1
ハクスレー　Huxley, Aldous　J85a, 1/K7a, 3
バサジェ　Bassajet, Numa, Pierre(1802-1872)　フランスの版画家．　I1a, 4
バザール　Bazard, Saint-Amand(1791-1832)　サン＝シモン派の社会主義者．フランスのカルボナリ党を組織．　U12a, 2/U13, 8/U15, 4/V4, 1/V8, 7
ハーシェル　Herschel, John Frederick William(1792-1871)　イギリス

の天文学者，数学者．父ウィリアムの後を継いで恒星目録を作成し，天体観測で功績をあげた．　IV＝144(W)/W6a, 4

ハーゼ　Hase, Carl Benedict　O1, 5

バタイユ　Bataille, Henry(1872-1922)　フランスの劇作家，版画家．J82a, 7

パタン　Patin, Gui/Guy(1601-1672)　フランスの医師，作家．H2a, 3

ハックレンダー　Hackländer, Friedrich Wilhelm von(1816-1877)　ドイツの作家．作品に，『ダゲレオタイプ』(1842)，『名前のない物語』(1851)，『禁断の果実』(1876)など．　Z1, 2

パッシー　Passy, Frédéric(1822-1912)　フランスの経済学者．1901年ノーベル平和賞．　G9, 1

パッシー　Passy, Hippolyte(1793-1888)　フランスの軍人，経済学者．大蔵大臣などを1851年まで歴任．　a5a, 1

バッハオーフェン　Bachofen, Johann Jakob(1815-1887)　スイスの人類学者，法律家．主著『母権論』(1861)．　J75a

パテル　Patel 原文誤植．正しくは，プラティエ Platier, Jules　フランスの風刺画家，版画家(1840年頃パリで活動)．　U11a, 5

バトー　Batault, Georges(1887-1963)　スイスの歴史家，哲学者．Y5, 8/IV＝340(a)/d3, 5/d3, 7/g2a, 1-2

パトリ　Patry, Henry(1877-1955)　フランスの文書館学者(アルシヴィスト)．　J31, 1

バーナム　Barnum, Phineas(1810-1891)　アメリカの興行師．G6a, 2

バビック　Babick Jules[Julius Babicki](1820-1902)　ポーランド生まれの香水師．1871年コミューンでパリ10区から中央局に選出．p4a, 3

パヒンガー　Pachinger　H2a, 2

バブー　Babou, Hippolyte(1842-1878)　フランスの作家．ボードレールの友人．　G16a, 2/J26a, 1/M14, 5/R3, 2/S11, 3

バブーフ　Babeuf, François-Noël(1760-1797)　フランス革命期に活躍し，土地収益の平等分配を提唱．革命政府打倒の陰謀(「バブーフの陰謀」)で有名．　V10, 3

パユロン　Pailleron, Edouard(1829-1899)　フランスの詩人，人気の劇作家．　D4, 4

バラル　Barral, Georges(1842-1913)　フランスのジャーナリスト．科学・文学にわたる著述が多い．フーリエ主義者．　J8a, 1

バリエール　Barrière, Théodore(1821-1877)　フランスの俳優，劇作家．ミュルジェールと共著でホエームを描く．　A6a, 3/G7a, 6/O7, 1-2

パリス　Pâris, Gaston(1839-1903)　フランスの中世史学者．　S3, 1

バルザック　Balzac, Honoré de　I=25/I=52/I=59/I=76/A1, 4/A8, 4/A9, 2/A11a, 7/I=158(B)/B2, 4/B8a, 2/C1, 7/C2a, 8/D1, 6/D4a, 2/E10a, 3/H3a, 8/I6, 2/I6, 4-5/I6a, 4/J10, 6/J14, 8/J29, 2/J29a, 4/J32, 2/J33a, 4/J39, 1/J39, 3/J41a, 9/J59a, 1/J85, 5/M1, 1/M10, 2-4/M11a, 5/M12a, 2/M13, 1/M13, 4-13a, 1/M14, 2/M14, 5/M15a, 4/M17, 1/M17, 4-17a, 1/M20a, 2/III=194(N)/N7, 1/N19, 2-3/O2a, 4/O14, 1/Q1, 6/Q4, 1/Q4, 3/Q4a, 5/S7, 1/U8, 3/U12a, 8/U18, 1/U18, 6/V5a, 4/V7, 1-2/V7a, 6-8, 1/V9a, 1/V10, 2/W12a, 7/Y2a, 1/Y4a, 7/Y8a, 1/a12a, 2/a15a, 1/b1a, 5/d1, 3/d1, 5/d3, 1/d3, 4-5/d4a, 3-4/d5a, 3/d6, 3/d7, 2/d7, 4-6/d7a, 5/d7a, 7-8, 4/d8a, 4/d9, 1/d9, 5/d10, 1/d10, 4-5/d12a, 3/d12a, 5-7/d13, 1-2/d13, 4/d14a, 6/d15a, 2-3/d16, 5/d17a, 6/d18, 2/g2a, 1/g3a, 2/p2a, 6/p4, 4-5/r3, 2

バルタール　Baltard, Louis(1764-1846)　フランスの建築家．エコール・ド・ボザールとエコール・ポリテクニクの教授．　E5, 5/F5, 3

バルダンスペルジェ　Baldensperger, Fernand(1871-1958)　フランスの比較文学者．1921 年にポール・アザールと研究誌を創刊．　d10a, 2

ハルデコップ　Hardekopf, Ferdinand(1876-1954)　ドイツ表現主義の詩人．ユーゲントシュティールの影響を受ける．ミュンヘン時代のエミー・ヘニングスの友人．　D1a, 9

バルテルミー　Barthélemy, Augustc-Marseille（1796-1867）　フランスの詩人，風刺作家．週刊紙『ネメシス』上でルイ＝フィリップ体制を攻撃．　E12a, 1/J36, 3/M16a, 5/O12, 1/T4, 3/a11, 2/a21, 6-7/a22, 1/r4a, 2

バルテルミー／メリー　Barthélemy, Auguste-Marseille/Méry, Joseph　a21a, 2-3/r4a, 2

バルトゥー　Barthou, Louis（1862-1934）　フランスのジャーナリスト，政治家．外務大臣のとき，マルセイユでユーゴスラヴィア国王暗殺時に負傷して没する．　d5, 6/d6, 2

バルバラ　Barbara, Charles（1817-1886）　フランスの風刺作家．　J43, 3/U8a, 5/d15a, 1

バルビエ　Barbier, Auguste（1805-1882）　フランスの詩人．　J4a, 1/J5a, 2/J82a, 5/J87, 1/J92a, 2/M19a, 1-2/O9, 6/a13a, 6/a15, 1/a20a, 1/a23, 1-2

バルベス　Barbès, Armand（1809-1870）　弁護士，共和党系の主だった政治家．亡命先オランダで客死．ブランキの陰謀の協力者．　C8, 6

バルベ・ドールヴィイ　Barbey d'Aurevilly, Jules-Amédée（1808-1889）　フランスの作家．ボードレールの長年の友人．　J3a, 1/J23a, 1-3/J24a, 4/J26, 3/J27, 1/J27, 5/J33a, 10/J35a, 5-6/J37, 4/J41, 4/J76a, 6/d10a, 3

バレ／ラデ／デフォンテーヌ　Barré, Pierre Yves（1749-1832）　フランスのシャンソニエ．/Radet, Jean-Baptiste（1752-1830）　フランスの劇作家．バレとヴォードヴィル座を創立．/Desfontaines, F.-G.（1733-1825）　フランスの劇作家．大革命前，王弟の秘書．図書館館長．　E2, 6/M6a, 3

ハレヴィ　Halevy, Jehuda ben（1075以前-1141）　イベリア半島のユダヤ人哲学者，詩人．晩年のパリのハイネを魅了した．　A7a, 2

バレス　Barrès, Maurice（1862-1923）　フランスの作家，政治家，ナショナリスト．　I2, 4/J13, 1-5/J13, 7-13a, 2/J19a, 6/J43, 4

バロー　Barrault, Alexis（1812-1867）　フランスの建築家，技師．1855

年万博の「産業館」を設計.　F7a, 2
バロー　Barrault, Emile(1799-1869)　サン＝シモン主義の作家，政治家.『グローブ』紙を発行.　F7a, 2/N10, 5/U4a, 3/U12a, 3/U15, 3/U15, 7/U15a, 4-16, 2/U17a, 2/d11, 2
バンヴィル　Banville, Théodore de(1823-1891)　フランスの詩人，劇作家. ボードレールの友人. シャルル・アスリノーとともにボードレール著作集を編集.　J4a, 2-3/J12a, 4/J23, 2/J30, 2/J36, 8/J41, 1-3/J42, 1
バーン＝ジョーンズ　Burne-Jones, Edward　J18, 6
バンダ　Benda, Julien(1867-1956)　フランスの思想家. 著作に『ベルグソン主義』(1912)など.　N8a, 3/S1, 3
バンディ　Bandy, William T.(1903-1989)　アメリカのボードレール学者. 1968年にボードレール研究センター設立.　J3a, 1-2
ハント　Hunt, H. J.　W17a, 6/W18/d18, 4/d18a, 3
パンロシュ　Pinloche, A.(1856-1938)　フランスのゲルマニスト.　U2, 2/IV＝144(W)/W1, 1-2
ビアス　Bierce, Ambrose(1842-1914頃)　アメリカの作家. ウィットに富む作品で有名.　K2a, 2
ビアズリー　Beardsley, Aubrey Vincent　S7a, 4
ビイー　Billy, André(1882-1971)　フランスの文芸評論家，作家.　J21, 6
ピエール＝カン　Pierre-Quint, Léon[Léopold Léon Steindecker](1895-1958)　フランスの文芸評論家，出版者.　F7, 3
ピカソ　Picasso, Pablo　K3a, 1
ピガル　Pigal, Edme-Jean(1798-1872)　フランスの画家，挿絵画家. ボードレールによって論じられている.　i1, 2
ピショ　Pichot, Amédée(1795-1877)　フランスの医学博士，英文学訳者.　T2a, 3
ピスカートル　Piscator, Erwin(1893-1966)　ドイツの表現主義の演劇人.　I2a, 1

ビッソン兄弟　Bisson, Louis-Auguste(1814-1876)/Bisson, Auguste-Rosalie(1826-1900)　ナダールの友人．写真家のパイオニア．　Y4a, 5/Y8, 2

ピナール　Pinard, Ernest(1822-1909)　フローベールの『ボヴァリー夫人』やボードレールの『悪の華』裁判で検事を務め，第二帝政下では内務大臣．　J45, 2

ピネ　Pinet, Gaston(1844-19??)　フランスの著述家．『理工科学校出身の作家・思想家たち』．　E7a, 1-2/O7, 3/Q3a, 2/U10a, 2-3/V4a, 1-2/a7a, 5-6/a8, 1-3/g2, 1/r1a, 1-2/r2, 1-2/r2, 4-6

ピネルリ　Pinelli, Bartolomeo(1781-1835)　イタリアの画家．　J52, 6

ピヤ　Pyat, Félix(1810-1889)　フランスの劇作家，政治家．パリ・コミューンで活躍．　J88; J88a, 1/J88a, 4

ビュシェ　Buchez, Philippe Joseph Benjamin(1796-1865)　フランスのサン＝シモン主義者．政治家，歴史家．キリスト教的社会主義の創始者．　U2a, 4/V6, 1

ピュジュー　Pujoulx, Jean-Baptiste(1762-1821)　フランスのジャーナリスト，劇作家．　P2, 4/P2a, 3/P2a, 5/P3, 1-3/Q1, 3

ビュジョー・ド・ラ・ピコヌリ　Bugeaud de la Piconnerie, Thomas(1784-1849)　フランスの軍人．1840-47年アルジェリアに駐留．1843年モロッコでの戦いに勝利し，元帥となる．　a11, 3

ピュタゴラス　Pythagoras　J90, 4/W6, 1

ビューヒナー　Büchner, Georg(1813-1837)　ドイツの劇作家．『ダントンの死』『ヴォイツェック』などの作品で政治と貧困の問題を扱う．「ヘッセン急使」などの政治的パンフレットでも有名．　U12, 4/W5, 2/W8, 1

ビュルジ　Burgy, Jules　パリの植字工．『ある植字工による労働者の現在と未来』を出版(1847)．　a22a, 1/a22a, 5

ビュレ　Buret, Eugène(1810-1842)　フランスのジャーナリスト．労働者階級の貧困についての著作で知られている．　U4a, 2/W4a, 1/Y2, 1/a4a, 3-4/a5, 1-5a, 1/a6a, 3/a17a, 1/r1, 1

ビュローズ　Buloz, François (1803-1877)　フランスの出版人．植字工，校正者を経て『両世界評論』主幹．　J26, 3
ピラネージ　Piranesi, Giovanni Battista　C7, 1/C7a, 1
ピンカートン／メルシエ／クラマー　Pinkerton, John (1758-1826)　スコットランドの詩人，地図製作者．/Mercier, Louis-Sébastien (1740-1814)　フランスの著作家．クラマーと友好をむすび，シラーを共訳．/Cramer, Carl Friedrich (1752-1807)　ドイツの大学教授．パリに1795年亡命後，出版業．独仏の橋渡しとして大量の翻訳を手がける．ゲーテには "Cramer der Krämer" となじられた．　P1, 7
ファイス　Fayis, Pierre de　→ボードレール　J38, 2
ファイヒンガー　Vaihinger, Hans (1852-1933)　ドイツの哲学者．カントを実用主義的に解釈し，虚構性を強調した「かのように」の哲学で知られる．主著『かのようにの哲学』(1911)．　S9a, 6
ファヴラ侯爵　Favras, marquis de (1744-1790)　フランスの軍人．フランス革命勃発に際し，国王一家の逃亡を計画した (1789)．捕らえられ，処刑された．　T1a, 9
ファエドルス　Phaedrus　J83, 3
ファゲ　Faguet, Emile (1847-1916)　フランスの文芸批評家，ソルボンヌ大学教授．コルネイユ，ラ・フォンテーヌ，ヴォルテール，フローベールなどについての著作がある．　J25a, 4/J28, 1-3/J43, 5/J43, 8/J77, 3
ファビアン　Fabien, Jacques (1809-1888)　フランスの文士．　B2, 1/E7, 2/L3, 2/T3, 1
ファブレ＝パラプラ　Fabré-Palaprat, Bernard-Raymond (1773-1838)　フランスの医学博士，ジャーナリスト．1804年テンプル騎士団の再興教団を創立．　U12, 7
ファルグ　Fargue, Léon-Paul　A11, 2
ファルケ　Falke, Jacob　F1a, 1-2/I2a, 2
ファルシ　Farcy, Jean-Georges (1800-1830)　フランスの哲学者，詩人．1830年7月蜂起で命をおとし，「自由のシンボル」になる．　J52a, 6

ファルンハーゲン・フォン・エンゼ　Varnhagen von Ense, Karl(1785-1858)　ドイツの外交官，作家.　M19, 4

フィエスキ　Fieschi, Giuseppe Marco(1790-1836)　コルシカ出身の軍人. 1835年にルイ＝フィリップ王を狙ったテロを企てた. みずから考案した仕掛け爆弾によって18人の死者を出したが王は無傷だった. この事件をきっかけに言論弾圧が強まった.　G11, 3

フィギエ　Figuier, Louis Guillaume(1819-1894)　フランスの作家. 科学の大衆化につとめる.　Y4, 1/Y6, 7/Y6a, 2-7, 4

フィズリエール／ドゥコー　Fizelière, A. de la(1819-1878)　フランスの文芸批評家，歴史家. /Decaux, Georges(1845-1915)　フランスの出版者.　J38, 5/J41, 6/J68a, 1

フィッシャー　Fischer, Hugo　H3a, 7/N6, 6/X2, 3-4/X2a, 2-3, 1

フィッシャー　Vischer, Friedrich Theodor(1807-1887)　ドイツの詩人，ヘーゲル派の美学者.『モードとシニシズム』の著者.　B1, 6/B2a, 2-3/B2a, 5-8/B3a, 5/B7, 5/B7a, 4-8, 1/D1a, 3/D2, 6/J28, 5/O2, 2

フィドゥス　Fidus　→ヘッペナー

フィヒテ　Fichte, Johann Gottlieb　N6a, 1/a14a, 3/g1, 2

フィリポン　Philipon, Charles(1800-1862)　フランスのジャーナリスト，風刺画家. ルイ＝フィリップ王政を批判する立場の政治風刺メディアの立役者.　A9a, 3/b1, 5/b1, 7/b1, 10

ブーヴァンス　Bouwens van der Boijen, William　S2a, 5

フェヴァル　Féval, Paul(1816-1887)　19世紀フランスの人気大衆小説家，劇作家. 代表作『ロンドンの神秘』(1844)，『せむし男』(1858)など.　M13, 4/d14a, 3

フェヌロン　Fénelon, François de　I＝62/W6a, 2

フェラーリ　Ferrari, Joseph[Giuseppe](1811-1876)　イタリアの哲学者，大学教授，政治家. パリで活躍したのち，母国統一後，下院議員，元老院議員.　U7, 2/W5a, 4/W6, 1-7, 2

フェリ　Ferry, Gabriel[Eugène Louis Gabriel de Bellemare](1809-1852)　フランスの作家. アメリカを舞台にした冒険小説で有名.　d14a, 3

フェリ　Ferry, Jules　E2, 11/E4, 7-4a, 3/E5a, 4

フォイエルバッハ　Feuerbach, Ludwig　N17a/U3a, 1/U12, 4/X12, 1

フォシヨン　Focillon, Henri(1881-1943)　フランスの美術史家．
B9a, 2/N19a, 1-20

ブオナロッティ　Buonarotti, Filippo Michele(1761-1837)　イタリア生まれのフランス急進主義の指導者．バブーフ主義者でもあった．
V10, 3

フォルミジェ　Formigé, Jean Camille(1845-1926)　フランスの建築家．
G4, 4

フォンターヌ　Fontanes, Louis de(1757-1821)　作家，政治家．恐怖政治時代の亡命から帰国後，立法府議院議長，元老院議員などを歴任，ルイ18世のもとで枢密院のメンバーとなる．　r2a, 1

フォンテナス　Fontainas, André(1865-1948)　ベルギーの詩人，美術評論家．フランスで生活し，アカデミー・マラルメ会員．　J9, 3

フォンテーヌ　Fontaine, Pierre(1762-1853)　ナポレオンの主要な建築家だったが，ルイ18世やルイ＝フィリップの引き立てにもあずかった．　F2, 5/K9a, 1

フーク　Fouque, Victor(1802-1882)　フランスの郷土史家，歴史家．写真の発明とニエプスの役割についての研究がある．　Y3a, 3

ブーグレ　Bouglé, Célestin(1870-1940)　フランスの哲学者，社会学者．
P5, 1/U16a, 2

フーケ　Fouquet, Jean(1416頃-1480)　ルイ11世時代の画家．とりわけ『時禱書』の挿絵で知られる．　J69a, 4

フーコー　Foucaud, Edouard　フランスの著述家．『フランスにおける演劇界の歴史』(1845)もある．　A6, 3/B6a, 3/F5a, 2/I5, 3/J68a, 2/L3, 3/a7a, 4/r1a, 3-4

フーゴー　Hugo, C.　E6a, 3

ブーシェ　Boucher, François(1703-1770)　フランスの画家，歌劇の舞台デザイナー．　F5a, 2

フージェール　Fougère, Henry[Henri](1882-1968)　弁護士，政治家．

引用書は1905年に出版された法学博士論文.　G7, 5-7a, 4/a7a, 1/r1, 2

ブーシコー　Boucicaut, Aristide(1810-1877)　フランスの実業家. 流行品店で大量販売の方法を身につけ, 1852年パリで最初の百貨店オ・ボン・マルシェを開店して, 第二帝政期に百貨店商法を発展させた.　A12, 1

ブショ　Bouchot, Henri(1849-1906)　フランスの美術史家. 国立図書館版画室室長.　A11, 1/E9a, 3/G13, 5/i1, 1/i1, 4-6/i1a, 1/p2a, 5-6

フックス　Fuchs, Eduard(1870-1940)　ドイツの著述家, 蒐集家. カリカチュア, エロティック美術, 風俗画などを膨大に蒐集し, それらを素材とする歴史叙述に取り組んだ. 著作に,『ヨーロッパ諸民族の戯画』(1901-03),『エロティック美術の歴史』(1908)など.　B7, 5/B7a, 4-8, 1/O9, 8-9a, 3/V6, 3/a13a, 7/b1, 4-5/b1, 7-8/g3a, 4/i1, 8/p2, 3

ブディスラフスキー　Budzislawski, Hermann　E12, 1

ブヌール　Bounoure, Gabriel(1886-1969)　フランスの文芸評論家. 中近東やモロッコでの教員生活のあいだ, 文学者を育て, 重要な役割を果たした.　J22, 6/J22a, 3/M15, 4

ブノワ　Benoist, Charles(1815-1898)　フランスの文学史家. アカデミー・フランセーズ会員.　A9, 3/G13, 3/U14, 3/V5, 4-5/V5, 8-5a, 1/W8, 4/a12a, 3-5/a12a, 7-13, 2/a13, 4/a13a, 2/a13a, 4/d8, 5/d9, 6/p1, 2

ブノワ＝レヴィ　Benoit-Lévy, Edmond(1858-1929)　フランスの弁護士. 初期の映画雑誌や映画館, さらに「シネ・クラブ」に関わった.　d6a, 1-2

ブーヒャー　Bucher, Lothar　G6; G6a, 1

フュステル・ド・クーランジュ　Fustel de Coulanges, Numa Denis(1830-1889)　19世紀フランスの歴史家, ソルボンヌ大学教授. 古代および中世の歴史が専門.　N8a, 3/N10, 4

フュメ　Fumet, Stanislas(1896-1983)　フランスの詩人, 評論家, 出版人, ジャーナリスト.　J41, 5

フラー　Fuller, Francis　F5a, 1
フラー　Fuller, Loïe(1862-1928)　アメリカのダンサー．ミュージック・ホールの踊り子だったが，パリに渡って人気を得た．長い絹の布を使い，色彩的な照明効果で強調した，その「蛇のような動きの」ダンスで知られる．　S4a, 3
ブラジエ／ガブリエル／デュメルサン　Brazier, Nicolas(1783-1838)/Gabriel[de Lurieu](1799-1889)/Dumersan[Théophile Marion](1780-1849)　フランスの劇作家．　A10, 3/A10a, 1/III＝284(O)
フラシャ　Flachat, Eugène(1802-1873)　フランスの技師，鉄道技師．　F2, 4/F2a, 1
ブラダッツ　Bradacz, Michel　U7a, 1
ブラックモン　Bracquemond, Félix(1833-1914)　フランスの画家．ボードレールの友人．　J16, 3/J26, 2/J31a, 6
プラディエ　Pradier, Charles(1850代に活動)　フランスの詩人．シャンソニエ．『ル・ボエーム』編集長．　M2a, 3/U7a, 1/U7a, 3
プラディエ　Pradier, Jean Jacques(1792-1852)　フランスの彫刻家．通称ジェームズ・プラディエ．新古典主義的裸婦像で知られる．　I5, 3
プラトー　Plateau, Joseph(1801-1883)　ベルギーの科学者．1832年にフェナキスティスコープを発案．　Y7a, 1
プラトン　Platōn　H1a, 2/d1a, 2/d18a, 1/m1, 1/m1, 3
プラノール　Planhol, René de(1889-1940)　フランスの文士．　W2, 2
プラロン　Prarond, Ernest(1821-1909)　フランスの詩人．若い頃のボードレールの詩人仲間．　J25, 6/J28a, 7/J33a, 7/J37a, 6/J38, 2-3
ブラン　Blanc, Charles(1813-1882)　フランスの美術史家．ルイの弟．　B5a, 3/H3, 1-2
ブラン　Blanc, François(1806-1877)　フランスの企業家．カジノを展開．　U12, 6
ブラン　Blanc, Louis(1811-1882)　フランスの社会主義者，ジャーナリスト．1848年二月革命の臨時政府に入閣．労働者の失業対策に取り

組んだ．著作に『フランス革命の歴史』(1847-62)など． U16a, 2/W10, 4/a4, 1/a7a, 5/a13a, 5/a16a, 3/a17, 1/k1a, 1

ブラン Brun, Charles[Jean-Charles](1870-1946) フランスの著述家，地方自治論者． U13a, 8/d6a, 5-6/d7, 2-6

ブラン兄弟 les frères Blanc[兄 Louis，弟 Charles] O8, 1

ブランキ Blanqui, Adolphe Jérôme(1798-1854) フランスの経済学者，代議士．革命家オーギュストの兄． G5a, 1/R1a, 3

ブランキ Blanqui, Louis-Auguste(1805-1881) フランスの革命家，永久革命論者．獄中40年．主著『天体による永遠』(1872)，『社会批評』(1885)． I=58/I=75/I=86-89/A11a, 3/B8a, 3/C8, 6/D5, 7-5a, 4/D5a, 6-D7; D7a/D8, 8/D10, 2/E10a, 1/E10a, 5/E11, 3-11a, 2/G15, 1-3/G16, 4/J15, 6/J24, 2/J27, 9/J36, 5/J37, 1/J37a, 2/J48a, 4/J55a, 4/J56a, 11/J57, 7/J61a, 3/J63, 2/J69a, 5/J70, 2/J70a, 3/J70a, 7/J76, 5/J76a, 1-2/J77, 1/J77a, 1/J79a, 3/J84a, 2/J87a, 7/J89, 1/J91a, 2/J92, 5-92a, 1/N7, 3/N8a, 4/S8, 3/V8, 3-4/V8a/V9, 1-2/V9a, 2/W17a, 3/X12, 1/a8, 2/a19a, 7/a20, 2/a20, 8/a20a, 2-5/a21, 2-4/a22a, 4/d14, 5/k3a, 1/k4, 2/p4, 7/r3a, 3

フランク Frank, Philipp N17

フランクリン Franklin, Benjamin U6a, 2

ブーランジェ Boulenger, Jacques(1879-1944) フランスのジャーナリスト，中世文学史家．『両世界評論』編集者． d12a, 1

ブランシュ Blanche, Jacques-Emile I2, 4

フランス France, Anatole[Jacques Thibault](1844-1924) フランスの小説家，批評家．代表作『シルヴェストル・ボナールの罪』(1881)，『現代史』全4巻(1897-1901)，『神々は渇く』(1912)など．ドレフュス事件以後，積極的に政治的，社会的発言を行う． J17a, 1-2/J89a, 3/O4a/O12a, 2/S1, 2-3/S1a, 3/b1a, 5

フランチェスコ Francesco, Grete de[Margarethe Weissenstein](1893-1945) 評論家．ベンヤミンが書評をしている． X3, 2

フランツ Franz, Rudolf W3a, 3

ブランデス　Brandes, Georg(1842-1927)　デンマークの文学批評家. コペンハーゲン大学教授.　k3a, 3

ブランデンブルク　Brandenburg, F. von　G2, 2

フランバール　Flambart, Paul[Paul Choisnard](1867-1930)　フランスの軍人, 占星術師.　J42, 8

ブランメル　Brummel, George Bryan(1778-1840)　イギリスのダンディ(伊達者), ギャンブラー. フランスの救貧院で死去.　J9, 7/J17, 6

プリヴァ＝ダングルモン　Privat d'Anglemont, Alexandre(1815-1859)　フランスの文学者, ジャーナリスト. 若いボードレールと共著で演劇界暴露本を著している. 著作に『知られざるパリ』(1861).　J38, 2/J41, 1/P3, 4/S4, 3/U2a, 1

フーリエ　Fourier, Charles(1772-1837)　フランスの哲学者, 社会理論家. ファランステールの名で知られる共同体の理念を主唱した改革運動家だが, その思想は宇宙論的な広がりをもち, アンドレ・ブルトンなどにも影響を及ぼしている.　I＝29-30/I＝38/I＝62-64/I＝73/A3a, 5/A4a, 4/A11a, 1-2/B8a, 1/D6a, 2/E9a, 9/E10, 2/G14a, 4-5/J8/J27, 7/J38a, 4/J63a, 1/J64, 2/J68a, 7/J75, 2/J87a, 7/O11a, 2/U3, 4/U3a, 2/U7, 2/U12, 7/W 全体 /X12, 1/Z1a, 3/a19, 2/a19a, 1/a19a, 6/a21, 1/b2, 2/d14, 2/g4, 2-3/p4, 6/p5a, 2

フリーデル　Friedell, Egon　B4, 1/B6a, 2/F5a, 7/M6, 2-3/T1a, 10/U8a, 1/U9a, 3/Y6, 5/d5a, 3

フリードマン　Friedmann, Georges(1902-1977)　フランスの社会学者.　D4, 5/M10, 1/X2a, 1

ブリュネ　Brunet, Jean[Jean-Baptiste Brunet](1814-1893)　フランスの軍人, 政治家. 理工科学校出身者. 『砲兵史』や『アルジェリア問題』があるほか, ポーランドの神秘家にかぶれ, 多くの著作をものした.　P1a, 3

ブリュネ　Brunet, R.[Raymond Brunet de Coudrouniac]　20世紀フランスのジャーナリスト. 「地方料理美食家協会」会長(1927年).　d19

ブリュノ　Brunot, Ferdinand(1860-1938)　フランスの文献学者，言語学者．　D4, 6/G15a, 1/Q4a, 2
ブリュヒャー　Blücher, Gebhard Leberecht von(1742-1819)　プロシアの将軍．ラオンでナポレオンを破り(1814)，ワーテルローの戦い(1815)で勝利に貢献した．　O1, 3
ブリュンティエール　Brunetière, Ferdinand(1849-1906)　フランスの文学批評家，エコール・ノルマル(高等師範学校)文学教授．　J12, 6-12a, 1/J13a, 5/J14, 5/J28, 1/J28, 6/J43, 5/J76a, 6
プルヴェ　Prouvé, Victor(1858-1943)　フランスの画家．アール・ヌーヴォー「ナンシー派」の代表格．　B2a, 10
フルクロワ　Fourcroy, Antoine François(1755-1809)　フランスの化学者，政治家．ラヴォワジエなどとともに化学の合理的な用語体系の確立に努めた．　Y2, 4/r2a, 1
ブールジェ　Bourget, Paul(1852-1935)　フランスの小説家．第一次大戦期の保守派知識人のオピニオンリーダー．　C4/J15, 3-5/J15a, 4/J16, 1/J76a, 6/M17, 4-17a, 1/P3, 6/V10, 2/d2a, 3-4/d8, 1/d18, 2
プルースト　Proust, Marcel　I=73/D2a, 5/F4, 1/H5, 1/I2, 4/I2a, 6/J28a, 3/J43a, 1-5/J44, 4-5/J44a, 1-3/J48a, 3/J71a, 1/J89a, 3/J90, 1/J90a, 2-5/K1, 1-2/K2a, 3/K3, 4/K8, 2-9, 2/M2a, 1/M21, 1/M21a, 1/N3a, 3/N4, 3/N19, 2/P1a, 7/Q2, 7/S2, 3/S7a, 3/S10a-11, 1
プルタルコス　Plutarchos　D3a, 2
ブールダン　Bourdin, Gustave(1820-1870)　フランスのジャーナリスト．ボードレール『悪の華』を1857年にフィガロ紙で酷評．　J25a, 5-6/J27a, 3/J28, 8/U2a, 3
プルツィビシェフスキー　Przybyszewski, Stanislaw(1868-1927)　ポーランドの作家．　S9a, 5
ブルデー　Bourdais, Jules-Désiré(1835-1915)　フランスの建築家．パリのシャイヨ宮など．　G4, 4
フルトン　Fulton, Robert　Q4, 2/Q4a, 2/IV=144(W)/W7, 1
ブルトン　Breton, André　B3, 4/C1, 3/E2a, 2/L2, 3/N1a, 5/N6, 4/

Q1a, 4/S3, 2/d2, 1

プルードン　Proudhon, Pierre Joseph(1809-1865)　フランスの政治思想家．アナーキズムの父といわれる．著作に『所有とは何か』(1840)など．　A11a, 2/E6a, 4/J28a, 4/J38, 5/J87a, 7/L4, 3/U2a, 1/U15, 6/W3, 4/W10a, 2/W16, 3/X12, 1/X12a, 4/a7a, 7/a14, 5/a16a, 3/a18, 1-2/a19, 4-19a, 6/a20, 6/k2a, 1/k4, 1

フルニエ　Fournier, Edouard(1819-1880)　フランスの劇作家，書誌学者．　A10, 4/E9, 1/L4a, 3/M9, 3/P4a, 5/T3a, 5-4, 1/Y7, 6/b1a, 2/l2, 1

フルニエ　Fournier, Marc(1818-1879)　スイス出身のジャーナリスト，著述家で，1838年からはパリで活動する．1851年にブールヴァール演劇の中心の一つポルト・サン＝マルタン劇場の支配人になり，大衆的な演劇を上演する．　A1, 5

フールネル　Fournel, Victor(1829-1894)　フランスのジャーナリスト．古いパリの歴史や演劇史．　A7a, 3/D3a, 3/E12, 4/E12a, 3-13, 1/E13, 3-4/I5, 4/K6, 5-7, 1/K7a, 1/M6, 5/M7, 8-9/M7a, 1/P3a, 2/Y5a, 4

フルーランス　Flourens, Pierre(1794-1867)　フランスの生理学者，コレージュ・ド・フランス教授．主著『動物の本能と知性について』(1841)．　k1a, 2

フルーリ　Fleury, Elisa[Marguerite-Elizabeth Pinon](1795-1862)　フランスの詩人，刺繍職人．　a10a, 2

ブルリエ　Bourlier, Louis(1764-1838以降)　フランスの詩人．タッソの訳者．　O7, 4-6

ブルワー＝リットン　Bulwer-Lytton, Edward George(1803-1873)　イギリスの小説家，劇作家．植民地大臣．『ポンペイ最後の日』などを書いた．　L1, 1/M12a, 3

ブーレ　Boullée, Etienne-Louis(1728-1799)　フランスの建築家．建造物修復に活躍．　r4, 3

プレヴォー　Prévost, Jean(1901-1944)　ジャーナリスト，作家，文芸

批評家．レジスタンスで命を落とす．　J85a, 3
プレヴォー　Prévost, Pierre(1764-1823)　フランスの画家．　I=32/Q1a, 1/Q2a, 1
フレジエ　Frégier, Honoré-Antoine(1789-1860)　フランスの警察官僚．『危険な階級』(1840)を書いた．　J89, 4/N6, 3/a3, 2-3a, 3/a8a, 3/a22, 2
フレース　Fraisse, Armand(1830-1877)　リヨン在住の批評家，ジャーナリスト．ボードレールの賛美者．　J26, 3/J52, 5
プレハーノフ　Plekhanov, Gueorgui Valentinovitch(1856-1918)　ロシアの政治思想家．ロシア社会民主労働党の再建にレーニンと協力するが，後に対立．著作に，『史的一元論』(1895)，『マルクス主義の根本問題』(1908)など．　E9a, 8/G4a, 1/N17a/U16, 4/V3a, 1/W2a, 7
ブレヒト　Brecht, Bertolt　B4a, 1/J66a, 7/J70a, 6/J76, 4/J84a, 2/M16, 2/M18/O11a, 3/Y8, 1
プーレ＝マラシ　Poulet-Malassis, Auguste(1825-1878)　フランスの印刷業者，出版者．ボードレールの『悪の華』の第１版と第２版を刊行したことで知られる．ベルギーに亡命した．　C7, 3/J1a, 5/J2, 2/J7a, 3/J14a, 1/J17a, 3/J26, 2/J26a, 4/J26a, 8/J29, 6/J32, 2/d5, 6/d8a, 3
プーロ　Poulot, Denis(1832-1905)　フランスの企業家，評論家．労働者の生態を描いた．　a7, 4
フロイト　Freud, Sigmund　K2a, 5/K8, 1-2/O11, 1/O11a, 3/R2, 2
フロイント　Freund, Cajetan　J38, 4
フロイント　Freund, Gisela(Gisèle)(1908-2000)　ドイツ生まれでフランスに帰化した写真史家，報道写真家．　A6, 2/E4a, 4/I5, 1/S5, 2/S5, 5/S5a, 2/U8a, 2-5/Y1a, 4/Y3, 2-4, 1/Y4, 3-4a, 1/Y4a, 5/Y8, 4/d16, 1/g1a, 2
フロコン　Flocon, Ferdinand(1800-1866)　フランスの政治家，ジャーナリスト，共和派の新聞『レフォルム』編集長．1848年の二月革命では，臨時政府の一員となる．　a16a, 3/a17, 1

ブロック　Bloch, Jean-Richard(1884-1947)　フランスの作家，文芸評論家　J84, 2-3/N14, 2

フロット　Flotte, Gaston de(1805-1882)　王党派のカトリック詩人，作家．マルセイユ出身でマルセイユの文学についてのエッセイが多い．　U9, 3

フロット　Flotte, Paul René de(1817-1860)　フランスの海軍軍人，探検家，革命家，社会党代議士．ガリバルディを応援し，戦死．　J27, 9/J36, 5

ブロッホ　Bloch, Ernst　K1, 2/K2a, 5/L2a, 2/N3, 4

プロト　Protot, Eugène(1839-1921)　フランスの弁護士，ジャーナリスト．パリ・コミューンでブランキ派として活躍．　k4, 6

ブロート　Brod, Max　E2, 5/III＝384(Q)/Q1, 4-5

フローベール　Flaubert, Gustave　J5, 4/J13a, 2/J25a, 5/J33, 3/J71, 3/K3, 4/M17a, 1/M17a, 4-5/N15, 3/a8a, 4/b1a, 5/d12a, 4/m5, 3

プロレス　Prolès, Charles　フランスの歴史家，地図製作者．　V9a, 2

ブロンデル　Blondel, Jacques-François(1705-1774)　フランスの建築家．パリに最初の建築学校を創設．王立建築アカデミー教授．　r4, 3

フンボルト　Humboldt, Alexander von　G2, 1

フンボルト　Humboldt, Wilhelm von　N9, 1

ペカール　Pécard 原文誤植．正しくはピカール Picard, Maurice[Alfred Maurice](1844-1913)　フランスの技師，政治家．　G6a, 3/G9, 1

ベガン　Béguin, Albert　J20, 3/J20a, 1/J35a, 4/d17, 4

ペギー　Péguy, Charles　C5, 1/C8a, 3/P3a, 7/d6, 1

ペクメジャ　Pechméja Ange(1819-1887)　フランスの詩人，作家，ジャーナリスト．　J19a, 10/J30a, 5

ペクール　Pecqueur, Constantin(1801-1887)　フランスの経済学者，先駆的社会主義者．　U18, 4

ヘーゲル　Hegel, Georg Wilhelm Friedrich　I＝53/I＝63/J67, 3/M19, 6/N6a, 1/N16, 4-5/N18, 2/S1a, 8/U3a, 1/W2a, 7/W10a, 3/X1a, 5/X3, 6/X12, 1-3/X12a, 4/a14a, 3/a19, 4/g1, 2/m5, 1/p5, 2

ベーコン　Bacon, Francis　N5a, 4/N18, 1/N18a, 2/U16, 3

ヘシオドス　Hēsiodos　Z2a, 1

ヘス　Hess, Moses　H3a, 2/V7, 5

ペスタロッチ　Pestalozzi, Johann Heinrich (1746-1827)　スイスの教育理論家．ルソーの影響を受け，民衆の啓発に専念した．ブルクドルフ，イヴェルドンで学校を開設した．　W17, 1

ベツォルト　Bezold, F. von　J79, 1

ヘッセル　Hessel, Franz (1880-1941)　ドイツの作家，翻訳家．ベルリンのローヴォルト書店の編集者．1938年パリに移住し，プルーストの翻訳でベンヤミンに協力した．ベルリンに関する彼の著作にはベンヤミンの書評がある．　C2a, 5/I1, 6/O1a, 3

ベッソン　Besson, George (1882-1971)　フランスの美術批評家．『カイエ・ドージュルデュイ』誌の創立者．　Y8, 3

ベッティヒャー　Boetticher, Karl Heinrich von (1833-1907)　ドイツの建築理論家．ビスマルクの顧問．　I=26/I=60/F1, 1

ヘッペナー　Höppener, Hugo　J70, 6/S8, 8

ペトー　Peto, J. Morton　G5, 2

ベートーヴェン　Beethoven, Ludwig van　J4a, 4/M20a, 1

ペトラルカ　Petrarca, Francesco　J37a, 4

ペトロニウス　Petronius, Gaius　J32, 3

ヘニングス　Hennings, Emmy (1885-1948)　ドイツの詩人，舞踏家．ミュンヘンとチューリヒで活動．夫フーゴ・バルとともに1916年にキャバレー・ヴォルテールを開き，ダダを始めた．ベンヤミンのミュンヘン時代の友人でもある．　D1a, 9

ペーヌ　Pène, Henri de (1830-1888)　フランスのジャーナリスト，作家．　D3a, 5/I5a, 2/M8, 5/T3a, 3

ベーネ　Behne, Adolf　G1, 7/I1, 2/I2, 3/L1a, 6

ヘーベル　Hebel, Johann Peter　I=266(D)/D9a, 4

ベーメ　Böhme, Margarete　S9a, 5

ベラース　Bellers, John　O10, 4

ペラダン　Péladan, Joséphin(1858-1918)　フランスの作家，オカルティスト．「サール・メロダク」を名乗り，オカルトや「デカダン」の流行に加担した．　E12, 1/J18, 6/J35a, 6

ベラミー　Bellamy, Edward(1850-1898)　アメリカの作家．社会主義的ユートピア小説『顧みれば』(1888)を著す．　J63a, 1

ペララン　Pellarin, Charles(1804-1883)　フランスの社会学者，医師．理工科学校出身のユートピア主義者．フーリエの伝記がある．　IV = 144(W)/W1, 1/W13, 8-13a, 1

ベラルディ　Bérardi, Léon(1817-1897)　ベルギーのジャーナリスト．　J2a, 2

ペラン　Pélin, Gabriel(19世紀後半に活動)　フランスのジャーナリスト，評論家，作曲家，出版者．　L3, 5/O10, 2/d1a, 1/d6, 4

ベランジェ　Bellangé[François-Joseph Belanger](1744-1818)　フランスの建築家．パリ穀物市場の天蓋材料にはじめて鉄骨を使用した．　F2, 6

ベランジェ　Béranger, Pierre Jean de(1780-1857)　フランスのリベラル派の抒情詩人．　F4a, 6/G3, 5/J56, 3/J58, 4/W4, 3/a13a, 8/d5, 2/d11a, 1/p4a, 2

ベリエ　Berryer, Pierre-Antoine(1790-1868)　フランスの弁護士，正統王朝派の政治家．　a16, 1-2

ペリエ　Périer, Casimir(1777-1832)　フランスの銀行家，政治家．ルイ＝フィリップ王政下の総理大臣(1831-32)．　H3, 2/a6, 1/a6a, 2

ヘリオガバルス　Heliogabalos(204-222)　古代ローマの少年皇帝(在位218-222)．太陽神(エラ・ガバル)を崇拝し，祖母や母に政治をまかせて放蕩と破壊の限りを尽くし，部下に暗殺された．　J23a, 1

ペリクレス　Periclēs　I = 63/W13, 4

ベリー公　Berry, duc de(1778-1820)　ルイ18世の甥．狂信的ボナパルト主義者によって暗殺された．　Q3, 2

ヘルヴェーク　Herwegh, Georg(1817-1875)　ドイツの詩人，革命家．詩集に『生ける者の詩』(1841, 1844)など．　a14a, 1

ベルク　Berg, Alban　J22, 2
ベルクソン　Bergson, Henri　H1a, 5
ベルグラー　Bergler, Edmund(1899-1962)　現ウクライナ生まれのアメリカのフロイト系精神分析医.　O11, 1-11a, 1
ベルグラン　Belgrand, Eugène(1810-1878)　パリの下水道を改善した技術者.　Y2, 2
ペルコック　Pelcoq, J.(1860年から1888年に活動)　フランスの版画家，イラストレーター.　O9a, 1
ペルジーノ　il Perugino[Pietro Vannucci]　J38a, 7
ベルソークール　Bersaucourt, Albert de(1883-1937)　フランスの詩人，評論家.　d11a, 2-3
ヘルダー　Herder, Johann Gottfried　B10a, 1
ヘルダーリン　Hölderlin, Johann Christian Friedrich　N13, 3
ベルタン　Bertin, François(1766-1841)　フランスのジャーナリスト.『ジュルナル・デ・デバ』紙社主．新聞学芸欄(フイユトン)の発案者.　U14a, 3
ペルタン　Pelletan, Charles Camille(1846-1915)　フランスのジャーナリスト，政治家.　D2, 3/J36a, 4
ベルテ　Berthet, Elie(1815-1891)　フランスの小説家．パリや先史時代を扱い，多産.　A10, 1
ペルディギエ　Perdiguier, Agricol(1805-1875)　フランスの労働運動家，1848年革命後，代議士．模範職人の集団「コンパニョナージュ」の思い出を綴った著作がある.　V5a, 2/V6, 1/a14, 1/d8, 5
ベルトー　Bertaut, Jules(1877-1959)　フランスの歴史家，文芸よみもの作家.　d8a, 4/p1, 3
ベルトラン　Bertrand, Louis(1866-1941)　フランスのジャーナリスト，教育者，歴史家.　K5a, 3
ベルナール　Bernard, Claude(1813-1878)　フランスの生理学者.　J33, 3
ベルナルダン・ド・サン＝ピエール　Bernardin de Saint-Pierre, Jacques

(1737-1814)　フランス・ロマン派の先駆者．主著『ポールとヴィルジニー』(1788)．　W10, 3
ベルネ　Börne, Ludwig[Löb Baruch]　A12, 3/A12a/B10a, 2/O13a, 5/P5, 1/a6a, 2
ヘルメルゼン　Hermersen, Joachim von　I3, 10
ベルリオーズ　Berlioz, Hector(1803-1869)　フランスの作曲家．I＝442(G)/m3a, 2
ベルル　Berl, Emmanuel(1892-1976)　フランスの作家．ブルトンとアラゴンを中心とするシュルレアリスト・グループの一員．　K3a, 1/O2, 3/a1, 1
ベルンシュタイン　Bernstein, Eduard(1850-1932)　ドイツの思想家，政治家．エンゲルスの弟子．後にドイツ社会民主党右派の指導者になる．　a4, 1/k3a, 1
ベルンハイム　Bernheim, Ernst　N14, 1
ベーレ　Böhle, Franz　I＝48/I＝82/I＝320(E)
ペレ　Perret, Auguste(1874-1954)　フランスの建築家，都市計画家．弟ギュスターヴらと共同で「シャンゼリゼ劇場」，「公共事業省」など多くの建物を手がける．強化コンクリートをパリの集団住宅で最初に実用化した．　F8, 4
ペレ兄弟　les frères Perret　ベルギー生まれの建築家．オーギュスト(Auguste Perret, 1874-1954)とギュスターヴ(Gustave Perret, 1876-1952)の兄弟．シャンゼリゼ劇場など．　S9a, 7
ペレール兄弟　les frères Péreire　フランスの企業家．エミール(Jacob-Émile Péreire, 1800-1875)とイザク(Isaac Péreire, 1806-1880)のポルトガル系ユダヤ人兄弟．サン＝シモン主義に傾倒し，『グローブ』『ナシオナル』の編集にかかわったのち，鉄道事業に身を投じ，ナポレオン3世の支持を得て，1852年に「クレディ・モビリエ」銀行を設立．　U1, 6/U6, 4/U8a, 1/Y2, 3/a18a, 6/d14, 1
ベロー　Béraud, F.-F.-A　A4, 3-4/O5, 1-6a, 2
ベロー　Béraud, Henri(1885-1958)　フランスの反ユダヤ主義的作家．

mond(1845-1917)　フランスの歴史家．パリの街を扱う．/Clouzot, E./Henriot, G.　D3a, 6/M8, 6
ホガース　Hogarth, William　B4, 5/G3a, 2/J5a, 6
ポクロフスキー　Pokrovskii, Mikhail Nikolaevich(1868-1932)　ロシアのマルクス主義の歴史家，政府高官．トロツキーと20年代に論争．　J73a, 4/V6a, 2/d12, 2-3
ボシュエ　Bossuet, Jacques(1627-1704)　フランスのカトリック高級聖職者．ルイ14世の王太子の教育係．王権神授説による絶対主義国家・政治哲学を提唱．　d3, 4
ホーソーン　Hawthorne, Nathaniel　J3a, 2/J29a, 3
ボッシュ　Bosch, Hieronymus[Van Aken]　J71, 3
ホッディス　Hoddis, Jakob van[Hans Davidsohn](1887-1942)　ドイツ表現主義の詩人．詩集『世界の終わり』(1911)を書く．　I=266(D)
ホッブズ　Hobbes, Thomas　J13, 2
ポティエ　Pottier, Eugène(1816-1887)　フランスの作詞家，作曲家．パリ・コミューンで活躍した．その詩は『革命歌謡』(1887)に収められている．　k1a, 2
ボーデ=デュラリ　Baudet-Dulary(1792-1878)　フランスの医師，政治家．フーリエ主義者．　W12a, 6
ボードレール　Baudelaire, Charles　I=39/I=43-47/I=71/I=74-79/I=89/A4a, 1/A11a, 4/A11a, 6/A12, 4/A13/B8a, 2/B9, 3/C7, 3/C7a, 1/C9, 2/D1, 2/D1, 4/D4a, 2/D4a, 4-5, 4/D5a, 4/D5a, 6/D9, 1-2/G15, 6/G15a, 2/G16, 1/II=12(H)/H1a, 1/H2, 1/I6a, 1/I8, 3/J 全体/K9, 2/L4a, 5/M2a, 1/M5, 7/M8a, 5/M9a, 5/M10a, 1-3/M12a, 5/M13a, 3/M14, 1/M14, 3/M14a, 1/M15, 5-15a, 3/M16, 1/M16, 3/M17a, 5/M19a, 1-2/M21, 2/N7, 1/N7a, 6/N10, 3/N15, 1/O13a, 5/Q4a, 4/S5a, 3/S6, 4/S6a, 3-7, 2/S7a, 4/S8, 8/S8a, 5/S9, 1/S9a, 1/S10, 1-2/T4a, 2/T5, 3/U10, 2/V8, 1/V9a, 1/W17a, 5/Y9a, 1/Y10a, 1-11, 1/Z2a, 2/a20a, 1/b1a, 3-4/b2, 1/b2, 3/d2, 1/d5, 6-5a, 1/d6, 2/d8a, 3/d11a, 1/d15, 4-5/d16, 2/d17a, 3/m1a, 2/m3, 5/m3a, 2/m4, 6/

m5, 3-4/p5a, 1
ボナパルト，ルイ・ナポレオン(Bonaparte, Louis Napoléon) →ナポレオン3世
ボナール　Bonnard, Abel(1883-1968)　フランスの文学者，政治家．第二次大戦中，対独協力したとして，アカデミー・フランセーズから追放され死刑宣告を受ける．亡命地スペインで没する．　a16a, 4/a18a, 2/b1a, 6/d13, 3/d16, 3
ボナルド　Bonald, Louis de(1754-1840)　フランスの哲学者，保守的政治思想家．ナポレオン1世下の文部大臣．　X12, 3/d3, 4
ボニエ　Bonnier, Charles(1863-1926)　フランスの言語学者．フランスとドイツで学び，イギリス，オックスフォードやリヴァプールで教え，マルクスとエンゲルスと親交を結ぶ．フランス労働党の創立者のひとり．　W3, 1-2
ボニエール　Bonnières, Robert de(1850-1905)　フランスの詩人，旅行作家，文芸批評家．　J36a, 4-5
ホネッガー　Honegger, J. J.　E1a, 1
ホフマン　Hoffmann, E. Th. A.　J24a, 2/J27, 5/M4a, 2/M18a, 1/M19, 1/S9a, 2/T4a, 2
ホフマンスタール　Hofmannsthal, Hugo von(1874-1929)　オーストリアの詩人，劇作家．作品に，『チャンドス卿の手紙』(1902)，『ばらの騎士』(1911)など．　C1, 6/III=92(M)/M1, 4/S2, 2-3/d18, 3
ホメーロス　Homēros　D3a, 2
ボーモン　Beaumont, Charles(1821-1888)　フランスの挿絵画家．風刺新聞『シャリヴァリ』の共同編集者．ユゴーやウジェーヌ・シューの作品に挿絵を描いた．　p2, 2
ホラティウス　Horatius　J32, 3/d9, 6/d14a, 2
ホリッチャー　Holitscher, Arthur　J16a, 2
ポリュビオス　Polybios　C9a, 2
ホルクハイマー　Horkheimer, Max　J92, 3/N8, 1/a15a, 2/m3, 3
ボルゲール　Borghers, Alphonse[Amédée Pichot](1795-1877)　フラン

スの英文学・歴史書の翻訳者．Revue Britannique 誌主幹．　J28a, 8
ボルジア　Borgia, Cesare　I1, 6
ポルシェ　Porché, François(1877-1944)　フランスの詩人，文芸評論家．　C9, 2/D1, 2/D1, 4/J24a, 3/J24a, 5-6/J27a, 3-5/J27a, 7/J28, 7/J28a, 2-3/J29, 5/J29, 7/J30, 1/J30, 3/J30, 10-11
ホルツィウス　Goltzius, Hendrick　J26a, 2
ボルドー　Bordeaux, Henry(1870-1963)　フランスの小説家．家族生活を描いた．　K4, 4
ホルバイン　Holbein, Hans　J85a, 1
ボルヒャルト　Borchardt, Rudolf　N1, 8/N6a, 2
ボールペール　Beaurepaire, Edmond(1845-1917)　フランスの歴史家．　A1a, 1/D3a, 6/M8, 6
ボルム　Borme, Daniel(19 世紀中葉に活動)　発明家，革命煽動家．　V9, 3
ボルンシュテット　Bornstedt, Adalbert von(1807-1851)　元プロシア将校．共産主義者同盟に参加．後にマルクスによって追放される．　V7, 5-7a, 1
ポレス　Pollès, Henri(1909-1994)　フランスのジャーナリスト，作家．イタリア反ファシズム誌に執筆．　B8, 4/I6a, 3
ボレル　Borel, Pétrus[Borel d'Hauterive, Joseph Pierre](1809-1859)　フランスのロマン派作家．　J18, 3/J26a, 3/d15, 4
ボワイエ　Boyer, Adolphe(1804-1841)　植字工，著述家．労働者の生活改革を提言．1841 年自殺が大きくフーリエ主義新聞で話題になった．　a12, 7/a14, 2
ボワイエ　Boyer, Philoxène(1829-1867)　フランスの詩人．ボードレールを含む作家たちのために 2 年間にわたってパリの最高級レストランで晩餐会を催した．　J30, 10
ボワシエール　Boissière, Charles(18??-18??)　『倦怠賞賛』(1860)をのこしている．　D5, 5
ボワシー・ダングラス　Boissy d'Anglas, François, comte de(1756-1826)

ロベスピエール打倒に参加．ナポレオン1世下の上院議員．ルイ18世の重臣．　U11, 1

ボワセル　Boissel, François(1728-1807)　フランスの哲学者，ジャコバン党弁護士．コミュニズムやフェミニズムの先がけとされる．　E6a, 3

ポワソン　Poisson, Ernest(1882-1942)　弁護士，消費者組合初代事務局長．『共同組合的共和国』(1920)がある．　A4a, 4/A5/G5a, 3/W5, 2-3/W5a, 5

ポワレ　Poiret, Paul(1879-1944)　フランスのファッションデザイナー．　K3a, 1

ボワロー　Boileau, Nicolas(1636-1711)　フランスの文学批評家．主著『詩学』(1674)．　J17, 2/J21, 6/J42, 7

ボンヴァン　Bonvin, François(1817-1887)　フランスの風俗画家．ボードレールに注目された．　d10, 1

ボンジャン　Bonjean, Louis Bernard(1804-1871)　フランスの法学者，保守系政治家．国民軍の一員としてパリにとどまり，コミューンに射殺された．　a21, 1

ポンソン・デュ・テライユ　Ponson du Terrail, Pierre-Alexis(1829-1871)　フランスの連載小説の人気作家．形容詞 rocambolesque(奇想天外)の元となった Rocambole を主人公にした膨大な作品群がある．　E10, 3/J3a, 5/III＝14(K)/M16a, 3

ポンマルタン　Pontmartin, Armand de(1811-1890)　フランスの保守系の文芸批評家．　J27a, 3/J28, 5/J28a, 2/J41a, 1/J76a, 6/M21, 2

ポンロワ　Ponroy, Arthur(1816-1876)　フランスの詩人，劇作家．　J20, 7/J28a, 5

マ　行

マイアー　Mayer, Gustav　E9a, 6/N6, 7-6a, 1/O9a, 4-5/V7, 5-7a, 1/W10, 4-10a, 1/a16, 4/a16a, 2-3/a17, 1/a17a, 1-3/k2a, 7/k3, 2-3a, 1/p5, 2

マイアー　Meyer, Alfred Gotthold　F3, 6-3a, 1/F3a, 4-5/F4, 1-2/F4, 4-5/F4a, 1-2/F5, 1/R1a, 6/R2a, 1/Y1a, 2
マイアー　Meyer, Friedrich Johann Lorenz　L1, 2/O3, 4/Q1, 2
マイアー　Meyer, Julius　E2a, 3/K2, 1/K3, 5/L1a, 7/S1a, 8
マイスター　Meister, Karl　L5, 2
マイヤーベーア　Meyerbeer, Giacomo(1791-1864)　ドイツのオペラ作曲家．フランスで活躍．作品にグランド・オペラ『ユグノー教徒』(1836)，『預言者』(1849)など．　F5a, 5
マイヤール　Maillard, Firmin(1833-1901)　フランスのジャーナリスト．出版とパリについての歴史研究家．　J1a, 3/P4a, 3/U14a, 5/U15, 1-2/U15, 4-5/a14, 5/a22a, 4/d10, 3/l1a, 4/p2, 4/p3a, 1/p5, 1
マカダム　McAdam, John(1756-1836)　スコットランド生まれの技師．「マカダム」舗装で有名な砕石舗装のシステムを導入した．　D3a, 6/M2, 6
マカルト　Makart, Hans(1840-1884)　オーストリアの歴史画家．16-17世紀バロック風の絢爛たる画風をもつ．　G1a, 1
マキャヴェリ　Machiavelli, Nicollò di Bernardo dei　N6a, 2/V9, 2/m1a, 4
マジェラン　Magalhães, Fernão de　IV＝144(W)
マッコルラン　Mac Orlan, Pierre[Pierre Dumarchey](1882-1970)　フランスの作家．アポリネールやピカソらと親交があった．主な作品に『女騎士エルザ』(1921)，『霧の波止場』(1927)などがある．　B4a, 2/K4, 1/W4a, 3
マーティン　Martin, John(1789-1854)　イギリス・ロマン派の代表的画家．「ベルシャザルの饗宴」(1821)，「ニネベの陥落」(1828)，「大洪水前夜」(1840)などの作品がある．　J20, 5/Y6a, 1
マテュリーン　Mathurin, Charles(1780-1824)　アイルランドの小説家，劇作家．『流浪者メルモス』(1820)でゴシック・ロマンの掉尾を飾り，バルザックにも影響を与えた．　J4a, 4
マニャン　Magnin, Charles(1793-1862)　フランスの詩人，劇作家．『近

代演劇の起源』(1838)がある．　J50a, 3-4/J50a, 6/J51, 2/J77a, 5

マネ　Manet, Edouard　B4a, 5/D2a, 8

マビーユ　Mabille, Pierre(1904-1952)　フランスの医者，作家．象徴派と親交をもつ．有名な芸術雑誌『ミノトール』の編集長．主要な作品に，『人間の構成』(1936)，『魔法の鏡』(1940)などがある．　III＝14(K)/K4, 2

マヤコフスキー　Mayakovskii, Vladimir V.(1893-1930)　ロシア・ソ連の詩人．革命を歓迎して詩を書いたが，後に自殺．作品に，『ズボンをはいた雲』(1915)，『レーニン』(1925)など．　d2, 1

マラ　Marat, Jean Paul(1743-1793)　スイス生まれのフランス革命の政治家．ジャコバン派指導者，国民公会議員．『人民の友』を発刊．入浴中にシャルロット・コルデーによって暗殺される．　a14, 6

マラスト　Marrast, Armand(1801-1852)　フランスのジャーナリスト，文学博士，政治家．共和派新聞『ナシオナル』を率いる．　V4, 5

マラルメ　Mallarmé, Stéphane　B5, 2/J13, 8/J33, 6/J45a, 7/J87, 5/III＝92(M)/M15, 2/R1a, 1/S7a, 4/d15a, 4/m5, 3

マリ　Marie, Alexandre-Thomas[Pierre Alexandre Thomas Amable Marie de Saint-Georges, dit](1797-1870)　フランスの法律家，臨時政府のメンバー．1848年に国立作業場の組織化をゆだねられる．　U1a, 5

マリヴォー　Marivaux, Pierre Carlet de Chamblain de(1688-1763)　フランスの劇作家，小説家．　N7, 1/N15a, 1

マリブラン　Malibran, Maria(1808-1836)　フランスのオペラ歌手．ロッシーニの『セビリャの理髪師』で1825年にデビュー．　Q1a, 6

マリー＝ルイーズ　Marie-Louise de Habsbourg-Lorraine(1791-1847)　オーストリアのフランツ1世の娘で，ナポレオン1世の二人目の妻となる(1810)．　D2, 4/E2, 6/M6a, 3

マルキゼ　Marquiset, Alfred(1866-1920)　フランスの文士，歴史家．　O3a, 1

マルキューズ　Marcuse 原文誤植．正しくはマルーズ Mareuse, Edgar

マレー　Marey, Etienne Jules(1830-1904)　フランスの生理学者．飛行中の鳥の写真を撮影するために1枚の乾板に12コマ撮影できる写真銃を発明した．　Y7a, 1

マレ／グリエ　Malet, Albert(1864-1915)　フランスの歴史家．イザアクやグリエと共著の教材が有名．/Grillet, Pierre　ルイ・ル・グラン高校の歴史教員．　D3a, 2/G7, 3/U4a, 5/U5, 1/V3a, 2-4, 1/V4, 4-5/Y2a, 3/a2a, 4/a5a, 3/a6, 1-3/d1, 1-2/d1a, 3/g1a, 1/k1a, 3

マン　Mann, Heinrich　E6a, 1

マンデヴィル　Mandeville, Bernard(1670頃-1733)　オランダ生まれの哲学者，風刺作家，医師．ロンドンに定住する．政治的風刺小説『蜂の寓話』(1714)で知られる．　U14, 4

マンデス　Mendès, Catulle(1841-1909)　フランスの詩人．『現代高踏詩集』(1866-76)の編集者．ボードレールとゴーティエの友人．著書に『現代高踏詩集の伝説』(1884)がある．　J25, 2

マンテーニャ　Mantegna, Andrea　J90a, 3/S10a

ミケランジェロ　Michelangelo　J20, 5/J38a, 7/J39a, 1/J56a, 1

ミシエル　Michiels, Alfred(1813-1892)　オランダにルーツのあるフランスの歴史家，文芸・美術評論家．　Y5, 2/d2a, 2/d3, 1-2/r2, 3

ミシェル　Michel, Louise(1830-1905)　フランスの女性革命家，アナーキスト．パリ・コミューンに国民軍兵士として参加．1873年ニューカレドニアに流刑される．恩赦によって帰国し(1880)，煽動を再開する．著書に『コミューン』(1898)．ナダール撮影の写真がある．　a21, 5/k2a, 6

ミシュレ　Michelet, Jules(1789-1874)　フランスの歴史家，コレージュ・ド・フランス教授．民衆史，女性史の先駆者．『フランス史』(1833-1867)，『フランス革命史』(1847-1853)などの著書がある．　I=28/A7a, 1/B8, 3/D4, 5/I=394(F)/F7a, 6/J5a, 6/M15, 3/N5, 1/N6, 2/U16a, 2/V10, 3/W7, 3/a8a, 2/a16, 3/b1, 6/d6a, 5/d12a, 1/d16, 3/g2a, 4/r2a, 1

ミシュレ　Michelet, Victor-Emile(1808-1866)　フランスの劇作家，評

論家.　J10, 7
ミストラル　Mistral, Frédéric(1830-1914)　フランスの詩人. フェリブリージュ運動として知られるプロヴァンス文化ルネサンスの指導者. 叙事詩『ミレーユ』(1859)の著者. この叙事詩はプロヴァンス語とフランス語で書かれ, ある裕福な農場主の失恋した娘を描いている. 1904年にノーベル文学賞を受賞.　J14, 6
ミニェ　Mignet, François(1796-1884)　フランスの歴史家. アドルフ・ティエールとともに, 反王党派的な『ナシオナル』(1830)を創刊. 『フランス革命史』(1824)を書く.　p5, 3
ミヘルス　Michels, Robert　W4a, 2
ミュザール　Musard, Philippe(1789/92頃-1859)　フランスのダンス音楽の作曲家. ダンス・ホールの指揮者.　F8, 3/O9a, 5/P4a, 3/a4, 1
ミュッセ　Musset, Alfred de(1810-1857)　フランス・ロマン派の詩人, 劇作家. 作品に, 詩篇『夜』(1835-37), 戯曲『ロレンザッチョ』(1834)など.　J1, 1/J3a, 4/J13a, 5/J18, 3/J24a, 5/J32, 2/J36, 2/J58, 4/J62, 6/M5, 5/M11a, 3/a10, 4
ミュルジェール　Murger, Henri(1822-1861)　貧乏芸術家仲間「ボエーム」の生活を描いて名声を博したフランスの作家.　J32, 2/U8a, 4-5/d8a, 3/d10, 1/d15a, 1
ミュレ　Muret, Théodore(1808-1866)　フランスの詩人, 劇作家, 評論家.　A2a, 5-7/D2, 4/E2, 6/I=442(G)
ミヨー　Millaud, Moïse(1813-1871)　フランスのジャーナリスト. 銀行家. 多くの新聞を設立し, 『ル・プティ・ジュルナル』(1863)は大成功するも, 数々の金融スキャンダルで失脚.　a14, 5
ミラボー　Mirabeau, Honoré Gabriel Riqueti, comte de(1749-1791)　フランスの政治家. 父は重農主義者ヴィクトール・デ・ミラボー. 1789年, 三部会第三身分代表として革命当初の国民議会を指導. 「人権宣言」起草過程で決定的な役割を演じた.　J33a, 2/d11, 2
ミラン　Milland 原文誤植. 正しくは, ミヨー Millaud　U12a, 7
ミルクール　Mirecourt, Eugène(Jacquot)de(1812-1880)　フランスの

ジャーナリスト．一連の伝記的作品を書いたために，フランスを退去せざるをえなくなった． d3a, 8/d10a, 4

ミルボー Mirbeau, Octave (1848-1917) フランスの小説家，劇作家．戦闘的なジャーナリストとして出発し，風刺的な週刊誌『グリマス』(1882) を創刊した． I1a, 6

ミルボー／ナタンソン Mirbeau, Octave/Natanson, Thadée (1868-1951) ポーランド生まれのフランスの企業家．美術品蒐集家．批評家．『ラ・ルヴュ・ブランシュ』誌創刊者． d7, 3

ミレス Mirès, Jules-Isaac (1809-1871) フランスの金融業者，鉄道と新聞の後援者．1861 年に詐欺罪を宣告され，上告して結局は無罪をかちとるが，彼の信用は失墜した． A1a, 2/A2a, 1/Y2, 3/d14, 1

ムーア Moore, George M15, 2

ムケ Mouquet, Jules (1867-1946) フランスの作曲家． J18, 5/J19, 3-4/J37a, 6/J38, 2-3/J70, 4

ムーニエ Meunier, Isabelle [Isabella Mary Hack] (1822 頃-1919 以降) イギリス・ブライトン出身の作家，翻訳家．フーリエ主義者ヴィクトール・ムーニエ夫人．『デモクラシー・パシフィック』に載った彼女の仏訳でボードレールはポーを知った． J28a, 8

ムーリス Meurice, Paul G7a, 6

ムリリョ Murillo, Bartolomé Esteban (1617-1682) 南スペイン・アンダルシア派の画家．神秘的な宗教画と写実的な画風のタブローで知られる． N15, 4

ムンク Munch, Edvard (1863-1944) ノルウェーの画家．表現主義の先駆者．好んで病患と死をテーマに選んだ． S9a, 5

メイエール Meyer, E. d8a, 5/d9, 4

メイヤック Meilhac, Henri (1830-1897) フランスの劇作家．多くは L・アレヴィとの合作で発表．『美しきエレーヌ』(1864)，『フルフル』(1869)，『ルル』(1876) などのオペレッタや喜劇をつくった． G2a, 1

メサック Messac, Régis (1893-1945) フランスの作家，平和活動家．

C8a, 1/E10a, 3/I6a, 4/J3a, 5/M12a, 2/M13, 1/M13, 3-4/d14a, 3-4/d14a, 6

メーストル　Maistre, Joseph de (1753-1821)　フランスの外交官，作家．教皇至上論者でボードレールに大きな影響を与えた．主著『聖ペテルブルグ夜話』(1821)．　J8/J20a, 4/J27a, 1/J33, 1/J41, 4/J43a, 10/J64a, 2-5/J65, 1-65a, 1/J76a, 5/J80, 1/J86, 2/X12, 3

メソニエ　Meissonier, Jean Louis Ernest (1815-1891)　風俗画の小品で有名な画家．しばしば軍隊を題材にして細密な筆致で描いた．
Y7, 5

メーテルリンク　Maeterlinck, Maurice (1862-1949)　ベルギーの詩人，劇作家，エッセイスト．1896年にパリに定住し，象徴派の影響を受ける．主な作品『ペレアスとメリザンド』(1893)，『つつましき者たちの宝』(1896)，『青い鳥』(1908)など．　S3a, 2/S8, 8/S8a, 6/S9, 4

メナール　Maynard, François (1582-1642)　フランスの詩人．
K5a, 1/a12, 4

メナール　Ménard, Louis (1822-1901)　フランスの文士，化学者．高等師範学校で文学を学び，化学研究に従事．コロディオンを発見．
J45, 1/U2a, 1

メナール＝セヌヴィル　→メナール (Ménard)

メフメット・アリ　Mehmet Ali　U10a, 4

メリ　Méry, Joseph (1797-1866)　フランスの作家，劇作家．　D1a, 5

メリエス　Méliès, Georges (1861-1938)　フランスの奇術師，映画製作者．トリック撮影のパイオニア．作品に『月世界旅行』(1902)，『海底二万哩』(1907)などがある．　K4, 1

メリメ　Mérimée, Prosper　I＝81/J41a, 1/d10a, 3/g1a, 3

メリヨン　Meryon, Charles (1821-1868)　フランスの銅版画家．改造により消え去ろうとするパリの町並みを描いた「パリ風景のエッチング」などの作品がある．ユゴーやボードレールが称賛した．
I＝81/C7, 3/C7a, 1/E9a, 2/J1a, 5-2a, 3/J2a, 5/J6, 1/J22, 3/J33a, 6/J35, 4/J44, 6/J52, 5/J58, 2/J66, 7/J69, 1/J69, 7/J76, 4/J86a, 3/J90a,

3/J91, 1-3/J91a, 1/J91a, 3/L4a, 4/M9, 2/M16a, 3/M19a, 1-2
メーリング　Mehring, Franz(1846-1919)　ドイツの社会主義歴史家，文学史家，文芸批評家．ローザ・ルクセンブルクと「スパルタクス団」を結成し，ドイツ共産党創設に参加した．　G13a, 2/M4a, 4/N6a, 1/a6a, 3/k1, 1
メール　Maire, Gilbert(1887-1958)　フランスのジャーナリスト，哲学者．ベルグソンを慕いつつ，「アクション・フランセーズ」系の評論活動をした．　J19a, 3-6
メルシエ　Mercier, Jules(1835-1923)　フランスの弁護士，政治家．　U13a, 7/a12, 1
メルシエ　Mercier, Louis Sébastien　P1a, 4/P1a, 6/P3a, 4/P4a, 5/l1a, 4　→ピンカートン／メルシエ／クラマー
メレジュコフスキー　Merezhkovskii, Dmitrii Sergeevich(1866-1941)　ロシア革命後の1920年にパリに亡命したロシアの小説家，批評家．批評的作品，歴史小説，伝記，戯曲などを書く．　J43a, 9
モア　More, Thomas　J63a, 1
モーガン　Morgan, Lewis Henry(1818-1881)　アメリカの人類学者，考古学者．アメリカ・インディアンの生活を研究した．主著『古代社会』．　W10a, 1
モークレール　Mauclair, Camille(1872-1945)　フランスの批評家．文学，美術，音楽等々多方面にその才筆をふるった．メーテルリンク，ボードレール，ハイネ，ポー，マラルメなどについての研究がある．　J37a, 1/W5, 1
モーツァルト　Mozart, Wolfgang Amadeus　d14a, 2/g1a, 3
モット　Motte, Charles(1784-1836)　フランスの版画家，出版者．　E8, 5
モニエ　Monnier, Adrienne(1892-1955)　フランスの書店主，出版者，詩人．両大戦間にベンヤミンも含む多くの文学者，芸術家を応援した．　U17, 4
モニエ　Monnier, Henri(1799/1805-1877)　フランスの風刺画家，劇作

家.「プリュドム」というブルジョワの典型的なキャラクターをつくった. Y10a, 2/b1, 3-4/b1a, 5/b2, 4/i1, 2
モーパッサン Maupassant, Guy de M2, 9/T4a, 3-5, 1
モラン Morand, Paul G4, 5-6/H2a, 3/J43a, 1/N2a, 5/S2a, 6-3, 1
モリアンヴァル Morienval, Jean(1882-1964) フランスのジャーナリスト. 19世紀メディア人の伝記作家. U2a, 2-3
モリエール Molière[Jean Baptiste Poquelin] J24, 6/J40, 6/M17a, 1/U16, 1/d5, 2/d10, 4/k1, 2
モリナーリ Molinari, Gustave de(1819-1912) ベルギーの経済評論家. パリの論壇で活躍.『ジュルナル・デ・デバ』や経済誌の編集にたずさわる. U4, 1
モル Moll, Joseph(1813-1849) ドイツの時計職人, 革命家. V3, 2/a16, 4
モルナン Mornand, Félix(1815-1867) フランスのジャーナリスト. 旅行ガイドの先がけを著す. G14/L4a, 1-2
モレアス Moréas, Jean(1856-1910) ギリシア出身のフランスの重要な象徴派詩人.「ロマーヌ派」を結成. 詩集に『カンチレーヌ』(1890),『スタンス』(1899-1901)など. J33, 7
モレーヌ Molènes, Paul de(1821-1862) ボードレールの友人の貴族軍人. J30a, 4
モロー Moreau, Gustave J33, 5
モロー Moreau, Hégésippe[Pierre Jacques Roulliot](1810-1838) フランスの詩人. ベンヤミンが好んでいた. a7a, 2/a11, 1
モワラン Moilin, Tony(1832-1871) フランスの作家. サイエンス・フィクション『2000年のパリ』(1869)を著した. I=63/A8a, 2-3/A9a, 1/C5a, 3/J63a, 1
モングロン Monglond, André(1888-1969) フランスの文学史家, 歴史家. J86, 1/N15a, 1/V10, 3
モンスレ Monselet, Charles(1825-1888) フランスの評論家, ジャーナリスト. ボードレールが批評や詩を発表した『演劇週報』を創刊

(1851). J25, 1/J29, 10

モンタリヴェ Montalivet, Marthe-Camille Bachasson de(1801-1880) フランスの男性貴族．政治家． L3, 5

モンテギュ Montaigu, J. M17, 3

モンテスキュー Montesquieu, Charles de Secondat, baron de(1689-1755) アンシアン・レジームのフランスの文学者，政治思想家．『ペルシア書簡』(1721)，『法の精神』(1748)．革命後の憲法制定や立法に多大な影響を与えた． N6a, 1/d5, 2

モンテスキュー Montesquiou, Robert de(1855-1921) フランスの世紀末社交界の文士．ユイスマンスやプルーストはその審美的生活から想を得て小説に使ったとされる． N19, 2/Y8a, 3

モントリュ Montrue 原文誤植．正しくは，ムートン Mouton, Eugène (1823-1902) フランスの司法官，ユーモア作家．題名の「二人のフランス人」は自分と父 Louis Mouton. B4, 6

モントルグイユ Montorgueil, Georges[Octave Lebesgue](1857-1933) フランスのジャーナリスト，文学者．ベル・エポックのパリを描いたさし絵入りの本が多い． T1, 3

ヤ 行

ユイスマンス Huysmans, Joris Karl[Charles Marie Georges H.](1848-1907) フランスの作家，美術批評家．先祖はオランダの画家．内務省勤務のかたわら執筆活動を行い，自然主義から耽美主義に転じた．著作に，『さかしま』(1884)，『彼方』(1891)など． J35a, 6/M4a, 3/M17a, 3/O3a, 3/Z1a, 1

ユウェナリス Juvenalis, Decimus Junius J13a, 3/J32, 3/M8, 2

ユゴー Hugo, Victor I=38/I=81/C3, 7/C3a, 3/C4a, 1/C5, 1-5a, 1/C6; C6a, 1/C9, 3/I=266(D)/D10a, 3/E13, 1/F6, 3-6a, 1/G4a, 3/G12a, 4/I7, 1/I7, 3/J1, 1/J3a, 4/J4, 8/J5, 1/J9, 3/J9a, 1/J12a, 2-3/J14, 3/J18, 3/J18a, 1/J18a, 4/J19a, 7/J20, 1/J22, 6/J22a, 3/J23, 5-7/J24, 4/J24a, 5/J27a, 5/J30a, 3/J32, 1/J35, 6-35a, 2/J35a, 6/J36, 1-2/

J36a, 2/J38a, 2/J40a, 3-6/J41, 6/J42, 1/J43, 2/J44, 4/J50a, 3/J51a, 2/J58, 4-5/J59, 3/J61, 5/J62, 6/J81a, 1/J82a, 6/J86a, 1/J89, 2/L3a, 1-4, 1/L5, 4/III＝92(M)/M3a, 6/M8a, 2-3/M13a, 4/M15, 4/N7, 1/N8a, 2/N15a, 2/P3, 6/P3a, 7-4, 1/P4a, 1/Q4, 5/S7, 2/V5, 2-3/IV＝144(W)/Y5, 8/Z1a, 4/IV＝340(a)/a11, 3/a11a, 1-2/a13a, 8/a23, 2/d1a, 1/d2, 2-3/d2a, 3-4/d3, 2/d3, 6-3a, 2/d4a, 1/d5, 3-6/d5a, 2-6, 2/d6a, 1/d7a, 1/d7a, 4/d8a, 5/d10a, 4-11, 1/d11a, 3-12, 1/d13a, 1-3/d14, 8-14a, 2/d15a, 4-6/d16, 3/d16a, 4/d17, 2-17a, 2/d18a, 2/d19/l1, 1/l1a, 2/p1, 3

ユバール　Hubbard　U11, 4

ユルバック　Ulbach, Louis(1822-1889)　フランスの作家，劇作家，政治家.　I7, 1/d15a, 5

ユング　Jung, Carl Gustav　K2a, 5/K6, 1-3/M12a, 4/N8, 2-8a, 1/N11, 1/N18, 4

ヨエル，シャルロッテ　Joël, Charlotte　ベンヤミンのベルリン時代からの旧友で医者になったエルンスト・ヨエルの妻．エルンストはベンヤミンのハシッシュ体験にかかわった.　I2a, 1

ヨッホマン　Jochmann, Carl Gustav　K5a, 4/N6a, 3/N9, 7/N12, 1/N13, 1/O10a, 3-5/U16a, 4/V7a, 3/V7a, 5/Y9, 1

ラ　行

ライク　Reik, Theodor　K8, 1-2

ライヒャルト　Reichardt, Johann Friedrich　G1, 5/G3, 2

ライプニッツ　Leibniz, Gottfried Wilhelm　G1a, 4/r3, 1

ラヴィス　Lavisse, Ernest(1842-1922)　フランスの歴史学者.　A6, 2/U8a, 3

ラヴェルダン　Laverdant, Gabriel-Désiré(1809-1884)　ジャーナリスト．フーリエ主義の新聞『デモクラシー・パシフィック(平和的民主主義)』の批評家.　E8a, 2/W9, 1/d18a, 3

ラヴォカ　L'Advocat, Camille[Pierre-François L'Advocat](1791-1854)

19世紀パリのパレ＝ロワヤルにあった書店・出版社の社主．　K5

ラヴォワジエ　Lavoisier, Antoine Laurent de(1743-1794)　近代化学の創始者．フランス王政下の徴税請負人．パリの入市税取立て門の発案者として不人気で，大革命時処刑される．　U11a, 4

ラヴダン　Lavedan, Henri(1859-1940)　フランスのジャーナリスト，劇作家．初期無声映画『ギーズ公の暗殺』のもとの戯曲の作者．　G2a, 1

ラウマー　Raumer, Friedrich von　E8, 3-4/K4a, 2/O10, 5/l1, 12

ラカンブル　Lacambre, Louis Antoine(1815-1894)　フランスの医師．ブランキの姪の夫で，彼をかくまった．　J92, 5

ラグランジュ　Lagrange, Joseph Louis(1736-1813)　フランスの幾何学者，天文学者．パリ大学，エコール・ノルマル(1795)，ポリテクニク(1797)教授．ナポレオン1世治下の上院議員．　r2a, 1/r3, 1

ラクルテル　Lacretelle, Jacques de(1888-1985)　フランスの小説家．　L1, 4/M20, 1

ラクロ　Laclos, Pierre Choderlos de(1741-1803)　フランスの軍人，作家．ナポレオン軍の将軍．著作に，『危険な関係』(1782)など．　J11, 6/J20a, 2

ラコッサード　Lacaussade, Auguste(1815-1897)　フランスの詩人，翻訳者，図書館館長．　J26, 3

ラ・ゴルス　La Gorce, Pierre de(1846-1934)　フランスの法律家，歴史学者．　U6, 5/U7, 1/a7, 1/g2a, 2

ラコルデール　Lacordaire, Henri(1802-1861)　フランスの重要な宗教家，ジャーナリスト，政治家．アカデミー・フランセーズ会員．　J25a, 1/J27a, 7/d13, 3

ラサイー　Lassailly, Charles(1806-1843)　ボヘミアン詩人，作家．しばらくバルザックの秘書をしていた．極貧のうちに死去．　d15a, 1

ラサーヴ　Lassave, Nina(1819-1867)　ルイ＝フィリップ王暗殺をもくろんだフィエスキの共犯者．多くの版画の題材になる．　G11, 3

ラサール　Lassalle, Ferdinand　X5, 4

ラシェル　Rachel[Elisa Félix](1820-1858)　フランス19世紀，もっとも名高い舞台女優の一人．ユダヤ系．少女的美貌をもち，フランス古典悲劇の名演技で成功をおさめた．　A1a, 4/P5, 2

ラシーヌ　Racine, Jean　D1a, 5/J9, 3/J11, 2/J17, 2/J43, 6/J43a, 1/J86, 3/U16, 1/V8a

ラ・シャンボーディ　La Chambaudie, Pierre(1806-1872)　サン＝シモン派の作家．寓話や詩や評論を書いた．ブランキと交流．　J29, 9/U13a, 5

ラジョ　Rageot, Gaston(1871-1942)　フランスの小説家，文芸批評家．　O13, 5

ラスキン　Ruskin, John　F5, 1/J12a, 1

ラステイリ　Lasteyrie, Charles Philibert de(1759-1849)　フランスの農学者，篤志家．石版技術を導入．　Y3, 3

ラスネール　Lacenaire, Pierre-François(1800-1836)　フランスの作家．殺人を犯し，処刑される前に獄中で『回想と啓示』を書いた．映画『天井桟敷の人々』(1945)のモデルの一人．　A7a, 6/a3a, 1/a9, 2

ラティエ　Rattier, Paul-Ernest de(1828-？)　フランスの作家．著作に『パリは存在しない』(1857)．多くの筆名を使った謎の文学者．
E7a, 4-8, 2/J86a, 3/M3, 5/M7a, 6-8, 1/P3a, 5-6/P4, 1/r2a, 2

ラパラン　Lapparent, Albert de(1839-1908)　フランスの地質学者．
F7, 5-7a, 1/F7a, 3/r1, 3

ラ・ファイエット　La Fayette, Marie Joseph de(1757-1834)　政治家，軍人．アメリカ革命に参加．フランス革命では人権宣言の起草にあたり，国民軍(ギャルド・ナシオナル)を創設した．王政復古後国政に復帰し，七月革命では国民軍司令官となった．　E5, 2/d13, 3

ラファエッロ　Raffaello　D1, 2/H3, 1/I2, 5/J19a, 2/J38a, 7/J39a, 1/W9, 1/Y7, 1/d14a, 2

ラファエル　Raphael, Max(1889-1952)　ナチ台頭後フランスで執筆した，ユダヤ系ドイツ人のマルクス主義美術史家．亡命先アメリカで自殺した．　K2a, 6/N4, 5/N4a, 1/k2a, 1

ラファルグ　Lafargue, Marie(1816-1852)　フランスの，夫の毒殺容疑で有罪となり，終身懲役刑の判決を受けるが無実を主張し続け，1852年恩赦を勝ち取った女性.　Q2, 2

ラファルグ　Lafargue, Paul(1842-1911)　キューバ生まれのフランスの社会主義者，作家．マルクス，エンゲルスの盟友(マルクスの次女ラウラと結婚)．ゲードとともにフランス労働党を結成し，下院議員となる．晩年は老いて生き永らえることを拒否し，妻とともに自殺した.　I=48/D3, 6/N6, 4/O4, 1/U3, 2/U3a, 2/V3, 1/W3, 4-3a, 2/X11a, 4/a8a, 1/g2, 2-3

ラフィット　Laffitte, Jacques(1767-1844)　立志伝中の経済人．フランス銀行総裁．政治家．ルイ＝フィリップを支持し，1830-31年財務大臣となった.　a18a, 2

ラフェ　Raffet, Auguste(1804-1860)　フランスの画家，挿絵版画家．大革命やナポレオン時代の戦場図で知られる.　E9a, 3/M14, 4/i1, 7/i1a, 3

ラフォルグ　Laforgue, Jules (1860-1887)　フランスの詩人，批評家．象徴派を代表する詩人.　J9, 4-5/J9, 9-9a, 1/J10a, 1/J10a, 3/J59a, 1/J86a, 3/d15a, 4

ラフォルグ　Laforgue, René(1894-1962)　フランスの精神科医，精神分析医．ボードレールを扱った著書が有名.　J17, 4-5/J17, 7

ラプラス　Laplace, Pierre Simon de(1749-1827)　天文学者，数学者．著作に『回転楕円体の引力と惑星の形態についての理論』(1785)，『確率についての哲学的試論』(1814).　W10, 3/r2a, 1/r3, 1

ラ・プラティエール　La Platière, Roland de(1734-1793)　フランスの経済学者，ジロンド派の政治家．獄中で書いた『回想録』をのこしたロラン夫人の夫．妻がギロチンで処刑された後自殺した.　G4a, 5

ラプラド　Laprade, Victor-Richard de(1812-1853)　フランスの詩人，大学教授，政治家.　J18, 3/J24a, 5

ラ・ブリュイエール　La Bruyère, Jean de　J87, 4/O2a, 5/Z2a, 2

ラブルースト　Labrouste, Pierre François Henri(1801-1875)　フラン

スの建築家.　F1a, 4/F7a, 1/F8, 4
ラブレー　Rabelais, François　L3a, 2/U14, 1
ラベドリエール　Labédollière, Emile Gigault de(1812-1883)　フランスのジャーナリスト，弁護士，文学者．ロマン主義者の世代に属し，パリを題材にした．　C3, 7/E1, 4/E1, 8/E2a, 5-6/P2, 5/Q2a, 1/Q3, 1
ラポワント　Lapointe, Savinien(1812-1893)　フランスの詩人，シャンソニエ．　J1, 4/a10, 5/d6a, 3
ラマルク　Lamarque, Jean Maximilien(1770-1832)　フランスの政治家，革命軍の将軍．　A6a, 2
ラマルティーヌ　Lamartine, Alphonse de(1790-1869)　フランス文学におけるロマン主義運動の形成に貢献した詩人，雄弁家．1848 年の臨時政府の外務大臣．『瞑想詩集』(1820)，『ジロンド党史』(1847)などを書く．　D3a, 4/D4a, 3/D9a, 1-2/E1a, 7/E13a, 1/J1, 1/J3a, 4/J24a, 5/J26a, 6/J27a, 4/J51a, 2-3/J62, 6/J73a, 4/J76, 6/J86a, 2/P3a, 3/V9, 3/a13a, 8/a16, 3/a20a, 4/d1, 2/d5, 2/d6a, 1/d7, 7/d10a, 1/d10a, 4-11, 2/d12, 2/d12a, 1/d13, 3/d15a, 5/d16, 3/d17a, 4/d18, 5/d18a, 1/g1a, 1/r2, 3/r3, 3
ラミ　Lami, Louis Eugène(1800-1890)　フランスの歴史画家，挿絵画家．ボードレールに賞賛される．　i1, 2
ラムネー　Lamennais, Félicité Robert de(1782-1854)　フランスの司祭，哲学者．宗教問題における自由を擁護して非難され，破門される．　J42a, 1/a7a, 7/d13, 3
ラムフォード伯　Rumford, Count[Benjamin Thompson](1753-1814)　アメリカ生まれの自然科学者，行政家．バイエルン選帝侯から爵位を授けられた．ラヴォワジエの未亡人と結婚．1802 年からパリ在住．　a12a, 5
ラ・メトリ　La Mettrie, Julien Offroy de(1709-1751)　フランスの医者，唯物論の哲学者．『霊魂の自然史』(1745)を著す．　J80, 1
ラ・モット・フーケ　La Motte-Fouqué, Friedrich de　J24, 6
ラリヴィエール　Larivière, Philippe-Charles de(1798-1876)　ルイ＝フ

ィリップがヴェルサイユに建てた美術館のために戦争場面を描いた画家. L2, 1

ラルシェ Larchey, Etienne-Lorédan(1831-1902) パリのアルスナル図書館司書. 歴史家, 言語学者, 時事評論家, 雑誌『ラ・モザイク』の創刊者. J12a, 6-7

ラールス Lahrs, S. F. L2, 4/R1a, 4

ラルース Larousse, Pierre(1817-1875) フランスの辞典執筆者. 『19世紀ラルース万有大事典』(17巻)の著者. A9, 1/D4, 1/M18a, 3/M19, 5/M20a, 1/d11, 3-11a, 1

ラルボー Larbaud, Valery M1a, 2

ラ・ロシュジャクラン La Rochejaquelein, Henri Auguste(1805-1867) 下院における王党派指導者(1842-48). のちに第二帝政下では上院議員となる. a21, 1

ラロンズ Laronze, Georges(1882-1964) フランスの歴史家. C8a, 4-5/E3a, 1-5/E4, 1/V9a, 2-3/V9a, 5/k4, 3-5/p4a, 3-4

ラングレ／ヴァンデルビュルク Langlé, Ferdinand(1798-1867) フランスの劇作家, ジャーナリスト. /Vanderburch, Louis-Emile(1794-1833) フランスの劇作家. I=35/I=65/I=442(G)

ラングロワ Langlois, Eustache-Hyacinthe(1777-1837) フランスの画家, 版画家. J15a, 5/J26, 2

ランゲ Linguet, Simon-Nicolas-Henri(1736-1794) フランスの著述家, ジャーナリスト, 弁護士. 革命時に処刑. Q1, 3

ランシー Rency, Georges(1875-1951) ベルギーの文芸批評家. 王立アカデミー会員. J12, 1-3

ランビュトー Rambuteau, Claude-Philibert Barthelot, comte de(1781-1869) 七月王政下のセーヌ県知事. l1, 2

ランフランキ Lanfranchi, Louis Rainier[Etienne Léon de Lamothe-Langon](1786-1864) フランスの小説家, 歴史家, 回想録執筆者. K3, 1

ランペリー Lampélie 女人の姿をした光のアレゴリー. Hélion(太陽)

を父にもつLampélie(光)は，写真の発明家ダゲールを讃えたルメルシエの長篇詩の要である． Q3a, 1/Y3, 1
ランボー Rimbaud, Arthur I＝52/I＝85/I＝94(A)/A2, 7/J62, 6/J82, 3-4/N7, 1/d2, 1/k1a, 2
リウィウス Livius, Titus D3a, 2
リヴィエール Rivière, Jacques(1886-1925) 小説家で批評家．『新フランス評論(N. R. F)』の編集長を1919年から25年にかけて務めプルーストやニジンスキーを擁護した． J16, 2/J16a, 3-7
リエベール Liébert, Alphonse(1827-1913) ベルギー生まれのフランスの写真家．元海軍将校．コミューン時パリに留まり，被害区域を撮影． E8, 6
リオン Lion, Ferdinand(1883-1968) スイスのジャーナリスト，評論家． M9, 4
リオン Lion, Margo(1899-1989) ベルリンの大衆的なキャバレー芸能人．1931年のブレヒトの『三文オペラ』パリ公演で海賊ジェニーの役を演じた． G1a, 1
リカードゥ Ricardo, David X10a/X12, 1
リカール Ricard, Louis-Gustave(1823-1873) フランスの肖像画家．ゴーティエ，ボードレール，ナダールに賛美された． J32a, 7/d7, 7
リケ Riquet, Pierre(1604-1680) フランスの技師．地中海と大西洋を結ぶラングドック運河の建設を企図．ルイ14世の治下この計画に私財を投下し，運河は彼の死の6カ月後に完成した． U2a, 4
リゴー Rigault, Raoul(1846-1871) フランスのジャーナリスト，理工科学校出身の革命家．コミューン時に射殺される． V9a, 2
リサガレー Lissagaray, Prosper(1838-1901) ジャーナリスト，歴史家．パリ・コミューンに参加したのち，イギリスに移住． a8, 4
リシュリュー Richelieu, Armand-Jean du Plessis de m1a, 4
リスボンヌ Lisbonne, Maxime(1839-1905) フランスのジャーナリスト，政治家．コミューン後，流刑．のちに演劇，ジャーナリズムで活躍． d3a, 1

リップス　Lipps, Theodor　B9, 4
リニエール　Lignières, Jean de(1925-2020)　フランスのジャーナリスト，作家.　d12a, 2-3
リーフデ　Liefde, Carel Lodewijk de(1887-1962)　オランダの文学史家.　J1, 2-3/J1a, 1/O9, 6/U13a, 3/U13a, 7/a10, 2/d6a, 4/g3a, 1
リムーザン　Limousin, Charles-Mathieu(1840-1909)　フランスのジャーナリスト．父アントワーヌと親子でインターナショナルに関わる．1870年9月国防政府成立後，植字部隊長.　W1, 4/W5a, 1-3
リメラック　Limayrac, Paulin(1816-1868)　フランスのジャーナリスト，雑誌編集長.　I4a, 2/d1, 4-5
リャザノフ　Rjasanoff, N.　W4, 2
リャザノフ　Rjazanov, David Borisovich　G5, 2-5a, 1/S6, 2/U6, 3/a5a, 4
リュカ　Lucas, Hippolyte(1807-1878)　フランスの詩人，劇作家，アルスナル図書館館長.　C8a, 2
リュカ／バレ　Lucas, Hippolyte(1807-1878)/Barré, Eugène(18??-18??)　『天国と地獄』台本作者.　III＝428(S)
リュカ＝デュブルトン　Lucas-Dubreton, Jean(1883-1972)　フランスの歴史家，伝記作家.　A6a, 1/P3a, 3/d1, 3/d4, 1-2
リュフ　Ruff, Marcel-A.(1896-1993)　フランスの文学史家.　J86a, 3
リュメ　Lumet, Louis(1870-1923)　フランスの作家.「皆のための芸術運動」を展開.　III＝194(N)/d4a, 3/d4a, 5-5, 2/d6, 3
リュリーヌ　Lurine, Louis(1812-1860)　フランスのジャーナリスト，劇作家，パリの街の歴史家.　C7, 2/M7, 6/O7a, 4/P4a, 4/Q4, 2/T3a, 4/U12, 2/d4, 4
リューレ　Rühle, Otto　G5, 1
リルケ　Rilke, Rainer Maria　B1, 5/S4a, 2/S9, 2
リンダウ　Lindau, Paul　Z1, 5
リンフェルト　Linfert, Carl　F7, 4
ルアンドル　Louandre, Charles(1812-1882)　フランスの歴史家，書誌

学者. J92, 1/M7a, 2/U14, 6/V4a, 4/W7, 6/a13, 3/d4a, 2/d9, 2/k2a, 4/k4, 8/p1a, 1

ルイ Louis, Paul[Paul Lévy](1872-1955) フランスのジャーナリスト，歴史家．多くの筆名を使った． a15, 5/g3a, 5

ルイ Louis, Victor[Louis-Nicolas Louis](1731-1800) フランスの建築家． F8, 4

ルイ11世 Louis XI(1423-1483) 1461年即位のフランス王． Q2, 2

ルイ14世 Louis XIV(1638-1715) ヨーロッパ史上最長の在位期間(1643-1715)を誇るフランス王．その治世のあいだ絶対王政の最盛期をなし，フランス芸術は黄金時代にあった． E14a/L5a/M7a, 3/Q1, 2/b1a, 2/k1, 2

ルイ16世 Louis XVI(1754-1793) 1774年即位．財政刷新に努力するも大革命を誘発．国民公会により断頭台で処刑される． C2, 1/P4a, 2/U2, 1/W7, 6

ルイ18世 Louis XVIII(1755-1824) 大革命中は亡命者．ナポレオンの失脚とブルボン朝復活によってフランス王となる．1814-15年，1815-24年に統治した(ナポレオンの百日天下のために短期間退位)． A1a, 9/O10, 5

ルイス Louÿs, Pierre[P. Louis](1870-1925) フランスの詩人，小説家．詩『アスタルテ』(1891)，小説『アフロディト』(1896)などを書く． J19, 4/S3, 1

ルイ・ナポレオン →ナポレオン3世

ルイ＝フィリップ Louis Philippe I=39-40/I=49/I=69/I=71/I=81/A2, 2/A2, 4/A2, 12/A5a, 2/A9a, 2/D1a, 1/D1a, 6/E1, 7/E1a, 1/E5, 1-2/F4a, 6/G11, 3/I4, 1/I7, 2/J30, 3/J35, 1/O2, 5/O9, 1/O9a, 6/P1, 1/U1a, 1/U5a, 2/V1, 2/V1, 5/V1a, 2/V3, 1/V4, 5/V6a, 1/a6, 3/a7a, 5/a8, 3/a9a, 1/a18a, 8/b1, 5/b1, 7/d14a, 3/d16, 5/g1a, 2/i1, 5/l1, 10/r3a, 3

ル・ヴァヴァスール Le Vavasseur, Gustave(1819-1896) 作家，ボードレールの親友． J9, 7/J26a, 6/J27, 9/J37a, 6

ルヴァスール　Levasseur, Emile(1828-1911)　フランスの経済学者，歴史・地理学者，コレージュ・ド・フランス管理人.　A2, 4/E1a, 2/E2, 1/F1a, 3-4/I1, 1/R1a, 2

ルヴァロワ　Levallois, Jules(1829-1903)　フランスの文芸評論家．サント＝ブーヴの秘書.　J7a, 3-5/d15a, 1

ルカーチ　Lukács, György　I2, 3/J39a, 1/N8a, 1

ルカヌス　Lucanus, Marcus Annaeus(39-65)　コルドバ生まれのローマの詩人．ネロに対する陰謀にくみし裏切られる．多くの作品を発表したが，唯一現存する作品に，カエサルとポンペイウスの内戦を歌った叙事詩『ファルサリア』がある.　J32, 3/J53, 5-6/J83, 1

ルクス　Lux, Joseph August　F4a, 7

ルーゲ　Ruge, Arnold(1802-1880)　ドイツの社会主義者．マルクスとともにパリで『独仏年誌』を発刊するが1号で終わる.　U16a, 2/a14a, 3

ル・コルビュジエ　Le Corbusier[Charles Edouard Jeanneret]　E2, 9-10/E2a, 1/E5a, 6/I1a, 8/L1a, 4-5/M1a, 4/M3a, 3/N1a, 5

ルコント　Lecomte, Jules(1810-1864)　フランスのジャーナリスト，小説家，劇作家．ベルギーの新聞に「パリ通信」を送る.　I5, 5/O8a, 1

ルコント・ド・リール　Leconte de Lisle, Charles(1818-1894)　幻滅と懐疑主義の詩人，高踏派の指導者．『古代詩集』(1852)，『夷狄詩集』(1862)などの著者.　J1, 3/J4a, 5/J9a, 1/J19, 4/J33a, 1/J37, 2/J45a, 1/J62, 6/W3, 3

ルサージュ　Lesage, Alain(1668-1747)　フランスの小説家，劇作家．ピカレスク小説の傑作『ジル・ブラス・ド・サンティヤーヌの物語』(1715-35)を書く.　M13, 3

ルージェ・ド・リール　Rouget de Lisle, Claude(1760-1836)　フランス軍の士官．「ラ・マルセイエーズ」を作詞・作曲した.　K5a, 1/a11, 4

ルージュモン　Rougemont, Michel-Nicolas Balisson(1781-1840)　フランスのジャーナリスト，小説家，劇作家.　A2a, 6/D2, 4

ルソー　Rousseau, Jean-Jacques　D9a, 5/I7a, 3/I8, 2/J6, 4/J14, 4/J64a,

2/J86, 1/J89a, 2/J91, 6/M20, 1/N5, 1/N6a, 1/N15a, 1/W12a, 4/m4a, 1

ルター　Luther, Martin　G3a, 3/N6a, 1/U16, 3

ル・ダンテック　Le Dantec, Yves G.(1898-1958)　フランスの詩人，文学史家，司書．　J28a, 6

ルドゥ　Ledoux, Claude-Nicolas(1736-1806)　フランスの建築家．ショーの「理想都市」のための設計図を書く．これはアルケ＝スナンの製塩所の拡張として構想された．　E10a, 6/U17, 1-3/W17a, 4/r4, 1-3

ルドリュ＝ロラン　Ledru-Rollin, Alexandre(1807-1874)　フランスの法律家，政治家，1841年から下院のメンバー．1848年の革命の指導者であり，臨時政府の内務大臣．フランスへの普通選挙権の導入に貢献した．　V6a, 2/a14, 6/a17, 1/d11, 3

ルドン　Redon, Odilon(1840-1916)　フランスの画家，版画家．象徴派の文学者と親しく，幻想的な作風を展開した．　I＝73/H1a, 1/M6a, 1/R1a, 5/R2a, 3/S7a, 3/S7a, 6

ルナール　Renard, Georges(1876-1943)　フランスの弁護士，法哲学者，大学教授．カトリック系の社会活動を行う．　d7, 8

ルナール　Renard, Jules　J67a, 5/J87a, 4

ルナン　Renan, Ernest(1823-1892)　フランスの宗教史家，言語学者．聖職につかず，学者に転じたルナンの合理主義的歴史観は多大な影響を及ぼした．キリスト研究『イエスの生涯』(1863)や自伝『幼青年時代の思い出』(1883)は広く読まれ，散文の文体の模範とされた．　I＝35/G4, 5/G13a, 3/S6, 4-6a, 1/X2a, 1

ルニョー　Regnault, Jean Baptiste(1754-1829)　フランスの画家．　A11, 1

ルヌヴィエ　Renouvier, Charles(1815-1903)　フランスの哲学者．サン＝シモン主義の影響を受け，左翼系雑誌に寄稿．文部大臣カルノーのもとで『人間と市民の共和主義の手引き』を書くが，ルイ・ナポレオンのクーデタ後は政治から退き，多くの哲学書を著した．　d5, 5

ルノドー　Renaudot, Théophraste(1586-1653)　フランスの医師，ジャ

ーナリスト．広告業，新聞の草分け．　U12, 3

ルパージュ　Lepage, Auguste(1835-1908)　フランスの小説家，エッセイスト．　E9, 2/V6a, 1/a14, 6

ルフーヴ　Lefeuve, Charles(1818-1882)　フランスの作家，時事評論家．考古学的・歴史的研究『パリの古い家』(1857-64)で知られる．
A1a, 5-7/C1a, 3/M1, 5

ル・ブルトン　Le Breton, André(1808-1879)　フランスの批評家．『バルザック　人物と作品』(1905)の著者．　M13, 1/M14, 2/M17, 1

ル・プレー　Le Play, Frédéric(1806-1882)　フランスの技師，経済学者．上院議員(1867-70)．『ヨーロッパの労働者』(1855)を著す．
I＝51/I＝84/E6, 1/G6a, 3/G9, 1-2/G14a, 2/a1, 5/a1a, 2-4/a15a, 2/d8, 4

ルペルティエ・ド・サン＝ファルジョー　Lepeletier de Saint-Fargeau, Louis-Michel(1760-1793)　フランスの山岳派の政治家．義務教育や無償教育を提案．　I2, 1

ルーベンス　Rubens, Peter Paul　I2, 5

ルボン　Lebon, Philippe(1767-1804)　フランスの化学者，技師．照明へのガスの使用を開発．　T2, 3/U2, 1

ル・マパー　le Mapah　→ガノー

ルメートル　Lemaître, Jules(1853-1914)　フランスの作家，文芸批評家．『ジュルナル・デ・デバ』と『両世界評論』のスタッフ．
J15, 1-2/J15a, 1-2/J55a, 1/J59a, 1

ルメール　Lemer, Julien(1815-1893)　フランスの劇作家，出版者．
T3, 2

ルメルシエ　Lemercier, Louis Jean Népomucène(1771-1840)　フランスの劇作家，詩人．ロマン主義にたいする古典悲劇の支持者，フランス歴史喜劇の創始者．　I4a, 3-4/Q2a, 3/Q3a, 1/Y3, 1/Y5, 2

ルモニエ　Lemonnier, Camille(1844-1913)　ベルギーの小説家，芸術批評家．　J12, 1/J18a, 3/J25, 7/J36a, 3

ルモニエ　Lemonnier, Léon(1890-1953)　筆名 Jean Louvre．探検文学

作家，評論家.　J41a, 1

ルモン／ヴォワヴネル　Remond, Antoine(1917-1998)　フランスの神経内科医．/Voivenel, Paul(1880-1975)　フランスの神経内科医，著作家.　J17a, 4

ルーラン　Rouland, Gustave(1806-1878)　フランスの弁護士，判事，政治家，フランス銀行総裁.　J26, 3

ルルー　Leroux, Pierre(1797-1871)　サン＝シモン主義の哲学者，経済学者．1824年から『グローブ』紙の編集者．1851年から59年まで亡命．主著『人間論』(1840)，『平等論』(1848)など.　U3, 3/U13, 1/U16a, 2

ルロワ　Leroy, Maxime(1873-1957)　フランスの法律家，社会思想史家.　U11, 1-2/U11, 4-5/U11a, 2-4/IV＝226(X)/d3a, 3/d5, 7-5a, 1

レアル　Rhéal, Sébastien[Sébastien Gayet]　詩人．ダンテの訳者.　G7a, 6

レイ　Rey, Jean(1773-1849)　カシミール・ショール製造業者．1823年にメダル受賞.　A6, 1/O8a, 2/O9, 4

レーヴァルト　Lewald, August　I2a, 5/Q1a, 6

レヴィ　Lévy, Michel(1821-1875)　19世紀フランスの最大の出版社の創立者．ボードレールによるポーの翻訳と，詩人の死後その『全集』を出版した.　J26, 4/J29, 6

レヴィック＝トルカ　Levic-Torca[Victor Leca](20世紀前半に活動)　フランスの作家．パリの夜を描いた.　O1a, 2

レーヴィット　Löwith, Karl　D8a, 4/D9, 4/D9, 6/D10, 1/J77a, 2/J80a, 3-81, 1/S9, 2/a14a, 3

レオトー　Léautaud, Paul　A3, 1/A3, 3/E2, 8

レオナルド・ダ・ヴィンチ　Leonardo da Vinci　J15, 3/M6a, 1/N18a, 2/S6, 1/Y6, 3/r3, 2

レオパルディ　Leopardi, Giacomo(1798-1837)　イタリアの詩人，古典学者．厭世的な詩作で有名．詩集『カンティ』，『随想集』などの著作がある.　I＝37/I＝68/I＝158(B)/J33, 2/N18a, 1

レクシス　Lexis, W.　U6, 3

レジェ　Léger, Fernand　E7, 3

レジャ　Réja, Marcel[Paul Meunier](1873-1957)　フランスの精神科医．芸術愛好家．象徴派詩人．　I=45/III=92(M)

レセップス　Lesseps, Ferdinand de(1805-1894)　フランスの外交官，マドリッド駐在のフランス公使(1848-49)．スエズ運河を開削(1859-69)．パナマ運河開削も計画するが果たさず．　U1, 6/U8a, 5

レッシング　Lessing, Julius　G5a, 5-G6; G6a, 1/G8, 1-2/S5, 1

レティフ・ド・ラ・ブルトンヌ　Restif de La Bretonne, Nicolas[Nicolas Restif](1734-1806)　フランスの小説家．代表作に革命下の民衆の生活を描いた『パリの夜』(1888-92)がある．「貧民窟のルソー」と呼ばれた．　N7, 1/W9, 2

レーテル　Rethel, Alfred(1816-1859)　ドイツの歴史画家．　J5a, 6

レーデルン　Redern, Sigismund(1767-1841)　プロシアの外交官．英国駐在大使のとき，サン＝シモンの社会思想に共感し，共同事業者となる．　U11, 1

レー＝ドイッチュ　Ley-Deutsch, Maria(1898-1999)　ウィーン生まれの舞踊家．パリ・ソルボンヌ大学文学博士．エルヴィン・ピスカトールと再婚．　d14a, 2

レーナック　Reinach, Salomon(1858-1932)　フランスの宗教学者，考古学者．　F4a, 5

レニエ　Régnier, Henri de　J10a, 2

レーニン　Lenin, Vladimir Iliich(1870-1924)　ロシア革命の指導者．ソビエト政府初代首班．主著『国家と革命』『帝国主義論』など．　K3a, 1/N17

レノー　Reynaud, Ernest(1864-1936)　フランスの詩人，作家．　J41a, 4-9/J42, 8-42a, 1

レノー　Reynaud, Jean(1806-1863)　サン＝シモンの影響を受けた哲学者で著書に『地上と天国』がある．この本はペリグーの司教会から禁書にされた．　D9a, 3/D10, 4/J89, 3

レノルド　Reynold, Gonzague de (1880-1970)　スイスの歴史家．著書に『デモクラシーとスイス』『悲劇のヨーロッパ』など．　J41a, 4/J42a, 1/J45a, 3-5

レミー　Remy, Antoine　聖職者[Jacques Rémy Antoine Texier] (1813-1859)か．　a5a, 2

レーモン　Raymond, Marcel (1897-1981)　スイスの文芸評論家．　C8a, 3

レリス　Leyris, Pierre (1907-2001)　フランスの英米文学翻訳者．　J70a, 10

レルシュタープ　Rellstab, Ludwig (1799-1860)　プロシアの作家，詩人，音楽批評家．1843年のパリについての著作やナポレオン時代を描いた小説『1812』(1834)がある．　M8, 4/d5a, 3/l1a, 1

レルミニエ　Lerminier, Eugène (1803-1857)　フランスの法制史家．　W1a/a13a, 8-14, 4

レンブラント　Rembrandt, Harmenszoon van Rijn　N15, 4

ロヴァンジュール　Lovenjoul, Charles de Spoelberch de (1836-1907)　ベルギーの貴族，文筆家，蔵書家．コレクションは現在フランス学士院に移転している．　J7a, 5/J9a, 3

ローエンシュタイン　Lohenstein, Daniel Casper von (1635-1683)　悲劇，抒情詩集，小説を書いたドイツの作家．ベンヤミン『ドイツ悲劇の根源』で取り上げられている．　J75a

ロクプラン　Roqueplan, Nestor (1804/05-1870)　フランスの批評家．パリ・オペラ座の監督．　d15a, 1/d16, 2

ロジエ　Rogier, Camille (1810-1896)　フランスの画家．ネルヴァルの友人として東方を旅行．　d15a, 1

ロシュフォール　Rochefort, Henri (1830-1913)　フランスのジャーナリスト，劇作家，政治家．1868年に風刺誌『ラ・ランテルヌ』を創刊してナポレオン3世を批判した．パリ・コミューンに参加．代表作に『偉大なるボヘミアン』など．　Z1a, 2/d13a, 4/k1, 2

ロース　Loos, Adolf (1870-1933)　チェコ生まれの建築家，デザイン批

評家．アール・ヌーヴォーに反対した．第一次大戦後のヨーロッパにおけるモダニズム建築確立の指導者．ウィーンとパリに住んだ．
S8a, 1

ロスチャイルド　Rothschild, James Meyer(1792-1868)　フランクフルトの両替商だったユダヤ人マイヤー・アムシェル Meyer Amschel Rothschild の五男．パリに移住し，ナポレオン後の王政復古政府とルイ＝フィリップを財政面で支えた．　a11, 2/a20a, 4/d14, 1

ロスチャイルド　Rothschild, Nathan Meyer(1777-1836)　前記マイヤー・アムシェルの三男．ロンドンに渡ってロスチャイルド銀行を創設し，イギリスのナポレオン戦争の戦費をまかなった．　U1, 5

ロセッティ　Rossetti, Dante Gabriel　J18, 6

ロダン　Rodin, Auguste　J33, 5/J37a, 1

ロッシーニ　Rossini, Gioacchino Antonio(1792-1868)　イタリアの著名なオペラ作曲家．代表作に『セビリアの理髪師』など．　O2a, 4

ロッツェ　Lotze, Hermann(1817-1881)　ドイツの哲学者．プラトンのイデアを価値の視点から解釈しなおす目的論的観念論の創始者．主著『ミクロコスモス』(1856-58)．　B10a, 1/G16, 5/J83a, 1-2/J83a, 4/N13, 2-13a, 3/N14a, 1-5

ロップス　Rops, Félicien(1833-1898)　ベルギー系フランス人の画家，版画家．ボードレールの友人．　J16, 3/J26, 2/J33, 5

ローデンバック　Rodenbach, Georges(1855-1898)　ベルギーのフランス語詩人．象徴主義の影響を受けたその作品は 19 世紀ベルギー文学の精華といってよい．代表作『死都ブリュージュ』(1892)．
J35a, 3-6/J36a, 6

ローデンベルク　Rodenberg, Julius　A2, 11/A2a, 1/A2a, 3/A2a, 8/C2a, 1/D2, 3/M3a, 1

ロートシルト　→ロスチャイルド

ロドリグ　Rodrigues, Olinde(1795-1851)　フランスの知識人でユダヤ系の銀行家．サン＝シモンの主助手を務め，後に最初のサン＝シモン著作集の編纂を行った．　J1, 4/a10, 2/a10, 5/a10a, 2/a13a, 8

ロトルー Rotrou, Jean de(1609-1650) フランスの劇作家．コルネイユとともにリシュリュー枢機卿の「五作家集団」の一人．喜劇『二人ソジー』(1637)，悲劇『死にゆくエルキュール』(1634)などを書いた． J51a, 2

ロートレアモン Lautréamont, comte de[Isidore Lucien Ducasse](1846-1870) シュルレアリスムを先取りしたフランスの詩人．ウルグアイに生まれ，1860年代にパリに定住．作品に『マルドロールの歌』(1868)など． A2, 7/B4, 5/S3, 2

ロビケ Robiquet, Jacques(20世紀前半) フランスの博物館キュレーター，歴史家． I5a, 3

ロベスピエール Robespierre, Maximilien François de(1758-1794) フランス革命時のジャコバン急進派の指導者．テルミドールの反乱で失脚し自らも断頭台の露と消える． U11a, 4/a14, 6

ロボー Lobau, Georges Mouton de(1770-1838) ナポレオン軍の武勲に輝く将校．国民軍最高司令官(1830)． a7a, 5

ロマン Romains, Jules(1885-1972) フランスの詩人，小説家，劇作家．大河小説『善意の人々』(全27巻)で知られる．1940年アメリカへ亡命． C9, 1/J20a, 5/J83, 4/M14a, 2-3/M15, 1

ローランサン／クレールヴィル Laurencin, Paul[Paul-Aimé Chapelle](1806-1890) フランスの劇作家．/Clairville IV＝274(Y)

ロランス →ロレンス(Lawrence, James)

ロリナ Rollinat, Maurice(1846-1903) カフェ「黒猫(シャ・ノワール)」における朗読で知られる詩人．彼の詩集『ノイローゼ』にはボードレールの影響が見られる． J13, 8/J29a, 4/J33a, 9-11/J55a, 7/S5a, 4

ロレンス Lawrence, David Herbert J34a, 6

ロレンス Lawrence, James(1773-1840) 作家．ジャマイカに移民したイギリス人の子として生まれる．1793年にインドのナヤール族のカースト間における結婚と相続の慣習についての研究を出版．フランスでフェミニズムの擁護者として知られる． p2a, 2/p3, 1/p3a, 3-4, 3

ワ　行

（この索引は編集部が作成した）

引用文献一覧

1 「覚え書および資料」のなかで引用されたり，典拠として利用された，書籍，論文，パンフレットを掲げた．

2 ベンヤミン自身が手にしたであろう文献に限って記載し，二次的な文献から引用したり言及したりしている著作や，特に版を明記せずに引用されているごく常識的な著作は省いてある．

3 記載の順序は，著者名と文献タイトルのアルファベット順となっているが，その際，冠詞類やファーストネームを省いたかたちで見る方式をとった．

4 ä，ö，ü は，記載の順序としてはそれぞれ æ，œ，ue として扱われている．

5 タイトルのあとの＊は，実物にあたって確認しえなかったものである．そのような文献のタイトルの表示がベンヤミンの表示とくいちがっているものもあるが，二次的な文献によって書誌上のデータを補うことが可能であった確実な版に従った結果である．

ロルフ・ティーデマン

1 Acht Tage in Paris. Paris, Juli 1855*.

2 Theodor Wiesengrund-Adorno: Arabesken zur Operette. In: Die Rampe. Blätter des Deutschen Schauspielhauses Hamburg, 1931/32, Heft 9, S. 3-5.

3 T[heodor] W[iesengrund-] Adorno: Fragmente über Wagner. In: Zeitschrift für Sozialforschung 8 (1939/40), S. 1-49 (Heft 1/2).

4 Theodor Wiesengrund-Adorno: Kierkegaard. Konstruktion des Ästhetischen. Tübingen 1933. (Beiträge zur Philosophie und ihrer Geschichte. 2.)

5 Theodor Wiesengrund-Adorno: Konzertarie »Der Wein«. In: Willi Reich: Alban Berg. Mit Bergs eigenen Schriften und Beiträgen von Theodor Wiesengrund-Adorno und Ernst Křenek. Wien, Leipzig, Zürich (1937). S. 101-106.

6 Theodor Wiesengrund-Adorno: Rede über den »Raritätenladen« von Charles Dickens. In: Frankfurter Zeitung, 18. 4. 1931 (Jg. 75, Nr. 285), S. 1f.

7 Theodor Wiesengrund-Adorno: Versuch über Wagner. [Manuskript.]

8 Theodor W[iesengrund-]Adorno: Brief vom 5. 6. 1935 an Walter Benjamin. [Unveröffentlicht; Auszüge.]
9 Theodor W[iesengrund-]Adorno: Brief vom 5. 8. 1935 an Walter Benjamin. [Unveröffentlicht; Auszug.]
10 Alain [Emile Auguste Chartier]: Avec Balzac. 3e éd., Paris (1937).
11 Alain [Emile Auguste Chartier]: Les idées et les âges. Paris (1927). Bd. 1.
12 Roger Allard: Baudelaire et »L'esprit nouveau«. ((De quelques préfaces, théories, prophéties.)) Paris 1918.
13 Almanach indicateur parisien. Paris 1866*.
14 Henri d'Almeras: La vie parisienne sous le règne de Louis-Philippe. Paris [1925].
15 Edouard [d'Anglemont]: Le cachemire. Comédie en un acte et en vers. Représentée pour la première fois, à Paris, sur le Théâtre Royal de l'Odéon, le 16 décembre 1826. Paris 1827.
16 Edouard d'Anglemont: L'internationale. Paris 1871.
17 anon.: Faits divers. In: Les boulets rouges. Feuille du club pacifique des droits de l'homme. Rédacteur: Le Cen Pélin. 1re année, No 1, Du 22 au 25 juin [1848], S. 1.
18 anon.: Galante Unterhaltungen zweier Mädchen des 19. Jahrhunderts am häuslichen Herd. Rom, Paris: Verlag von Grangazzo, Vache & Cie., o. J.
19 anon.: Heine an Marx. In: Die Neue Zeit 14 (1895/96), Bd. 1, S. 14-19 (Nr. 1).
20 anon.: Klassenkämpfe. In: Die Neue Zeit 12 (1893/94), Bd. 2, S. 257-260 (Nr. 35).
21 anon.: Questions difficiles à résoudre. In: Le panorama. Revue critique et litteraire. 1re année, No 3, 25 février 1840, S. 3.
22 anon.: Tagebuch einer Verlorenen. Von einer Toten. Hrsg. und überarbeitet von Margarete Böhme. Berlin 1905.
23 anon.: Zeitschriftenschau. In: Die Neue Zeit 29 (1910/11), Bd. 1, S. 382-384 (Nr. 11).
24 Anthologie de l'Académie française. Un siècle de discours académiques. 1820-1920. Par Paul Gautier. Paris 1921. Bd. 2.
25 Guillaume Apollinaire: Le poète assassiné. Nouvelle édition. Paris 1927.
26 [François] Arago: Lettre de M. Arago sur l'embastillement de Paris. (Extrait du »National«, du 21 juillet 1833.) [Hrsg.:] Associations nationales en faveur de la presse patriote. Comité central et comité

parisien.) (Paris: Impr. Auffray, 1833.)
27 [François] Arago: Sur l'ancienne Ecole polytechnique. Paris 1853.
28 [François] Arago: Sur les fortifications de Paris. Paris 1841.
29 J[acques] Arago: Aux juges des insurgés. (Paris: Impr. Wittersheim,) 1848. [Flugblatt.]
30 [Louis] Aragon: D'Alfred de Vigny à Avdeenko. Les écrivains dans les Soviets. In: Commune. Revue de l'association des écrivains et des artistes révolutionnaires, No 20, 2e année, avril 1935, S. 801-815.
31 Louis Aragon: Le paysan de Paris. 8e éd., [Paris] (1926).
32 Joseph d'Arçay [Paul de Malherbe]: La salle à manger du Docteur Véron. Paris 1868.
33 Paul d'Ariste: La vie et le monde du boulevard. ((1830-1870.)) ((Un dandy: Nestor Roqueplan.)) Préface de Jacques Boulenger. Paris (1930).
34 F[élix] Armand et R[ené] Maublanc: Fourier. 2 Bde. Paris 1937. (Socialisme et culture. [1.])
35 (Philibert Audebrand:) Michel Chevalier. (Paris: Impr. Vallée,) 1861.
36 Eugène d'Auriac: Histoire anecdotique de l'industrie française. Paris 1861.
37 George d'Avenel: Le mécanisme de la vie moderne. I: Les grands magasins. In: Revue des deux mondes, 64e année, 4e période, tome 124, 15 juillet 1894, S. 329-369.
38 Hippolyte Babou: Les payens innocents. Nouvelles. Paris 1858.
39 Hippolyte Babou: La vérité sur le cas de M. Champfleury. Paris 1857.
40 Fernand Baldensperger: Le raffermissement des techniques dans la littérature occidentale de 1840. In: Revue de littérature comparée 15 (1935), S. 77-96.
41 Honoré de Balzac: Œuvres complètes. [Bd. 18:] La comédie humaine. Texte revisé et annoté par Marcel Bouteron et Henri Longnon. Etudes de mœurs: Scènes de la vie parisienne, VI. Les parents pauvres: II. Le cousin Pons. Un prince de la bohême. Un homme d'affaires. Paris 1914.
42 [Honoré] de Balzac: Ce qui disparaît de Paris. In: Le diable à Paris. Paris et les parisiens. Mœurs et coutumes, caractères et portraits des habitants de Paris, tableau complet de leur vie privée, publique, politique, artistique, littéraire, industrielle, etc., etc. Texte par MM. de Balzac, Eugène Sue, George Sand [u.a.]. Précédé d'une géographie de

Paris par Théophile Lavallée. Bd. 2. Paris 1846. S. 11-19.
43 Honoré de Balzac: Critique littéraire. Introduction de Louis Lumet. Paris 1912. (Bibliothèque des critiques.)
44 Honoré de Balzac: Le curé de village. Ed. Siècle*.
45 [Honoré] de Balzac: Histoire et physiologie des boulevards de Paris. De la Madeleine à la Bastille. In: Le diable à Paris. Paris et les parisiens. Mœurs et coutumes, caractères et portraits des habitants de Paris, tableau complet de leur vie privée, publique, politique, artistique, littéraire, industrielle, etc., etc. Texte par MM. de Balzac, Eugène Sue, George Sand [u. a.]. Précédé d'une géographie de Paris par Théophile Lavallée. Bd. 2. Paris 1846. S. 89-104.
46 Honoré de Balzac: L'illustre Gaudissart. Paris, ed. Calmann-Lévy*.
47 Honoré de Balzac: La peau de chagrin. Paris: Edition Ernest Flammarion, Impr. Comte-Jacquet, o. J.
48 H[onoré] de Balzac: Pensées, sujets, fragmens. Edition originale avec une préface et des notes de Jacques Crépet. Paris 1910.
49 W. T. Bandy: Baudelaire Judged by his Contemporaries (1845-1867). New York (1933).
50 Théodore de Banville: Mes souvenirs. Victor Hugo, Henri Heine, [...] Charles Baudelaire, etc. (Petites études.) Paris 1882.
51 Charles Barbara: L'assassinat du Pont-Rouge. Paris 1859.
52 J[ules-Amédée] Barbey d'Aurevilly: Joseph de Maistre, Blanc de Saint-Bonnet, Lacordaire, Gratry, Caro. Paris 1910. (Chefs-d'œuvres de la littérature religieuse. 543.)
53 J[ules-Amédée] Barbey d'Aurevilly: Les œuvres et les hommes. (XIXe siècle.) 3e partie: Les poètes. Paris 1862.
54 Auguste Barbier: Jambes et poèmes. Paris 1841*.
55 Auguste Barbier: Jambes et poèmes. 5e éd., revue et augmentée, Paris 1845.
56 Auguste Barbier: Poésies. Jambes et poèmes. Paris 1898.
57 [Emile Barrault:] Aux artistes. Du passé et de l'avenir des beaux-arts. ((Doctrine de Saint-Simon.)) Paris 1830.
58 (Emile Barrault:) Lamartine. Poésie et politique. ((Extrait du »National« du 27 mars 1869.)) Paris 1869.
59 [Albert] Barré, [Jean-Baptiste] Radet und [F.-G.] Desfontaines: M. Durelief, ou petite revue des embellissemens de Paris; en prose et en vaudevilles. Représentée, pour la première fois, à Paris, sur le Théâtre du Vaudeville, le 9 juin 1810. Paris 1810.
60 Maurice Barrès: La folie de Charles Baudelaire. Paris (1926).

61 Théodore Barrière: Les parisiens. Pièce en trois actes. Représentée pour la première fois, à Paris, sur le théâtre du Vaudeville, le 28 décembre 1854. Paris 1855.
62 Théodore Barrière und Lambert Thiboust: Les filles de marbre. Drame en cinq actes, mêlé de chant. Musique nouvelle de M. Montaubry. Réprésenté, pour la première fois, à Paris, sur le théâtre du Vaudeville, le 17 mai 1853. Paris 1853.
63 [Auguste-Marseille] Barthélemy: Nouvelle Némésis. Satires. Tome premier. Paris 1845.
64 [Auguste-Marseille] Barthélemy: Paris. Revue satirique. A M. G. Delessert, Préfet de Police. Paris 1838.
65 [Auguste-Marseille] Barthélemy: Le vieux Paris et le nouveau. Dialogue en vers. Paris 1861.
66 [Auguste-Marseille] Barthélemy und [Joseph] Méry: L'insurrection. Poème dédié aux parisiens. Paris 1830.
67 Louis Barthou: Autour de Baudelaire. »Le procès des Fleurs du mal«, »Victor Hugo et Baudelaire«. Paris 1917.
68 Frédéric Bastiat: Un économiste à M. de Lamartine à l'occasion de son écrit intitulé: *Du droit au travail,* in: Journal des économistes. Revue mensuelle d'économie politique, et des questions agricoles, manufacturieres et commerciales, Tome 10, 4ᵉ année; No 39, février 1845, S. 209-223.
69 Henry Bataille: Baudelaire. In: Comœdia, 13ᵉ année, No 2944, 7 janvier 1921, S. 1.
70 Georges Batault: Le pontife de la démagogie. Victor Hugo. Paris (1934).
71 Charles Baudelaire: Œuvres complètes.
Bd. 1: Les fleurs du mal. Les Epaves. Notice, notes et éclaircissements de Jacques Crépet. 2ᵉ éd., Paris 1930.
Bd. 7: Traductions. Nouvelles histoires extraordinaires par Edgar Poe. Notice, notes et éclaircissements de Jacques Crépet. Paris 1933.
Bd. 10: Traductions. Histoires grotesques et sérieuses par Edgar Poe. Notice, notes, éclaircissements et index de Jacques Crépet. Paris 1937.
72 (Charles) Baudelaire: Œuvres. Texte établi et annoté par Y[ves]-G[érard] Le Dantec. 2 Bde. Paris 1931 u. 1932. (Bibliothèque de la Pléiade. 1 u. 7.)
73 Charles Baudelaire: L'art romantique. Paris. (Ed. Hachette, tome

3.)*
74 Charles Baudelaire: Dernières lettres inédites à sa mère avec un avertissement et des notes de Jacques Crépet. Paris 1926.
75 Charles Baudelaire: Les dessins de Daumier. Paris (1924). (Ars graphica. 2.)
76 Charles Baudelaire: Les fleurs du mal. [Edition Payot.] Paris 1919. (Bibliothèque miniature. No 39.)*
77 Charles Baudelaire: Lettres 1841-1866. 4e édition, Paris 1915.
78 Charles Baudelaire: Lettres à sa mère. Paris 1932.
79 C(harles) B(audelaire): Notes nouvelles sur Edgar Poe. In: Charles Baudelaire: Œuvres complètes. Bd. 6, Traductions II: Nouvelles histoires extraordinaires par Edgar Poe. Ed. Calmann Lévy. Paris 1886. S. 1-24.
80 Charles Baudelaire: Les paradis artificiels. Opium et haschich. Paris 1917.
81 Charles Baudelaire: Le spleen de Paris. Ed. Hilzum. Paris*.
82 Charles Baudelaire: Le spleen de Paris. Ed. R. Simon. Paris*.
83 Charles Baudelaire: Vers latins. Suivis de compositions latines de Sainte-Beuve et Alfred de Musset. Introduction et notes par Jules Mouquet. Paris 1933.
84 Charles Baudelaire: Vers retrouvés (Juvenilia – sonnets). Manoël. Introduction et notes par Jules Mouquet. Paris 1929.
85 Edmond Beaurepaire: La chronique des rues. 1er série. Paris 1900. (Paris d'hier et d'aujourd'hui.)
86 Albert Béguin: L'âme romantique et le rêve. Essai sur le romantisme allemand et la poésie française. [Bd.] II. Marseille 1937.
87 Adolf Behne: Neues Wohnen – neues Bauen. Leipzig 1927. (Prometheus-Bücher.)
88 Julien Benda: Un régulier dans le siècle. Paris (1938).
89 Julien Benda: La trahison des clercs. Paris 1927. (»Les cahiers verts«. 6.)
90 Walter Benjamin: Der Erzähler. Betrachtungen zum Werk Nikolai Lesskows. In: Orient und Occident, NF, Heft 3 (Oktober 1936), S. 16-33.
91 Walter Benjamin: Eduard Fuchs, der Sammler und der Historiker. In: Zeitschrift für Sozialforschung 6 (1937), S. 346-381 (Heft 2).
92 Walter Benjamin: Das Paris des Second Empire bei Baudelaire [Manuskript].

93 Walter Benjamin: Der Sürrealismus. Die letzte Momentaufnahme der europäischen Intelligenz. [3.] In: Die literarische Welt, 15. 2. 1929 (Jg. 5, Nr. 27), S. 7.

94 Walter Benjamin: Ursprung des deutschen Trauerspiels. Berlin 1928.

95 Walter Benjamin: Brief vom 6. 1. 1938 an Max Horkheimer ⟨s. jetzt Bd. 1, 1071f.⟩

96 Charles Benoist: La crise de l'état moderne. De l'apologie du travail à l'apothéose de l'ouvrier (1750-1848). II: Jusqu'à 1848. [III:] Le »mythe« de »la classe ouvrière«. In: Revue des deux mondes, 83e année, 6e période, tome 13, 15 janvier S. 367-397 u. 84e année, 6e période, tome 20, 1er mars 1914, S. 84-116.

97 Charles Benoist: L'homme de 1848. I: Comment il s'est formé. L'initiation révolutionnaire (1830-1840). II: Comment il s'est développé. Le communisme, l'organisation du travail, la réforme (1840-1848). In: Revue des deux mondes, 83e année, 6e période, tome 16, 1er juillet 1913, S. 134–161 u. 84e année, 6epériode, tome 19, 1er février 1914, S. 638-670.

98 Edmond Benoit-Lévy: Les Misérables de Victor Hugo. Paris 1929. (Les grands événements littéraires.)

99 J[ohann] F[riedrich] Benzenberg: Briefe geschrieben auf einer Reise nach Paris (im Jahr 1804). Erster Theil. Dortmund 1805.

100 F.-F.-A. Béraud: Les filles publiques de Paris, et la police qui les régit. Précédées d'une notice historique sur la prostitution chez les divers peuples de la terre par M.A.M. Paris, Leipzig 1839. 2 Bde.

101 Edmund Bergler: Zur Psychologie des Hasardspielers. In: Imago 22 (1936), S. 409-441 (Heft 4).

102 Emmanuel Berl: Premier pamphlet: Les littérateurs et la révolution. In: Europe, tome 19, No 75, 15 mars 1929, S. 397-414.

103 Hector Berlioz: Gesammelte Schriften. Bd. 1: A travers chants. Musikalische Studien, Huldigungen, Einfälle und Kritiken. Autorisirte deutsche Ausg. von Richard Pohl. Leipzig 1864.

104 Ernst Bernheim: Mittelalterliche Zeitanschauungen in ihrem Einfluß auf Politik und Geschichtsschreibung. Teil I: Die Zeitanschauungen: Die Augustinischen Ideen – Antichrist und Friedensfürst – Regnum und Sacerdotium. Tübingen 1918.

105 [Pierre-Antoine] Berryer: Œuvres. 2e série: Plaidoyers. Tome II: 1836-1856. Paris 1876.

106 Jules Bertaut: Le »Mapah«. In: Le temps, 75e année, No 27046, 21

septembre 1935, S. 3.
107 Jules Bertaut: Le père Goriot de Balzac. Amiens 1928. (Les grands événements littéraires. [4.])
108 Elie Berthet: Rue et passage du Caire, in: Paris chez soi. Histoire, mœurs, rues, monuments, palais, musées, théatres, chemins de fer, fortifications et environs de Paris ancien et moderne. Par l'élite de la littérature contemporaine. Paris [1854]. S. 353-362.
109 Louis Bertrand: L'inauguration à Genève du monument de Chateaubriand. Discours. In: Le temps, 75e année, No 27043, 18 septembre 1935, S. 3.
110 Albert de Besancourt: Les pamphlets contre Victor Hugo. Paris*.
111 George Besson: La photographie française. Paris (1936). (Coll. »Arts et Métiers«.)
112 André Billy: Les écrivains de combat. Paris 1931. (Le XIXe siècle.)
113 Biographie universelle ((Michaud)) ancienne et moderne, ou Histoire, par ordre alphabétique, de la vie publique et privée de tous les hommes qui se sont fait remarquer par leurs écrits, leurs actions, leurs talents, leurs vertus ou leurs crimes. Nouvelle édition, publiée sous la direction de M. Michaud, revue, corrigée et considérablement augmentée d'articles omis ou nouveaux; ouvrage rédigé par une société de gens de lettres et de savants. Bd. 14. Paris 1856. – Artikel: Fontaine, Pierre-François-Léonard, von F. H-l-y.
114 E. Bisson: Souvenir de la visite de LL. MM. l'empereur & l'impératrice aux magasins de MM. Bisson frères. Le 29 décembre 1856. Paris [1857].
115 Charles Blanc: Le cabinet de M. Thiers. Paris 1871.
116 Charles Blanc: Considérations sur le vêtement des femmes. Fragments d'un ouvrage sur les arts décoratifs. Institut de France. Publié dans la »Gazette des beaux-arts«. Lu dans la séance publique annuelle des cinq académies le 25 octobre 1872. (Paris: Impr. de l'Institut,) o. J. [1872].
117 Charles Blanc: Le trésor de la curiosité. Tiré des catalogues de vente de tableaux, dessins, estampes ... et autres objets d'art. Avec diverses notes & notices historiques & biographiques et précédé d'une lettre à l'auteur sur la curiosité et les curieux. Paris 1858.
118 Jacques-Emile Blanche: Mes modèles. Souvenirs littéraires. Barrès. – Hardy. – Proust. – James. – Gide. – Moore. 5e éd., Paris 1929.
119 Adolphe Blanqui: Histoire de l'exposition des produits de l'industrie française en 1827. Paris 1827*.

120 Auguste Blanqui: Critique sociale. Tome premier: Capital et travail. Tome second: Fragments et notes. Paris 1885.
121 Défense du citoyen Louis Auguste Blanqui devant la cour d'assisses. 1832. Paris: Impr. Auguste Mie, 1832.
122 A[uguste] Blanqui: L'éternité par les astres. Hypothèse astronomique. Paris 1872.
123 Ernst Bloch: Erbschaft dieser Zeit. Zürich 1935.
124 Ernst Bloch: Leib und Wachsfigur. In: Frankfurter Zeitung, 19. 12. 1929*.
125 Jean-Richard Bloch: Langage d'utilité, langage poétique. In: Encyclopédie française. Bd. 16: Arts et littératures dans la société contemporaine I. Paris 1935. Fasc. 16.50-8 bis 16.
126 Franz Böhle: Theater-Catechismus oder humoristische Erklärung verschiedener vorzüglich im Bühnenleben üblicher Fremdwörter. München*.
127 [Max von Boehn:] Die Mode. Menschen und Moden im neunzehnten Jahrhundert nach Bildern und Kupfern der Zeit. Ausgewählt von Oskar Fischel. Text von Max von Boehn. Bd. 2: 1818-1842. München 1907.
128 Ludwig Börne: Gesammelte Schriften. Neue vollständige Ausgabe. Bde. 3 und 10. Hamburg, Frankfurt a. M. 1862.
129 Karl Boetticher: Das Prinzip der Hellenischen und Germanischen Bauweise hinsichtlich der Übertragung in die Bauweise unserer Tage. Festrede am 13. März 1846. In: Zum hundertjährigen Geburtstag Karl Böttichers. (Als Manuskript gedruckt.) Berlin [1906]. S. 15-65.
130 Charles Boissière: Eloge de l'ennui. Dédié à l'Académie française. Paris 1860.
131 L[ouis-]B[ernard] Bonjean: Socialisme et sens commun. Paris 1849.
132 Abel Bonnard: Le drame du présent. Bd. 1: Les modérés. Paris (1936).
133 Charles Bonnier: Das Fourier'sche Prinzip der Anziehung. In: Die Neue Zeit 10 (1891/92), Bd. 2, S. 641-650 (Nr. 47).
134 Robert de Bonnières: Mémoires d'aujourd'hui. 3e série. Paris 1888.
135 Rudolf Borchardt: Schriften. Epilegomena zu Dante. I. Einleitung in die Vita Nova. Berlin 1923.
136 Henri Bouchot: La lithographie. Paris (1895). (Bibliothèque de l'enseignement des beaux-arts.)
137 C[élestin] Bouglé: Chez les prophètes socialistes. Paris 1918.
138 Jacques Boulenger: La magie de Michelet. In: Le temps, 76e année, No 27282, 15 mai 1936, S. 3.

139 Gabriel Bounoure: Abîmes de Victor Hugo. In: Mesures, 2e année, No 3, 15 juillet 1936, S. 33-51.

140 Paul Bourget: Essais de psychologie contemporaine. Tome premier. Edition définitive augmentée d'appendices. Paris 1901.
Paul Bourget, s. Anthologie de l'Académie française.
Paul Bourget, s. Anatole Cerfberr.

141 Louis Bourlier: Epitre aux détracteurs du jeu. Paris 1831.

142 Louis Bourlier: Pétition à MM. les députés, avec un exposé lumineux. Paris 1839.

143 Louis Bourlier: Stances à l'occasion de la loi qui supprime la ferme des jeux, adressées à la chambre qui a voté cette suppression, et qui, à son tour, a été supprimée elle-même. Paris 1837.

144 (F. v[on] Brandenburg:) Victoria! Eine neue Welt! Freudevoller Ausruf in Bezug darauf, daß auf unserm Planeten, besonders auf der von uns bewohnten nördlichen Halbkugel eine totale Temperatur-Veränderung hinsichtlich der Vermehrung der atmosphärischen Wärme eingetreten ist. Zweite vermehrte Auflage. Herausgegeben und verfaßt von F. v. Brandenburg, Verfasser des Werks: »Der Sturz der Cholera morbus u.s.w.« Berlin 1835.

145 [Nicolas] Brazier, Gabriel und Dumersan: Les passages et les rues, ou La guerre déclarée. Vaudeville en un acte. Représenté pour la première fois, à Paris, sur le Théatre des Variétés, le 7 mars 1827. Paris 1827.

146 Bertolt Brecht: Fünf Schwierigkeiten beim Schreiben der Wahrheit, in: Unsere Zeit, Paris, Basel, VIII, 2/3, April 1935, S. 23-34*.

147 Bertolt Brecht: [Übersetzung von] Percy Bysshe Shelley, Peter Bell the Third. [Unveröffentlicht; Auszug.]

148 [Bertolt] Brecht: Versuche 4-7 [Heft] 2. Berlin 1930.

149 [Bertolt] Brecht: Versuche 8-10. [Heft] 3. Die Dreigroschenoper, Der Dreigroschenfilm, Der Dreigroschenprozeß. (Berlin 1931.)

150 André Breton: La grande actualité poétique, in: Minotaure. Revue artistique et littéraire, 2e année, No 6, Hiver 1935, S. 61f.

151 André Breton: Nadja. 7e éd., Paris (1928).

152 André Breton: Point du jour. 5e éd., Paris (1934).

153 André Breton: Position politique du surréalisme. Paris (1935). (Les documentaires.)

154 Max Brod: Über die Schönheit häßlicher Bilder. Ein Vademecum für Romantiker unserer Zeit. Leipzig 1913.

155 Charles Brun: Le roman social en France au XIXe siècle. Paris 1910.

156 Jean[-Baptiste] Brunet: Paris, sa constitution générale. 1er partie. (Le messianisme, organisation générale.) Paris 1858.
157 R. B[runet]: La cuisine régionale. In: Le Temps, 4. 4. 1940*.
158 Ferdinand Brunetière: L'évolution de la poésie lyrique en France au dix-neuvième siècle. Leçons professées à la Sorbonne. Paris 1894. Bd. 2.
159 Ferdinand Brunetière: Essais sur la littérature contemporaine. Paris 1892.
160 Ferdinand Brunetière: Nouvaux essais sur la littérature contemporaine. Paris 1895.
161 Ferdinand Brunetière: Questions de critique. Juin 1887*.
162 Ferdinand Brunot: Histoire de la langue française des origines à 1900. Tome 9: La révolution et l'empire. 2e partie: Les événements, les institutions et la langue. Paris 1937.
163 Hermann Budzislawski: Krösus baut. In: Die neue Weltbühne 34 (1938), S. 125-130 (Nr. 5; 3.2. '38).
164 Eugène Buret: De la misère des classes laborieuses en Angleterre et en France; de la nature de la misère, de son existence, de ses effets, de ses causes, et de l'insuffisance des remèdes qu'on lui a opposés jusqu'ici; avec l'indication des moyens propres à en affranchir les sociétés. Paris 1840. 2 Bde.
165 [Jules Burgy:] Présent et avenir des ouvriers. Par un typographie. Paris 1847.
166 [Augustin?] Cabanès: Le sadisme chez Baudelaire. In: La chronique médicale, 9e année, No 22, 15 novembre 1902, S. 725-735.
167 Roger Caillois: La mante religieuse. ((Recherches sur la nature et la signification du mythe)), in: Mesures, 3e année, No 2; 15 avril 1937, S. 85-119.
168 Roger Caillois: Paris, mythe moderne. In: La nouvelle revue française, No 284, 25e année, 1er mai 1937, S. 682-699.
169 Charles Calippe: Balzac. Ses idées sociales. Reims, Paris [1906]. (Publications de l'action populaire.)
170 L. de Carné: Publications démocratiques et communistes. In: Revue des deux mondes, XXVII, 1841, S. [746]*.
171 Jean Cassou: Quarante-huit. (Anatomie des révolutions.) Paris (1939).
172 Jean Cassou: La semaine sanglante. In: Vendredi. Hebdomadaire littéraire et politique, No 29, 22 mai 1936, S. 7*.
173 Louis-Antoine-Justin Caubert: La névrose de Baudelaire. Essai de

critique médico-psychologique. Thèse pour le doctorat en médecine, Université de Bordeaux. Bordeaux 1930.
174 Pierre Caume: Causeries sur Baudelaire. Décadence et modernité. In: La nouvelle revue, 21e année, tome 119, 4e livraison, 15 août 1899, S. 659-672.
175 Anatole Cerfberr et Jules Christophe: Répertoire de la Comédie humaine de H[onoré] de Balzac. Avec une introduction de Paul Bourget. Paris 1887.
176 Champfleury [Jules Husson]: Souvenirs et portraits de jeunesse. Paris 1872.
177 [Jean-Antoine-Claude] Chaptal: De l'industrie françoise. Bd. 2. Paris 1819.
178 Rapport fait à la Chambre, par M. le comte [Jean-Antoine-Claude] Chaptal, au nom d'une commission spéciale chargée de l'examen du projet de loi relatif aux altérations et suppositions de noms sur les produits fabriqués. (Paris 1824.) (Chambre des pairs de France. Impressions diverses. Session de 1824. Tome 5, No 152: Séance du 17 juillet 1824.)
179 Alfred Chapuis et Edouard Gélis: Le monde des automates. Etude historique et technique. Préface de Edmond Haraucourt. Tome premier. Paris 1928.
180 Etienne Charavay: A. de Vigny et Charles Baudelaire, candidats à l'Académie française. Etude. Paris 1879.
181 John Charpentier: La poésie britannique et Baudelaire III. In: Mercure de France, No 549, 32e année, tome 147, 1er mai 1921, S. 635-675.
182 Charles-Louis Chassin: La légende du Petit-Manteau-Bleu. Paris o. J. [ca. 1860]. (Les veillées populaires.)
183 U.-V. Chatelain: Baudelaire. L'homme et le poète. Paris o. J.
184 J[acques-Germain] Chaudes-Aigues: Les écrivains modernes de la France. Paris 1841.
185 [Joseph-Charles] Chenou et H. D.: Notice sur l'exposition des produits de l'industrie et des arts qui a eu lieu à Douai en 1827. Douai 1827.
186 Louis Chéronnet: Avant l'exposition de 1937. Les trois gran'mères, 1878, 1889, 1900. In: Vendredi. Hebdomadaire littéraire et politique, 3e année, No 78, 30 avril 1937, S. 8.
187 Louis Chéronnet: Le coin des vieux. In: Vendredi, 9 octobre 1936*.
188 G[ilbert] K[eith] Chesterton: Charles Dickens. Traduit par Achille Laurent et L. Martin-Dupont. Paris o. J. [1927].

189 Michel Chevalier: Chemins de fer. Extrait du »Dictionnaire de l'économie politique«. Paris 1852.
190 Michel Chevalier: Discours sur une pétition réclamant contre la destruction du palais de l'exposition universelle de 1867. (Sénat. – Séance du 31 janvier 1868.) Paris 1868.
191 Michel Chevalier: Du progrès. Discours prononcé à l'ouverture de son cours au Collège de France, le 8 janvier 1852. Paris 1852.
192 (Michel Chevalier:) Religion Saint-Simonienne. Le bourgeois. – Le revélateur. [Paris:] Impr. Everat, [1832].
193 (Michel Chevalier:) Religion Saint-Simonienne. Fin du choléra par un coup d'état. [Paris:] Impr. Everat, [1832].
194 [Michel Chevalier:] Religion Saint-Simonienne. La Marseillaise. ((Extrait de »l'Organisateur« du 11 septembre 1830.)) [Paris:] Impr. Everat, [1830].
195 Chodruc-Duclos: Mémoires. Recueillis et publiés par J. Arago et Edouard Gouin. Paris 1843. 2 Bde.
196 Le cinquantenaire de Charles Baudelaire. Paris 1917.
197 [Louis-François Nicolaïe, dit] Clairville und Jules Cordier: Le palais de Cristal ou les parisiens à Londres. Grande revue de l'exposition universelle en cinq actes, et huit tableaux. Représentée pour la première fois, à Paris, sur le Théatre de la Porte-Saint-Martin, le 26 mai 1851. Paris 1851.
198 [Louis-François Nicolaïe, dit] Clairville aîné und [Auguste Gay] Delatour [de Lajonchèr]: 1837 aux enfers. Revue fantastique mêlée de couplets. (Représentée, pour la première fois, sur le Théatre du Luxembourg, le 30 décembre 1837.) Paris 1838.
199 Jules Claretie: La vie à Paris 1881. 2e année. Paris [1882].
200 Jules Claretie: La vie à Paris 1882. 3e année. Paris [1883].
201 Jules Claretie: La vie à Paris 1895. Paris 1896*.
202 Jules Claretie: La vie à Paris 1896. Paris 1897.
203 Jules Claretie: La vie à Paris 1900. Paris 1901.
204 Jules Claretie: [Brief]. In: Le tombeau de Charles Baudelaire. Ouvrage publié avec la collaboration de Stéphane Mallarmé [u. a.]; précédé d'une étude [...] par Alexandre Ourousof et suivi d'œuvres posthumes [...] de Charles Baudelaire [...]. Paris 1896. S. 91.
205 Léo Claretie: Paris depuis ses origines jusqu'en l'an 3000. Avec une préface de Jules Claretie. Paris o. J. [1886].
206 H. Clouzot et R.-H. Valensi: Le Paris de la Comédie humaine. ((Balzac et ses fournisseurs.)) Paris 1926.

207 André Cochut: Opérations et tendances financières du second empire. Extrait de la »Revue des deux mondes«, Livraison du 1er juin 1868. Paris 1868.
208 Achille de Colusont [?]: Histoire des expositions des produits de l'industrie française. Paris 1855*.
209 Joseph Conrad: Die Schattenlinie. Eine Beichte. Mit einem Vorwort von Jakob Wassermann. (Übertr. von E[lsie] McCalman.) Berlin (1926).
210 Victor Considérant: Déraison et dangers. De l'engouement pour les chemins en fer. Avis à l'opinion et aux capitaux. Paris 1838.
211 François Coppée: Réponse au discours de M. de Heredia, in: Institut de France, Académie française. Discours prononcés dans la séance publique tenue par l'Académie française pour la réception de M. José-Maria de Heredia. Le jeudi 30 mai 1895. Paris 1895. S. 29-51.
212 A[nthime] Corbon: Le secret du peuple de Paris. Paris 1863.
213 Le Corbusier [Charles Edouard Jeanneret-Gris]: Urbanisme. Paris [1925]. (Collection de »L'esprit nouveau«.)
214 Henri Cordier: Notules sur Charles Baudelaire. ((Extrait du »Bulletin du bibliophile«.)) Paris 1900.
215 Egon Caesar Conte Corti: Der Zauberer von Homburg und Monte Carlo. Leipzig o. J. [1932].
216 F. A. Couturier de Vienne: Paris moderne. Plan d'une ville modèle que l'auteur a appellée Novutopie. Paris 1860.
217 Walter Crane: Nachahmung und Ausdruck in der Kunst. (Übertr. von Otto Wittich.) In: Die Neue Zeit 14 (1895/96), Bd. 1, S. 423-431 (Nr. 14).
218 Eugène Crépet: Charles Baudelaire. Etude biographique. Revue et mise à jour par Jacques Crépet. Suivi des Baudelairiana d'Asselineau, recueil d'anecdotes publié pour la première fois in-extenso et de nombreuses lettres adressées à Ch. Baudelaire. Paris 1906 (recte 1907).
219 Jacques Crépet: Miettes baudelairiennes. In: Mercure de France, No 894, 46e année, tome 262, 15 septembre 1935, S. 514-538.
220 Emile Crozat: La maladie du siècle ou les suites funestes du déclassement social. 4e éd., Bordeaux 1856.
221 J.-L. Croze: Quelques spectacles de Paris pendant l'été de 1835. In: Le temps, 75e année, No 27016, 22 août 1935, S. 4.
222 P. Cuisin: La galanterie sous la sauvegarde des lois. Paris 1815.
Curiosités révolutionnaires, s. Gaëtan Delmas, Curiosités révolutionnaires.
223 Ernst Robert Curtius: Balzac. Bonn 1923.

224 Armand Cuvillier: Marx et Proudhon. In: A la lumière du marxisme. Essais. Tome 2: Karl Marx et la pensée moderne. 1er partie: Auguste Comte, Les utopistes français, Proudhon. Auguste Cornu [u. a.] ((Conférences faites à la Commission scientifique du Cercle de la Russie Neuve en 1935-1936.)) Introduction du Henri Wallon. Paris 1937. S. 153-238.

225 Salvador Dali: L'âne pourri. In: Le surréalisme au service de la révolution. Directeur: André Breton. No 1; Paris 1930. S. 9-12.

226 Henry-René D'Allemagne: Les Saint-Simoniens 1827-1837. Préface de Sébastien Charléty. Paris 1930.

227 J[ean]-F[françois] Dancel: De l'influence des voyages sur l'homme et sur ses maladies. Ouvrage spécialement destiné aux gens du monde. Paris 1846.

228 P. Datz: Histoire de la publicité depuis les temps les plus reculés jusqu'à nos jours. Bd. 1. Paris 1894.

229 Alphonse Daudet: Trente ans de Paris. Paris*.

230 Léon Daudet: Les pèlerins d'Emmaüs. Paris (1928). (Courrier de Pays-Bas. 4.)

231 Léon Daudet: Flambeaux. Rabelais, Montaigne, Victor Hugo, Baudelaire. Paris (1929).

232 Léon Daudet: Les œuvres dans les hommes. Victor Hugo ou la légende d'un siècle [u. a.]. Paris 1922.

233 Léon Daudet: Paris vécu. 1re série: Rive droite. 39ème éd., Paris (1930).

234 Léon Daudet: Le stupide XIXe siècle. Exposé des insanités meurtrières qui se sont abattues sur la France depuis 130 ans. 1789-1919. Paris 1922.

235 Léon Daudet: La tragique existence de Victor Hugo. [Paris] (1937).

236 [Gaëtan Delmas:] Curiosités révolutionnaires. Les journaux rouges. Histoire critique de tous les journaux ultra-républicains, publiés à Paris depuis le 24 février jusqu'au 1er octobre 1848. Avec des extraits-spécimens et une préface par un Girondin. Paris 1848.

Taxile Delord, s. Les Petits-Paris.

237 Alfred Delvau: Les dessous de Paris. Paris 1860.

238 Alfred Delvau: Dictionnaire de la langue verte. Argots parisiens comparés. Paris 1866.

239 Alfred Delvau: Les heures parisiennes. Paris 1866.

240 Alfred Delvau: Les lions du jour. Physionomies parisiennes. Paris 1867.

241 Claire Démar: Ma loi d'avenir. Ouvrage posthume, publié par Suzanne. Paris 1834.
242 Adolphe Démy: Essai historique sur les expositions universelles de Paris. Paris 1907.
243 Paul Desjardins: Charles Baudelaire. In: Revue bleue. Revue politique et littéraire. 3e série, tome 14, 24me année, 2e semestre, No 1, 2 juillet 1887, pp. 16-24.
244 Jules Destrée: Der Zug nach der Stadt. Ein modernes soziales Phänomen in der Beleuchtung eines Dichters (Emil Verhaeren) und eines Nationalökonomen (Emil Vandervelde). In: Die Neue Zeit 21 (1902/1903), Bd. 2, S. 567-575 (Nr. 44).
245 Léon Deubel: Œuvres. Préface de Georges Duhamel. Paris 1929.
246 Deutsche Denkreden. Besorgt von Rudolf Borchardt. (München 1925.)
247 Roger Dévigne: Gustave Doré, illustrateur de journaux à deux sous et reporter du crayon. In: Arts et métiers graphiques. No 50, 15 décembre 1935, S. 33-41.
248 Roger Dévigne: Des »Miliciennes« de 1937 aux »Vésuviennes« de 1848. In: Vendredi. Hebdomadaire littéraire et politique, 3e année, No 81, 21 mai 1937, S. 4.
249 Eduard Devrient: Briefe aus Paris. Berlin 1840.
250 Charles Dickens: Der Raritätenladen. (Unter Benutzung älterer Übertragungen neu übers. von Leo Feld.) 11.-14. Tausend, Leipzig o. J. (Charles Dickens, Ausgewählte Romane und Novellen. 2.)
251 Franz Diederich: Victor Hugo. In: die Neue Zeit 20 (1901/02), Bd. 1, S. 644-652 (Nr. 21).
252 Franz Diederich: Zola als Utopist. In: Die Neue Zeit 20 (1901/02), Bd. 1, S. 324-332 (Nr. 11).
253 Wilhelm Dilthey: Das Erlebnis und die Dichtung. Lessing, Goethe, Novalis, Hölderlin. 10. Aufl., Leipzig, Berlin 1929.
254 Maurice Dommanget: Auguste Blanqui à Belle-Ile ((1850-1857)). [Paris] (1935). (Faits et documents. 15.)
255 Emil Dovifat: Formen und Wirkungsgesetze des Stils in der Zeitung. In: Deutsche Presse, Berlin, 22. 7. 1939, S. [285]*.
256 A. S. de Doncourt [Antoinette Joséphine Anne Symon de Latreiche, Drohojowska]: Les expositions universelles. Lille, Paris (1889).
257 Edouard Drumont: Les tréteaux du succès. Figures de bronze ou statues de neige. Paris 1900.
258 Edouard Drumont: Les tréteaux du succès. Les héros et les pitres.

Paris 1900.
259 Lucien Dubech [und] Pierre D'Espezel: Histoire de Paris. Paris 1926. (Bibliothèque historique.)
260 Maxime Du Camp: Les chants modernes. Paris 1855.
261 Maxime Du Camp: Paris. Ses organes, ses fonctions et sa vie dans la seconde moitié du XIXe siècle. 6 Bde. ⟨Erstausgabe: Paris 1869-1875.⟩
262 Maxime Du Camp: Souvenirs littéraires. Bd. 2: 1850-1880. 3e éd., Paris 1906.
263 J. Ducos (de Gondrin): Comment on se ruine à la bourse. Paris 1858.
264 J[acques-] A[ntoine] Dulaure: Histoire physique, civile et morale de Paris, depuis 1821 jusqu'à nos jours. Bd. 2. Paris 1835.
265 [Philippe-F.] Dumanoir und Th[éodore] Barrière: Les toilettes tapageuses. Comédie en un acte, mêlée de couplets. Paris 1856.
266 Alexandre Dumas: Les mohicans de Paris. Bd. 1, Paris 1859; Bd. 3, Paris 1863.
267 Alexis Dumesnil: Le siècle maudit. Paris 1843.
268 Hermann Duncker: Brief vom 18. 7. 1938 an Margarete Steffin. [Unveröffentlicht; Auszug.]
269 Adrien Dupassage: Peintures foraines. In: Arts et métiers graphiques, 1939*.
270 Pierre Dupont: Le chant des étudiants. Paris: chez l'auteur; Impr. Bautruche, 1849. [Flugblatt.]
271 Pierre Dupont: Le chant des ouvriers. Paris: chez l'auteur; Impr. Bautruche, 1848. [Flugblatt.]
272 Pierre Dupont: Le chant du vote. Paris: Cassanet, 1850. [Flugblatt.]
273 Le chauffeur de locomotive. Paroles et musique de Pierre Dupont. Paris: Impr. Boisseau et Comp., o. J. [Flugblatt.]
274 A. Durand: Chales-Cachemires indiens et français, in: Paris chez soi. Histoire, mœurs, rues, monuments, palais, musées, théatres, chemins de fer, fortifications et environs de Paris ancien et moderne. Par l'élite de la littérature contemporaine. Paris [1854]. S. 139f.
275 Marie-Jeanne Durry: Audiences. De Monnier à Balzac. In: Vendredi. Littéraire, politique et satirique, No 20, 20 mars 1936, S. 5.
276 Alcide Dusolier: Nos gens de lettres. Leur caractère et leurs œuvres. Paris 1864.
277 [Adolf Ebeling:] Lebende Bilder aus dem modernen Paris. Zweiter Band. Köln 1863.
278 Julius Eckardt: Die baltischen Provinzen Rußlands. Politische und culturgeschichtliche Aufsätze. 2., verm. Aufl., Leipzig 1869.

279 Louis Enault: Le palais de l'industrie, in: Paris et les parisiens au XIXe siècle. Mœurs, arts et monuments. Texte par Alexandre Dumas, Théophile Gautier, Arsène Houssaye [u. a.]. Paris 1856. S. 310-316.
280 Encyclopédie de l'architecture et de la construction. Directeur: P. Planat. Vol. 1-6. Paris 1888 ff.*
281 [Barthélemy-]P[rosper] Enfantin: De l'Allemagne. [Publication, par Duguet, d'une réponse de Enfantin à Heinrich Heine.] Paris: Impr. E. Duverger [1835].
282 Friedrich Engels: Die Entwicklung des Sozialismus von der Utopie zur Wissenschaft. Hottingen-Zürich 1882.
283 Friedrich Engels: Ludwig Feuerbach und der Ausgang der klassischen deutschen Philosophie. In: Die Neue Zeit 4 (1886), S. 145-157 (Nr. 4) u. S. 193-209 (Nr. 5).
284 Friedrich Engels: Herrn Eugen Dührings Umwälzung der Wissenschaft. (»Anti-Dühring«). Französische Übertr.*
285 Friedrich Engels: Die Lage der arbeitenden Klasse in England. Nach eigner Anschauung und authentischen Quellen. Zweite Ausgabe. Leipzig 1848.
286 Friedrich Engels: Von Paris nach Bern. Ein Reisefragment. (Vorbemerkung von Ed[uard] Bernstein.) In: Die Neue Zeit 17 (1898/99), Bd. 1, S. 8-18 (Nr. 1) u. S. 36-40 (Nr. 2).
287 Sigmund Engländer: Geschichte der französischen Arbeiter-Associationen. 1.-4. Theil. Hamburg 1864.
288 Adolphe [Philippe] D'Ennery et Grangé: Les bohémiens de Paris. Drame en cinq actes et huit tableaux. Représenté, pour la première fois, à Paris, sur le Théatre de l'Ambigu-Comique, le 27 septembre 1843. Paris o. J. [1843]. (Magasin théatral.)
289 Alexandre Erdan: La France mistique. Tableau des excentricités religieuses de ce tems. Bd. 2. Paris 1855.
290 Raymond Escholier: L'artiste. In: Arts et métiers graphiques, No 47, 1 juin 1935, S. 5-14.
291 Raymond Escholier: Victor Hugo raconté par ceux qui l'ont vu. Souvenirs, lettres, documents réunis, annotés et accompagnés de résumés biographiques. Paris 1931.
292 Europäische Dokumente. Historische Photos aus den Jahren 1840-1900. Hrsg. von Wolfgang Schade. Stuttgart, Berlin, Leipzig*.
293 Exposition universelle de 1867, à Paris. Album des installations les plus remarquables de l'exposition de 1862, à Londres, publiée par la commission impériale pour servir de renseignement aux exposants des

divers nations. Paris 1866.

294 Jacques Fabien: Paris en songe. Essai sur les logements à bon marché – le bien-être des masses – la protection due aux femmes [...]. Paris 1863.

295 Emile Faguet: Baudelaire. In: La revue. ((Ancienne »Revue des Revues«.)) 6e série, 21e année, Vol. 87, No 17, 1er septembre 1910, S. 615-624.

296 Jacob Falke: Geschichte des Modernen Geschmacks. Leipzig 1866.

297 Léon-Paul Fargue: Cafés de Paris. 2. Les cafés des Champs-Elysées, in: Vu, No 416, mars 1936, S. 270f.

298 Ferrari: Des idées et de l'école de Fourier depuis 1830. In: Revue des deux mondes, tome 11, 14e année – nouvelle série, 1845, S. 387-434.

299 Jules Ferry: Comptes fantastiques d'Haussmann. Lettre, adressée à MM. les membres de la commission du corps législatif chargés d'examiner le nouveau projet d'emprunt de la ville de Paris. Paris 1868.

300 Louis[-Guillaume] Figuier: La photographie au salon de 1859. Paris 1860.

301 A. de la Finelière et Georges Descaux: Charles Baudelaire. Paris 1868. (Essais de bibliographie contemporaine. 1.)*

302 Hugo Fischer: Karl Marx und sein Verhältnis zu Staat und Wirtschaft. Jena 1932.

303 Henri Focillon: Vie des formes. Paris 1934. (Forme et style. Essais et mémoires d'art et d'archéologie.)

304 Foi nouvelle. Chants et chansons de Barrault, Vinçard, Brious, J. Mercier, Lagache, Corréard, Rousseau, F. Maynard. 1831 à 1834. 1er cahier. Paris (1835).

305 Edouard Foucaud: Paris inventeur. Physiologie de l'industrie française. Paris 1844.

306 Henry Fougère: Les délégations ouvrières aux expositions universelles sous le Second Empire. Thèse pour le doctorat; Université de Paris, Faculté de droit. Montluçon 1905.

307 Ch(arles) Fourier: Œuvres complètes.
Bd. 1: Théorie des quatre mouvements et des destinées générales. Prospectus et annonce de la découverte. 2e éd., Paris 1841.
Bd. 3: Théorie de l'unité universelle. 2e volume. Paris 1841.

308 [Charles] Fourier [: Anthologie.] Par E. Poisson. Paris 1932. (Réformateurs sociaux. Collection de textes.)

309 Charles Fourier: Cités ouvrières. Des modifications à introduire dans l'architecture des villes. ((Extrait de la »Phalange«.)) Paris 1849.

310 Ch[arles] Fourier: La fausse industrie, morcelée, répugnante, mensongère, et l'antidote, l'industrie naturelle, combinée, attrayante, véridique, donnant quadruple produit et perfection extrême en toutes qualités. [Bd. 2.] Paris 1836.
311 Charles Fourier: Le nouveau monde industriel et sociétaire, ou Invention du procédé d'industrie attrayante et naturelle distribuée en séries passionnées. Paris 1829/1830*.
312 Charles Fourier: Théorie de l'unité universelle. Bd. 1. Paris 1834*.
313 Ch[arles] Fourier: Traité de l'association domestique-agricole. Bd. 2. Paris, Londres 1822.
314 Publication des manuscrits de Charles Fourier. Année 1851. Paris 1851. – Années 1857-1858. Paris 1858.
315 Victor Fournel: Ce qu'on voit dans les rues de Paris. Paris 1858.
316 Victor Fournel: Paris nouveau et Paris futur. 2e éd., notablement augmentée. Paris 1868.
317 Edouard Fournier: Chroniques et légendes des rues de Paris. Paris 1864.
318 Edouard Fournier: Enigmes des rues de Paris. Paris 1860.
319 Edouard Fournier: Les lanternes. Histoire de l'ancien éclairage de Paris. Suivi de la réimpression de quelques poèmes rares. Paris 1854.
320 Edouard Fournier: Paris démoli. 2e éd., revue et augmentée, avec une préface par Théophile Gautier. Paris 1855.
321 Marc Fournier: Les spécialités parisiennes, in: La grande ville. Nouveau tableau de Paris. Comique, critique et philosophique. Par Paul de Kock, Balzac, Dumas [u. a.]. Bd. 2. Paris 1844. S. 57-72.
322 Anatole France: Le jardin d'Epicure. Paris*.
323 Anatole France: La vie littéraire. 3e série. Paris 1891.
324 Grete de Francesco: Die Macht des Charlatans. Basel (1937).
325 [Benjamin] Franklin: Conseils pour faire fortune. Avis d'un vieil ouvrier à un jeune ouvrier, et la science du bonhomme Richard. Caisses d'épargnes. Organisation du travail. Introduction à la science populaire de Claudius. Paris 1848.
326 Rudolf Franz: [Bespr.] E. Silberling, Dictionnaire de Sociologie Phalanstérienne. Guide des œuvres complètes de Charles Fourier, Paris 1911. In: Die Neue Zeit 30 (1911/12), Bd. 1, S. 332f. (Nr. 9).
327 H.-A. Frégier: Des classes dangereuses de la population dans les grandes villes, et des moyens de les rendre meilleures. Ouvrage récomposé en 1838. 2 Bde. Paris 1840.

328 Cajetan Freund: Der Vers Baudelaires. Diss., München 1927.
329 Gisèle Freund: La photographie en France au dix-neuvième siècle. Etude de sociologie et d'esthétique. Thèse pour le doctorat d'université. Présentée à la faculté des lettres de l'université de Paris. Paris 1936.
330 Gisèle Freund: La photographie au point de vue sociologique. Mscrpt [Manuskript von Nr. 329].
331 Gisela Freund: Entwicklung der Photographie in Frankreich [Manuskript der deutschen Version von Nr. 329]
332 Egon Friedell: Kulturgeschichte der Neuzeit. Die Krisis der europäischen Seele von der schwarzen Pest bis zum Weltkrieg. Bd. 3: Romantik und Liberalismus / Imperialismus und Impressionismus. München 1932 (Copyright 1931).
333 Georges Friedmann: La crise du progrès. Esquisse d'histoire des idées 1895-1935. 2e éd., Paris (1936).
334 [Eduard Fuchs:] Honoré Daumier: Holzschnitte und Lithographien. Hrsg. von Eduard Fuchs. Bd. 1: Holzschnitte 1833-1870. München 1918*.
335 Eduard Fuchs: Illustrierte Sittengeschichte vom Mittelalter bis zur Gegenwart. [Bd. 3:] Das bürgerliche Zeitalter. Ergänzungsband. Privatdruck. München o. J. [1926 ?].
336 Eduard Fuchs: Die Karikatur der europäischen Völker. 1. Teil: Vom Altertum bis zum Jahre 1848. 4., verm. Aufl., München o. J. [1921].
337 Eduard Fuchs: Die Karikatur der europäischen Völker. 2. Teil: Vom Jahre 1848 bis zum Vorabend des Weltkrieges. 4., verm. Aufl., München o. J. [1921].
338 Stanislaus Fumet: Notre Baudelaire. Paris (1926). (Le roseau d'or. Œuvres et chroniques. 8.)
339 [Ganneau, dit] Le Mapah: Baptême, mariage. (Paris: Impr. Pollet, Soupe et Guillois,) o. J. [Flugblatt.]
340 Ganneau, dit Le Mapah: Cette page prophétique, saisie le 14 juillet 1840, a été trouvée par le citoyen Sobrier, ... dans le dossier du citoyen Ganneau ... (Paris: Impr. Lacrampe et Feriaux,) o. J. [1848]. [Flugblatt.]
341 [Ganneau, dit Le Mapah:] Waterloo. A vous beaux fils de France morts pour l'honneur, salut et glorification! Paris: Bureau des publications évadiennes, 1843.
342 Auguste Galimard: Examen du Salon de 1849. Paris o. J. [1850].
343 Ferdinand von Gall: Paris und seine Salons. Erster Band. Oldenburg 1844. – Zweiter Band. Oldenburg 1845.

344 Benjamin Gastineau: Paris en rose. (Paris:) Librairie internationale, [1866].
345 Benjamin Gastineau: Les romans du voyage. La vie en chemin de fer. Paris 1861.
346 Ernest Gaubert: Une anecdote controuvée sur Baudelaire. In: Mercure de France, No 550, 32e année, tome 148, 15 mai 1921, S. 281f.
347 Féli Gautier: Charles Baudelaire. Orné de 26 portraits différents du poète et de 28 gravures et reproductions. Dessins de Baudelaire, Facsimilés d'autographes, etc. Bruxelles 1904.
348 Théophile Gautier: Etudes philosophiques, in: Paris et les parisiens au XIXe siècle. Mœurs, arts et monuments. Texte par Alexandre Dumas, Théophile Gautier, Arsène Houssaye [u. a.]. Paris 1856. S. 24-28.
349 Théophile Gautier: Histoire du romantisme. Suivie de notices romantiques et d'une étude sur la poésie française 1830-1868. Paris 1874.
350 Théophile Gautier: Introduction [zu] Paris et les parisiens au XIXe siècle. Mœurs, arts et monuments. Texte par Alexandre Dumas, Théophile Gautier, Arsène Houssaye [u. a.]. Paris 1856. S. I-IV.
351 Théophile Gautier: Mosaïque de ruines, in: Paris et les parisiens au XIXe siècle. Mœurs, arts et monuments. Texte par Alexandre Dumas, Théophile Gautier, Arsène Houssaye [u. a.]. Paris 1856. S. 38-43.
352 (Théophile Gautier:) Photosculpture. ((Extrait du »Moniteur universel«, du 4 janvier 1864.)) Paris 1864.
353 Théophile Gautier: Portraits contemporains. Littérateurs; peintres; sculpteurs; artistes dramatiques. Paris 1874.
354 Théophile Gautier: Revue des Théâtres, in: Moniteur, 17 septembre 1867.
355 Sophie Gay: Der Salon der Fräulein Contet. In: Europa. Chronik der gebildeten Welt. Hrsg. von August Lewald. Leipzig, Stuttgart 1837. Bd. 1. S. [358]*.
356 Gustave Geffroy: L'enfermé. Paris 1897.
357 Gustave Geffroy: L'enfermé. Edition revue et augmentée par l'auteur. Bd. 1. Paris 1926. (Bibliothèque de l'Académie Goncourt. 11.)
358 Gustave Geffroy: Charles Meryon. Paris 1926.
359 Eduard Geismar: Sören Kierkegaard. Seine Lebensentwicklung und seine Wirksamkeit als Schriftsteller. (Übers. von E. Krüger [u. a.]) Göttingen 1929.
360 Stefan George: Hymnen, Pilgerfahrten, Algabal. 7. Aufl., Berlin 1922.
361 Friedrich Gerstäcker: Die versunkene Stadt. Berlin 1921 [Neufeld und Henius]*.

362 André Gide: Charles Baudelaire. In: Charles Baudelaire: Les fleurs du mal. Introduction d'André Gide. Paris 1917. S. XIff.

363 André Gide: Baudelaire et M. Faguet. In: La nouvelle revue française, 2e année, No 23, 1 novembre 1910, S. 499-518.

364 André Gide: En relisant »Les plaisirs et les jours«. In: Hommage à Marcel Proust, Nouvelle Revue Française, 10e année, No 112, tome 20, 1 janvier 1923, S. 123-126.

365 Charles Gide: Fourier, précurseur de la coopération. Paris [1924].

366 Sigfried Giedion: Bauen in Frankreich. Eisen, Eisenbeton. Leipzig, Berlin o. J. [1928].

367 Madame Emile de Girardin (Delphine Gay): Poésies complètes. Paris 1856.

368 Mme de Girardin: Le Vicomte de Launay. Lettres parisiennes, éd. 1857, t. IV*.

369 Journal des Goncourt. Mémoires de la vie littéraire. 2e série – 3e vol. Bd. 6: 1878-1884. Paris 1892.

370 Pierre de la Gorce: La restauration II. Charles X. Paris*.

371 Rudolf Gottschall: Das Theater und Drama des second empire. In: Unsere Zeit. Deutsche Revue. Monatsschrift zum Conversationslexikon. Leipzig 1867. S. [933]*.

372 Edouard Gourdon: Les faucheurs de nuit. Joueurs et Joueuses. Paris 1860.

373 [Nicolas-Jules-]H[enri] Gourdon de Genouillac: Paris à travers les siècles. Histoire nationale de Paris et des Parisiens depuis la fondation de Lutèce jusqu'à nos jours. Ouvrage rédigé sur un plan nouveau avec une lettre de Henri Martin. Bd. 5. Paris 1882.

374 [Nicolas-Jules-]H[enri] Gourdon de Genouillac: Les refrains de la rue de 1830 à 1870. Recueillis et annotés. Paris 1879.

375 Rémy de Gourmont: Le IIme livre des masques. Les masques au nombre de XXIII, dessinés par F. Valloton. 11e ed., Paris 1924.

376 Rémy de Gourmont: Judith Gautier. Biographie illustrée de portraits, et d'autographes, suivi d'opinions, de documents et d'une bibliographie. Paris 1904. (Les célébrités d'aujourd'hui.)

377 Rémy de Gourmont: Promenades littéraires. [1ère série.] Paris 1904. – 2ème série. Paris 1906.

378 [Léon Gozlan:] Le triomphe des omnibus. Poëme héroï-comique. Paris 1828.

379 John Grand-Carteret: Le décolleté et le retroussé. Un siècle de gauloiserie. Bd. 2: 1800. Paris o. J. [1910].

380 John Grand-Carteret: Les élégances de la toilette. Paris*.
381 La grande ville. Nouveau tableau de Paris. Comique, critique et philosophique. Par Paul de Kock, Balzac, Dumas [u.a.]. Bd. 1. Paris 1844.
382 [Jean-Ignace-Isidore Gérard, dit] Grandville: Un autre monde. Transformations, visions, incarnations [...] et autres choses. Paris 1844.
383 Adolphe Granier de Cassagnac: Histoire des classes ouvrières et des classes bourgeoises. (Introduction à l'histoire universelle. 1er partie.) Paris 1838.
384 A[ntoine] Granveau: L'ouvrier devant la société. Paris 1868.
385 Henri Grappin: Le mysticisme poétique et l'imagination de Gustave Flaubert. In: La revue de Paris, tome 16, 19e année, No 23, 1 décembre 1912, S. 609-629 und No 24, 15 décembre 1912, S. 849-870.
386 Ferdinand Gregorovius: Briefe an den Staatssekretär Hermann von Thile. Hrsg. von Hermann von Petersdorff. Berlin 1894.
387 Claudius Grillet: Le diable dans la littérature au XIXe siècle. Lyon, Paris 1935.
388 Claudius Grillet: Victor Hugo spirite. Lyon, Paris 1929.
389 Karl Gröber: Kinderspielzeug aus alter Zeit. Eine Geschichte des Spielzeugs. Berlin 1927.
390 Captain Gronow: Aus der Großen Welt. Pariser und Londoner Sittenbilder 1810-1860. Bearbeitet von Heinrich Conrad. Stuttgart 1908. (Memoirenbibliothek, III. Serie, Bd. 2.)
391 Henryk Grossmann: [Artikel] Sozialistische Ideen und Lehren. I: Sozialismus und Kommunismus; *II*: Geschichtliche Entwicklung; 7: Die Fortentwicklung des Marxismus bis zur Gegenwart. In: Wörterbuch der Volkswirtschaft in drei Bänden. Hrsg. von Ludwig Elster. 4. Aufl., Bd. 3, Jena 1933. S. 313-341.
392 Helen Grund: Vom Wesen der Mode. (Sonderdruck. München 1935.)
393 Alexandre Guérin: Les mansardes. In: Le bohême. Journal non politique. 1re année, No 7, 13 mai 1855, S. 2.
394 Gabriël Guillemot: Le bohême. Physionomies parisiennes. Paris 1869.
395 Guillot: Dit des Rues de Paris. Avec préface, notes et glossaire par Edgar Marcuse. Paris 1875*.
396 N[orbert] Gutermann und H. Lefebvre: La conscience mystifiée. [Paris] (1936). (Les essais. 14.)
397 Karl Gutzkow: Briefe aus Paris. Erster Theil. Leipzig 1842. – Zwei-

ter Theil. Leipzig 1842.
398 Karl Gutzkow: Oeffentliche Charaktere. Erster Theil. Hamburg 1835.
399 Veronika von G.: Die Mode, in: Der Bazar. Berliner illustrierte Damen-Zeitung, 3. Jg., 1857*.
400 Friedrich Wilhelm Hackländer: Märchen. Stuttgart 1843*.
401 Daniel Halévy: Décadence de la liberté. Paris (1931). (Les »Ecrits«.)
402 Daniel Halévy: Pays parisiens. Paris (1932).
403 Victor Hallays-Dabot: La censure dramatique et le théatre. Histoire des vingt dernières années ((1850-1870)). Paris 1871.
404 Pierre Hamp: La littérature, image de la société. In: Encyclopédie française. Bd. 16: Arts et littératures dans la société contemporaine I. Paris 1935. Fasc. 16.64-1 bis 4.
405 Maurice Harmel: Charles Fourier. In: Portraits d'hier. 2e année, No 36; 1 septembre 1910.
406 Carl Benedict Hase: Briefe von der Wanderung und aus Paris. Hrsg. von O. Heine. Leipzig 1894.
407 Henri Hauser: Les débuts du capitalisme. Nouvelle éd., Paris 1931.
408 [Georges-Eugène Haussmann:] Confession d'un lion devenu vieux. O. O. o. J. [Paris 1888].
409 [Georges-Eugène] Haussmann: Mémoires. Bd. 2: Préfecture de la Seine. Exposé de la situation en 1853; transformation de Paris; plan et système financier des grands travaux; résultats généraux en 1870. 3e éd., Paris 1890.
410 Georg Wilhelm Friedrich Hegel: Werke. Vollständige Ausg. durch einen Verein von Freunden des Verewigten. Bd. 19: Briefe von und an Hegel. Hrsg. von Karl Hegel. Leipzig 1887. 2. Theil.
411 Georg Wilhelm Friedrich Hegel: Sämtliche Werke. Hrsg. von Georg Lasson. Bd. 5: Encyclopädie der philosophischen Wissenschaften im Grundrisse. Neu hrsg. von Georg Lasson. 2. Aufl., Leipzig 1920. (Philosophische Bibliothek. 33.)
412 Heinrich Heine: Sämmtliche Werke. Ausgabe in 12 Bänden. Bd. 5: Französische Zustände I. Hamburg 1876.
413 Heinrich Heine: Sämtliche Werke. Ed. Wilhelm Bölsche. Bd. 5. Leipzig*.
414 Heinrich Heine: Gespräche. Briefe, Tagebücher, Berichte seiner Zeitgenossen. Gesammelt und hrsg. von Hugo Bieber. Berlin 1926.
415 Th. Heine: Die Straße von Paris, s. Die Pariser Weltausstellung in Wort und Bild.
416 Joachim von Helmersen: Pariser Kamine. In: Frankfurter Zeitung,

10. 2. 1933 (Jg. 77, Nr. 109/110), S. 2f.
Hérault de Séchelles, s. Séchelles.
417 Louis Héritier: Die Arbeitsbörsen. In: Die Neue Zeit 14 (1895/96), Bd. 1, S. 645-650 (Nr. 21) u. S. 687-692 (Nr. 22).
418 Georg Herwegh: Gedichte eines Lebendigen. Bd. 2. Zürich, Winterthur 1844*.
419 Franz Hessel: [Manuskript; ohne Titelnennung.]
420 Georg Heym: Dichtungen. München 1922.
421 Histoire des Cafés de Paris. Extraite des mémoires d'un viveur. Cafés du Palais-Royal, des boulevards, de ville, etc. Revue et augmentée par M. Constantin. Paris 1857.
422 Histoire de Jules César I. Paris 1865*.
423 E[rnst] T[heodor] A[madeus] Hoffmann: Ausgewählte Schriften. Bde. 14 u. 15: E.T.A. Hoffmann's Erzählungen aus seinen letzten Lebensjahren, sein Leben und Nachlaß. In 5 Bdn. Hrsg. von Micheline Hoffmann.
Bd. 4 [=14]: E.T.A. Hoffmann's Leben und Nachlaß. Von Julius Eduard Hitzig. Bd. 2. 3., vermehrte u. verbesserte Aufl., Stuttgart 1839.
Bd. 5 [=15]: Dass., Bd. 3. 3., vermehrte und verbesserte Aufl., Stuttgart 1839.
424 Hugo von Hofmannsthal: Buch der Freunde. Tagebuch-Aufzeichnungen. (2. Aufl.,) Leipzig 1929.
425 Hugo von Hofmannsthal: Versuch über Victor Hugo. (München 1925.)
426 Arthur Holitscher: Charles Baudelaire. In: Die Literatur. Bd. 12. S. [14f.]*.
427 J. J. Honegger: Grundsteine einer Allgemeinen Culturgeschichte der Neuesten Zeit. Bd. 5: Dialektik des Culturgangs und seine Endresultate. Leipzig 1874.
428 Max Horkheimer: Bemerkungen zur philosophischen Anthropologie. In: Zeitschrift für Sozialforschung 4 (1935), S. 1-25 (Heft 1).
429 Max Horkheimer: Materialismus und Moral. In: Zeitschrift für Sozialforschung 2 (1933), S. 162-195 (Heft 2).
430 Max Horkheimer: Traditionelle und kritische Theorie. In: Zeitschrift für Sozialforschung 6 (1937), S. 245-292 (Heft 2).
431 Max Horkheimer: Brief vom 16. 3. 1937 an Walter Benjamin ⟨s. jetzt Bd. 1, 1332f.⟩
432 Arsène Houssaye: Le Paris futur, in: Paris et les parisiens au XIXe

siècle. Mœurs, arts et monuments. Texte par Alexandre Dumas, Théophile Gautier, Arsène Houssaye [u. a.]. Paris 1856. S. 458-461.

433 C. Hugo: Der Sozialismus in Frankreich während der großen Revolution. In: Die Neue Zeit 11 (1892/93), Bd. 1, S. 812-819 (Nr. 26).

434 Victor Hugo: Œuvres complètes. Edition définitive d'après les manuscrits originaux. [1. Abt.:] Poésie.
Bd. 2: Les orientales. Les feuilles d'automne. Paris o. J. [1880].
Bd. 3: Les chants du crépuscule. Les voix intérieures. Les rayons et les ombres. Paris o. J. [1880].
Bd. 4: Les châtiments. Paris o. J. [1882].
Bd. 6: Les contemplations II: Aujourd'hui 1843-1855. Paris 1882.
Bd. 9: La légende des siècles III. Paris 1883.

435 Victor Hugo: Œuvres complètes. Edition définitive d'après les manuscrits originaux. [6. Abt.:] Roman.
Bd. 3: Notre-Dame de Paris I. Paris o. J. [1880].
Bde. 7-9: Les misérables III-V. Paris 1881.

436 Victor Hugo: Œuvres choisies. Illustrées par Léopold-Lacour. Préface de Gustave Simon. Poésies et drames en vers. Paris o. J. [1912].

437 Victor Hugo: Les châtiments. Ed. Charpentier. Paris*.

438 Victor Hugo: Discours. Anniversaire de la revolution de 1848. 24 février 1855. – A Jersey. (Jersey: Impr. Universelle,) o. J.

439 Victor Hugo: La fin de Satan. 3e édition, Paris 1886.

440 Victor Hugo: La fin de Satan. Dieu. Paris 1911*.

441 Victor Hugo devant l'opinion. Presse française; Presse étrangère. Avec une lettre de Gustave Rivet. Paris 1885.

442 J[ohan] Huizinga: Herbst des Mittelalters. Studien über Lebens- und Geistesformen des 14. und 15. Jahrhunderts in Frankreich und in den Niederlanden. (Deutsch von T[illi] Wolff-Mönckeberg.) (2. Aufl.,) München 1928.

443 H. J. Hunt: Le socialisme et le romantisme en France. Etude de la presse socialiste de 1830 à 1848. Oxford 1935. (Oxford Studies in Modern Languages and Literature.)

444 Aldous Huxley: Croisière d'hiver. Voyage en Amérique Centrale ((1933)). Traduction de Jules Castier. Paris (1935).

445 J[oris]-K[arl] Huysmans: Croquis parisiens. Nouvelle édition. Augmentée d'un certain nombre de pièces. Paris 1886.

446 Henrik Ibsen: Briefe. Hrsg. mit Einleitung und Anmerkungen von Julius Elias und Halvdan Koht. (Henrik Ibsen: Sämtliche Werke in deutscher Sprache. Bd. 10 ((Supplementband)). Berlin 1905.

447 [Jean-Auguste-Dominique] Ingres: Réponse au rapport sur l'Ecole impériale des beaux-arts, adressé au Maréchal Vaillant. Paris 1863.
448 Eric Isoard: Les faux bohêmes. In: Le bohême. Journal non politique. 1re année, No 6, 6 mai 1855, S. 1.
449 Robert Jacquin: Notions sur le langage d'après les travaux du P. Marcel Jousse. Programme à option du Baccalaureat de Philosophie, Paris 1929.
450 Edmond Jaloux: Le centenaire de Baudelaire. In: La revue hebdomadaire, 30e année, No 27, 2 juillet 1921, S. 66-78.
451 Edmond Jaloux: Le dernier flaneur. In: Le temps, 76e année, No 27289, 22 mai 1936, S. 3.
452 Edmond Jaloux: L'homme du XIXe siècle. In: Le temps, 75e année, No 27003, 9 août 1935, S. 3.
453 Edmond Jaloux: Journaux intimes. In: Le temps, 77e année, No 27651, 23 mai 1937, S. 3.
454 Edmond Jaloux: Les romanciers et le temps. In: Le temps, 75e année, No 27143, 27 décembre 1935, S. 3.
455 Edmond Jaloux: [Rez.] Jean Vaudal, Le tableau noir [und] Madeleine Bourdouxhe, La femme de Gilles. In: Les nouvelles littéraires, artistiques et scientifiques, No 788, 20 novembre 1937, S. 4.
456 Rudolph von Jhering: Der Zweck im Recht. Bd. 2. Leipzig 1883.
457 Carl Gustav Jochmann's von Pernau Reliquien. Aus seinen nachgelassenen Papieren. Gesammelt von Heinrich Zschokke. 3 Bde. Hechingen 1836, 1837 und 1838.
458 [Carl Gustav Jochmann:] Ueber die Sprache. Heidelberg 1828.
459 Joseph Joubert: Correspondance. Précédée d'une notice sur sa vie, son caractère et ses travaux par M. Paul de Raynal et des jugements littéraires de Sainte-Beuve [u. a.]. Paris 1924*.
460 J[oseph] Joubert: Pensées. Précédées de sa correspondance, d'une notice sur sa vie, son caractère et ses travaux par Paul de Raynal et des jugements littéraires de Sainte-Beuve [u. a.] 8e éd., II, Paris 1883. (J[oseph] Joubert: Œuvres. Bd. 2.)
461 Marcel Jouhandeau: Images de Paris. 5e éd., Paris (1934).
462 Marcel Jouhandeau: Prudence Hautechaume. 5e éd., Paris (1927).
463 Jean Journet: L'ère de la femme ou le règne de l'harmonie universelle. [Paris:] (Vaugirard), 1857.
464 Jean Journet: Poésies et chants harmoniens. Paris 1857.
465 C[arl] G[ustav] Jung: Seelenprobleme der Gegenwart. [2. Aufl.,] Zürich, Leipzig, Stuttgart 1932. (Vorträge und Aufsätze. Psychologi-

sche Abhandlungen. 3.)
466 Franz Kafka: Der Prozeß. Roman. (Nachwort von Max Brod.) Berlin 1925. (Die Romane des XX. Jahrhunderts.)
467 Gustave Kahn: Préface [zu] Ch(arles) Baudelaire: Mon cœur mis à nu et Fusées. Journaux intimes. Edition conforme au manuscrit. Préface de Gustave Kahn. Paris 1909.
468 L'esprit d'Alphonse Karr. Pensées extraites de ses œuvres complètes. Paris 1877.
469 Alphonse Karr: 300 pages. Mélanges philosophiques. Nouv. éd., Paris 1861.
470 J. Karski: Moderne Kunstströmungen und Sozialismus. In: Die Neue Zeit 20 (1901/02), Bd. 1, S. 140-147 (Nr. 5).
471 Emil Kaufmann: Von Ledoux bis Le Corbusier. Ursprung und Entwicklung der Autonomen Architektur. Wien, Leipzig 1933.
472 Karl Kautsky: Die materialistische Geschichtsauffassung. Bd. 1: Natur und Gesellschaft. Berlin 1927.
473 Amédée Kermel: Les passages de Paris. In: Paris, ou Le livre des cent-et-un. Bd. 10. Paris 1833. S. 49-72.
474 Sören Kierkegaard: Gesammelte Werke. Bd. 1: Entweder/Oder. Erster Teil. (Mit Nachwort von Christoph Schrempf. Übers. von Wolfgang Pfleiderer u. Christoph Schrempf.) Jena 1911.
475 Sören Kierkegaard: Gesammelte Werke. Bd. 2: Entweder/Oder. Zweiter Teil. (Mit Nachwort von Christoph Schrempf. Übers. von Wolfgang Pfleiderer u. Christoph Schrempf.) Jena 1913.
476 Sören Kierkegaard: Gesammelte Werke. Bd. 3: Furcht und Zittern / Wiederholung. (Mit Nachwort u. übers. von H[ermann] Gottsched.) 2. Aufl., Jena 1909.
477 Sören Kierkegaard: Gesammelte Werke. Bd. 4: Stadien auf dem Lebensweg. (Mit Nachwort von Christoph Schrempf. Übers. von Christoph Schrempf u. Wolfgang Pfleiderer.) Jena 1914.
478 Peter Klassen: Baudelaire. Welt und Gegenwelt. Weimar (1931).
479 Richard Koch: Der Zauber der Heilquellen. Eine Studie über Goethe als Badegast. Stuttgart 1933.
480 Karl Korsch: Karl Marx, ms [Manuskript in 3 Teilen].
481 S[iegfried] Kracauer: Jacques Offenbach und das Paris seiner Zeit. Amsterdam 1937.
482 Karl Kraus: Nachts. 3. u. 4. Tausend, Wien, Leipzig 1924.
483 Fr[iedrich] Kreyßig: Studien zur französischen Cultur- und Literaturgeschichte. Berlin 1865.

484 Eduard Kroloff: Schilderungen aus Paris. Bd. 2. Hamburg 1839*.
485 Emile [Gigault] de Labédollière: Histoire de nouveau Paris. Paris*.
486 Pierre Lachambeaudie: Fables et poésies diverses. Paris 1851*.
487 Jacques de Lacretelle: Le rêveur parisien. In: La nouvelle revue française, No 166, 14e année, tome 29, 1er juillet 1927, S. 23-39.
488 Paul Lafargue: Die christliche Liebestätigkeit. 4: Der Wohltätigkeitsbetrieb der Bourgeois. In: Die Neue Zeit 23 (1904/05), Bd. 1, S. 145-153 (Nr. 5).
489 Paul Lafargue: Der Klassenkampf in Frankreich. In: Die Neue Zeit 12 (1893/94), Bd. 2, S. 613-621 (Nr. 46), S. 641-647 (Nr. 47), S. 676-682 (Nr. 48) u. S. 705-721 (Nr. 49).
490 Paul Lafargue: Marx' historischer Materialismus. 3. Vicos Gesetze der Geschichte. In: Die Neue Zeit 22 (1903/04), Bd. 1, S. 824-833 (Nr. 26).
491 Paul Lafargue: Persönliche Erinnerungen an Friedrich Engels. In: Die Neue Zeit 23 (1904/05), Bd. 2, S. 556-561 (Nr. 44).
492 Paul Lafargue: Die Ursachen des Gottesglaubens. 3: Die ökonomischen Wurzeln des Gottesglaubens beim Bourgeois. In: Die Neue Zeit 24 (1905/06), Bd. 2, S. 508-518 (Nr. 16).
493 Jules Laforgue: Œuvres complètes. [Bd. 3:] Mélanges posthumes. Pensées et paradoxes [u. a.]. Paris 1903.
494 René Laforgue: L'échec de Baudelaire. Etude psychoanalytique sur la névrose de Charles Baudelaire. Paris 1931.
495 S. F. Lahrs [?]: Briefe aus Paris. In: Europa. Chronik der gebildeten Welt. Hrsg. von August Lewald. Bd. 2. Leipzig, Stuttgart 1837. S. 206-209*.
496 Alphonse de Lamartine: Œuvres complètes. Bd. 1. Paris 1850*.
497 Alphonse de Lamartine: Méditations poétiques. (Nouvelle édition publiée d'après les manuscrits et les éditions originales avec des variantes, une introduction, des notices et des notes par Gustave Lanson.) Bd. 2. 2e éd., Paris 1922. (Les grands écrivains de la France.)
498 Louis Rainier Lanfranchi [Etienne-Léon de La Mothe-Langon]: Voyage à Paris, ou esquisses des hommes et des choses dans cette capitale. Paris 1830.
499 Savinien Lapointe: Une voix d'en bas. Précédées d'une préface par M. Eugène Sue, et suivi des lettres adressées à l'auteur par MM. Béranger, Victor Hugo, Léon Gozlan, etc. Paris o. J. 1844.
500 A[lbert Cochon] de Lapparent: Le centenaire de l'Ecole polytechnique. ((Extrait du »Correspondant«.)) Paris 1894.

501 Albert [Cochon] de Lapparent: Le siècle du fer. Paris 1890.
502 Valery Larbaud: Rues et visages de Paris. In: Commerce. Cahiers trimestriels publiés par les soins de Paul Valéry, Léon-Paul Fargue, Valery Larbaud. Cahier VIII, été 1926, S. 29-60.
503 Lorédan Larchey: Fragments de souvenirs. Le boa de Baudelaire; l'impeccable Banville. Paris 1901.
504 Georges Laronze: Le baron Haussmann. Paris 1932.
505 Georges Laronze: Histoire de la Commune de 1871 d'après des documents et des souvenirs inédits. La justice. Lettre-préface de Louis Barthou. Paris 1928. (Bibliothèque historique. [1.])
506 Pierre Larousse: Grand dictionnaire universel du XIXe siècle. Bde. 3, 6 u. 8. Paris 1867, 1870 u. 1872.
507 James de Laurence [Sir James Lawrence]: Les enfants de dieu ou la religion de Jésus réconciliée avec la philosophie. Paris 1831.
508 Laurencin [Paul-Aimé Chapelle] und [Louis-François Nicolaie, dit] Clairville: Le roi Dagobert à l'exposition de 1844. Revue-Vaudeville en deux actes et trois époques. Représentée pour la première fois, à Paris, sur le théâtre du Vaudeville, le 19 avril 1844. Paris 1844.
509 Institut de France. Académie française. Discours prononcés dans la séance publique tenue par l'Académie française pour la réception de Henri Lavedan. Le jeudi, 29 décembre 1899. Paris 1899.
510 [Gabriel-]D[ésiré] Laverdant: De la mission de l'art et du rôle des artistes. Salon de 1845. ((Extrait des 2e et 3e livraisons de »La Phalange«.)) Paris 1845.
511 Lm. [Gabriel-Désiré Laverdant]: Revue critique de feuilleton. In: La Phalange, 3e série, tome 3, No 34, 10e année, 18 juillet 1841, Sp. 540.
512 Paul Léautaud: Gazette d'hier et d'aujourd'hui. ((Vieux Paris.)) In: Mercure de France, No 704, 38e année, tome 199, 15 octobre 1927, S. 501-505.
Lebende Bilder aus dem modernen Paris, s. Adolf Ebeling.
513 André Le Breton: Balzac. L'homme et l'œuvre. Paris 1905.
514 Jules Lecomte: Les lettres de Van Engelgom. Introduction et notes de Henri d'Almeras. Paris 1925. (Collection des chefs-d'œuvre méconnus.)
515 [Charles] Lefeuve: Histoire de Paris, rue par rue, maison par maison. (Les anciennes maisons de Paris.) Bde. 1, 2 und 4. 5e éd., Paris 1875.
516 Fernand Léger: Londres. In: Lu, V 23 (209), 7 juin 1935. S. [18]*.

517 Jules Lemaître: Les contemporains. Etudes et portraits littéraires. 4e série. 11e éd., Paris 1895. (Nouvelle bibliothèque littéraire.)
518 Julien Lemer: Paris au gaz. Paris 1861.
519 Népomucène L. Lemercier: Suite de la Panhypocrisiade ou le spectacle infernal du dix-neuvième siècle. Paris 1832.
520 [Népomucène] Lemercier: Sur la découverte de l'ingénieux peintre du diorama. In: Institut royal de France. Séance publique annuelle des cinq académies, du 2 mai 1839. Paris 1839. S. 21-37.
521 Léon Lemonnier: Edgar Poe et la critique française de 1845 à 1875. Thèse pour le doctorat ès lettres, présentée à la faculté des lettres de l'Université de Paris. Paris 1928.
522 Auguste Lepage: Les cafés politiques et littéraires de Paris. Paris (1874).
523 F[rédéric] Le Play: Les ouvriers européens. Etudes sur les travaux, la vie domestique et la condition morale des populations ouvrières de l'Europe. Précédées d'un exposé de la méthode d'observation. Paris 1855.
524 Lerminier. De la littérature des ouvriers. In: Revue des deux mondes 28 (1841), S. 955ff.*.
525 Maxime Leroy: Les premiers amis français de Wagner. Paris (1925). (Bibliothèque musicale.)
526 Maxime Leroy: Les spéculations foncières de Saint-Simon et ses querelles d'affaires avec son associé, le comte de Redern. Paris o. J. [1925].
527 Maxime Leroy: La vie véritable du comte Henri de Saint-Simon (1760-1825). Paris 1925. (»Les cahiers verts«. 54.)
528 Julius Lessing: Das halbe Jahrhundert der Weltausstellungen. Vortrag gehalten in der Volkswirthschaftlichen Gesellschaft zu Berlin März 1900. Berlin 1900.
529 Jules Levallois: Milieu de siècle. Mémoires d'un critique. Paris o. J. [1895].
530 E[mile] Levasseur: Histoire des classes ouvrières et de l'industrie en France de 1789 à 1870. 2e édition ((entièrement refondue)). 2 Bde. Paris 1903, 1904.
531 E(mile) Levasseur: Histoire du commerce de la France. 2e partie: De 1789 à nos jours. ((Avec un avertissement de Aug(uste) Deschamps.)) Paris 1912.
532 Levic-Torca: Paris-Noceur. Ouvrage orné de portraits d'après nature et de compositions inédites de Léon Roze. Paris 1910*.

533 August Lewald: Album der Boudoirs. Leipzig, Stuttgart 1836.

534 Maria Ley-Deutsch: Le gueux chez Victor Hugo. Paris 1936. (Bibliothèque de la Fondation Victor Hugo. 4.)

535 A[lphonse] Liébert: Les ruines de Paris. 100 photographies. Bd. 1. Paris 1871*.

536 Carel Lodewijk de Liefde: Le Saint-Simonisme dans la poésie française entre 1825 et 1865. Diss. Amsterdam, (Haarlem 1927).

537 Jean de Lignières: Le centenaire de la Presse. In: Vendredi, juin 1936*.

538 Paulin Limayrac: Du roman actuel et de nos romanciers. In: Revue des deux mondes, tome 11, 14e année – nouvelle série, 1845, S. 937-957.

539 Charles-M[athieu] Limousin: Le fouriérisme. Bref exposé. La prétendue folie de Fourier. Réponse à un article de Edmond Villey intitulé: »Fourier et son œuvre«. Paris 1898.

540 Paul Lindau: Der Abend. Schauspiel in vier Aufzügen. Berlin 1896. (Bühnen-Manuscript.)

541 Carl Linfert: Vom Ursprung großer Baugedanken. In: Frankfurter Zeitung, 9. 1. 1936 (Jg. 80, Nr. 15/16), S. 11.

542 Ferdinand Lion: Geschichte biologisch gesehen. Essays. Zürich, Leipzig (1935).

543 Theodor Lipps: Über die Symbolik unserer Kleidung, in: Nord und Süd, Breslau, Berlin, 33 (1885)*.

544 K[arl] Löwith: L'achèvement de la philosophie classique par Hegel et sa dissolution chez Max et Kierkegaard. In: Recherches philosophiques 4 (1934/35), S. 232-267.

545 Karl Löwith: Nietzsches Philosophie der ewigen Wiederkunft des Gleichen. Berlin 1935.

546 Daniel Caspers v[on] Lohenstein: Agrippina. Trauer-Spiel. Leipzig 1724.

547 Jean Loize: Emile Zola, photographe. In: Arts et métiers graphiques, No 45, 15 février 1935, S. 31-35.

548 Hermann Lotze: Mikrokosmos. Ideen zur Naturgeschichte und Geschichte der Menschheit. Versuch einer Anthropologie. Bd. 2 u. 3. Leipzig 1858 u. 1864.

549 Charles Louandre: Les idées subversives de notre temps. Etude sur la société française de 1830 à 1871. Paris 1872.

550 Ch[arles] Louandre: Statistique littéraire. La poésie depuis 1830. In: Revue des deux mondes, 4e série, tome 3, 15 juin 1842, S. 971-1002.

551 Charles Louandre: Statistique littéraire. De la production intellectuelle en France depuis quinze ans. In: Revue des deux mondes, tome 20, 17e année – nouvelle série, 1847, S. 253-286, S. 416-446 und S. 671-703.
552 Paul Louis: Histoire de la classe ouvrière en France de la révolution à nos jours. La condition matérielle des travailleurs. Les salaires et le cout de la vie. Paris 1927.
553 Hippolyte Lucas und Eugène Barré: Le ciel et l'enfer. Féerie mêlée de chants et de danses, en 5 actes et 20 tableaux. Représentée pour la première fois, à Paris, sur le théatre de l'Ambigu-comique, le 23 mai 1853. Paris 1853.
554 J. Lucas-Dubreton: L'affaire Alibaud ou Louis-Philippe traqué ((1836)). Paris 1927.
555 J. Lucas-Dubreton: Le comte d'Artois, Charles X. Le prince, l'émigré, le roi. 6e mille, Paris (1927). (Figures du passé.)
556 J. Lucas-Dubreton: La vie d'Alexandre Dumas père. Paris 1928. (Vie des hommes illustres. 14.)
557 L(ouis) Lurine: A travers les rues, in: Paris chez soi. Histoire, mœurs, rues, monuments, palais, musées, théatres, chemins de fer, fortifications et environs de Paris ancien et moderne. Par l'élite de la littérature contemporaine. Paris [1854]. S. 3-12.
558 Louis Lurine: Les boulevarts, in: Paris chez soi. Histoire, mœurs, rues, monuments, palais, musées, théatres, chemins de fer, fortifications et environs de Paris ancien et moderne. Par l'élite de la littérature contemporaine. Paris [1854]. S. 49-62.
559 Louis Lurine: Le treizième arrondissement de Paris. Paris 1850.
560 Joseph Aug[ust] Lux: Maschinenästhetik. In: Die Neue Zeit 27 (1908/09), Bd. 2, S. 436-439 (Nr. 39; Feuilleton der Neuen Zeit, Nr. 16f., 25. 6. 1909).
561 F. L.: Über eine Plakatausstellung in Mannheim. In: Frankfurter Zeitung, 1927*.
562 Pierre Mabille: Préface à l'Eloge des préjugés populaires. In: Minotaure. Revue artistique et littéraire, 2e année, No 6, Hiver 1935, S. 1-3.
563 Pierre Mac Orlan: Grandville le précurseur. In: Arts et métiers graphiques, No 44, 15 décembre 1934, S. 19-24.
564 Firmin Maillard: La cité des intellectuels. Scènes cruelles et plaisantes de la vie littéraire des gens de lettres au XIXe siècle. 3e éd., Paris o.J. [1905].

565 Firmin Maillard: La légende de la femme émancipée. Histoire de femmes, pour servir à l'histoire contemporaine. Paris o. J.*

566 Firmin Maillard: Recherches historiques et critiques sur la Morgue. Paris 1860.

567 Gilbert Maire: La personnalité de Baudelaire et la critique biologique des »Fleurs du mal«. In: Mercure de France, No 302, tome 83, 16 janvier 1910, S. 231-248 und No 303, tome 83, 1er février 1910, S. 400-417.

568 Joseph de Maistre: Les soirées de Saint-Pétersbourg (extraits). Notice et notes par Ch.-M. Des Granges. Paris (1922). (Les classiques pour tous. No 78.)*

569 Albert Malet et P. Grillet: XIXe siècle (1815-1914). Paris 1919.

570 *La dernière mode* de Stéphane Mallarmé. [Auszüge, eingeleitet von Henry Charpentier.] In: Minotaure. Revue artistique et littéraire, 2e année, No 6, Hiver 1935, S. 25-29.

571 Stéphane Mallarmé: Divagations. Paris 1897.

572 Stéphane Mallarmé: Poésies. Paris 1917*.

573 Heinrich Mann: Geist und Tat. Franzosen 1780-1930. Berlin 1931.

574 Alfred-L. Marquiset: Jeux et joueurs d'autrefois (1789-1837). Paris 1917*.

575 Eugène Marsan: Les cannes de M. Paul Bourget et le bon choix de Philinte. Petit manuel de l'homme élégant suivi de portraits en référence Barrès, Moréas, Bourget [u. a.]. Avec une lettre de Paul Bourget à l'auteur. Paris 1923.

576 Alexis Martin: Sur l'asphalte. I: Physiologie de l'asphalte. In: Le bohême. Journal non politique. 1re année, No 3, 15 Avril 1855, S. 3.

577 Pierre Martino: Le roman réaliste sous le second empire. Paris 1913.

578 Karl Marx und Friedrich Engels: Historisch-kritische Gesamtausgabe. Werke/Schriften/Briefe. Im Auftrage des Marx-Engels-Instituts Moskau hrsg. von D[avid] Rjazanov. 1. Abt., Bd. 1, 1. Halbbd.: Karl Marx, Werke und Schriften bis Anfang 1844 nebst Briefen und Dokumenten. Frankfurt a. M. 1927.

579 Karl Marx und Friedrich Engels: Gesammelte Schriften 1841 bis 1850. Bd. 3: Von Mai 1848 bis Oktober 1850. Stuttgart 1902. (Aus dem literarischen Nachlaß von Karl Marx, Friedrich Engels und Ferdinand Lassalle. Hrsg. von Franz Mehring. 3.)

580 Karl Marx: Der achtzehnte Brumaire des Louis Bonaparte. Neue ergänzte Ausgabe mit einem Vorwort von F[riedrich] Engels. Hrsg. und eingeleitet von D[avid] Rjazanov. Wien, Berlin (1927).

581 Karl Marx: Der französische Materialismus des 18. Jahrhunderts. In: Die Neue Zeit 3 (1885), S. 385-395 (Nr. 9).
582 Karl Marx über Karl Grün als Geschichtschreiber des Sozialismus. Aus dem Marx-Engelsschen Nachlaß. (Vorbemerkung von Ed[uard] Bernstein.) In: Die Neue Zeit 18 (1899/1900), Bd. 1, S. 4-11 (Nr. 1), S. 37-46 (Nr. 2), S. 132-141 (Nr. 5) u. S. 164-172 (Nr. 6).
583 Karl Marx: Der historische Materialismus. Die Frühschriften. Hrsg. von S[iegfried] Landshut und J. P. Mayer unter Mitwirkung von F. Salomon. Bd. 1. Leipzig (1932). (Kröners Taschenausgabe. 91.)
584 Karl Marx: Das Kapital. Kritik der politischen Ökonomie. Erster Band, Buch I: Der Produktionsprozeß des Kapitals. Hrsg. von Friedrich Engels. 10. Aufl., Hamburg 1922.
585 Karl Marx: Das Kapital. Kritik der politischen Ökonomie. [Erster Band, Buch I.] Ungekürzte Ausgabe nach der zweiten Auflage von 1872. ([Hrsg. und] Geleitwort von Karl Korsch.) Berlin (1932).
586 Karl Marx: Die Klassenkämpfe in Frankreich 1848 bis 1850. Abdruck aus der »Neuen Rheinischen Zeitung«, Politisch-ökonomische Revue, Hamburg 1850. Mit Einleitung von Friedrich Engels. Berlin 1895.
587 Karl Marx: Randglossen zum Programm der Deutschen Arbeiterpartei. Mit einer ausführlichen Einleitung und sechs Anhängen hrsg. von Karl Korsch. Berlin, Leipzig 1922.
588 Karl Marx als Denker, Mensch und Revolutionär. Ein Sammelbuch. Hrsg. von D[avid] Rjazanov. Wien, Berlin (1928). (Marxistische Bibliothek. Werke des Marxismus-Leninismus. 4.)
589 [Karl] Marx und [Friedrich] Engels: Über Feuerbach. Der erste Teil der »Deutschen Ideologie«. In: Marx-Engels-Archiv. Zeitschrift des Marx-Engels-Instituts in Moskau. Hrsg. von D[avid] Rjazanov. Bd. 1. Frankfurt a. M. 1928. S. 205-306.
590 Karl Marx und Friedrich Engels: Verschwörer und Polizeispione in Frankreich. [Rez.] Chenu, Les conspirateurs und Lucien de la Hodde, La naissance de la republique en février 1848. In: Die Neue Zeit 4 (1886), S. 549-561.
591 Karl Marx [und] Friedrich Engels: Ausgewählte Briefe. Hrsg. vom Marx-Engels-Lenin-Institut Moskau unter Redaktion von V[ladimir] Adoratskij. Moskau, Leningrad 1934. (Bibliothek des Marxismus-Leninismus. [2.])
592 Karl Marx und Friedrich Engels: Briefwechsel. Hrsg. vom Marx-Engels-Lenin-Institut, Moskau. Bd. 1: 1844-1853. Zürich (1935).

593 Camille Mauclair: Préface [zu] Charles Baudelaire: Vingt-sept poèmes des *Fleurs du mal.* Illustrés par [Auguste] Rodin. Paris 1918. S. 1-8.

594 Guy de Maupassant: Clair de lune. L'enfant – En voyage – Le bûcher. Paris 1909. (Œuvres complètes. [24.])

595 Gustav Mayer: Friedrich Engels. Eine Biographie in zwei Bänden. Bd. 1: Friedrich Engels in seiner Frühzeit. 2. Aufl., Berlin (1933).

596 Gustav Mayer: Friedrich Engels. Eine Biographie in zwei Bänden. Bd. 2: Engels und der Aufstieg der Arbeiterbewegung in Europa. Berlin (1933).

597 [Franz Mehring:] Ein Gedenktag des Kommunismus. In: Die Neue Zeit 16 (1897/98), Bd. 1, S. 353-356 (Nr. 12).

598 [Franz Mehring:] Lose Blätter. Charles Dickens. In: Die Neue Zeit 30 (1911/12), Bd. 1, S. 621-624 (Nr. 17; Feuilleton der Neuen Zeit, Nr. 47, 26. 1. 1912).

599 [Franz Mehring:] Ein methodologisches Problem. In: Die Neue Zeit 20 (1901/02), Bd. 1, S. 449-453 (Nr. 15).

600 [Franz Mehring:] Zum Gedächtniß der Pariser Kommune. In: Die Neue Zeit 14 (1895/96), Bd. 1, S. 737-740 (Nr. 24).

601 Karl Meister: Die Hausschwelle in Sprache und Religion der Römer. Heidelberg 1925. (Sitzungsberichte der Heidelberger Akademie der Wissenschaften. Philosophisch-historische Klasse. Bd. 15, Jg. 1924/25, 3. Abhandlung. Vorgelegt am 7. Oktober 1924.)

602 Mercier: Le nouveau Paris. Bde. 4 u. 5. Paris 1800*.

603 [Victor] Méry: Le climat de Paris. In: Le diable à Paris. Paris et les parisiens. Mœurs et coutumes, caractères et portraits des habitants de Paris, tableau complet de leur vie privée, publique, politique, artistique, littéraire, industrielle, etc., etc. Texte par MM. George Sand, P.-J. Stahl, Léon Gozlan [u. a.]. Précédé d'une histoire de Paris par Théophile Lavallée. [Bd. 1.] Paris 1845. S. 238-248.

604 Charles Meryon: Eaux-fortes sur Paris. Einleitung: R. Castinelli*.

605 R(égis) Messac: Le »Detective Novel« et l'influence de la pensée scientifique. Thèse présentée pour le doctorat ès lettres de l'université de Paris. Paris 1929.

606 Alfred Gotthold Meyer: Eisenbauten. Ihre Geschichte und Ästhetik. Nach des Verfassers Tode zu Ende geführt von Wilhelm Frh. von Tettau. Mit einem Geleitwort von Julius Lessing. Esslingen a. N. 1907.

607 E. Meyer: Victor Hugo à la tribune. Les grands débats parlementai-

res de l'assemblée législative. Préface du président Edouard Herriot. Chambéry 1927.
608 Friedrich Johann Lorenz Meyer: Fragmente aus Paris im IVten Jahr der französischen Republik. [Erster und] Zweiter Theil. Hamburg 1797.
609 Julius Meyer: Geschichte der modernen Französischen Malerei seit 1789 zugleich in ihrem Verhältniß zum politischen Leben, zur Gesittung und Literatur. Leipzig 1867.
610 Julius Meyer [?]: Die Pariser Kunstausstellung von 1861 und die bildende Kunst des 19. Jahrhunderts. In: Die Grenzboten. Zeitschrift für Politik und Literatur. Leipzig 1861, II. Semester, 3. Bd. S. [143 f.]*.
611 (Jules) Michelet: Avenir! Avenir! In: Europe, tome 19, No 73, 15 janvier 1929, S. 6-10.
612 J[ules] Michelet: Bible de l'humanité. Paris 1864*.
613 J[ules] Michelet: Nos fils. Paris 1870.
614 J[ules] Michelet: Le peuple. 2e éd., Paris 1846.
615 Victor-Emile Michelet: Figures d'évocateurs. Paris 1913.
616 Robert Michels: Psychologie der antikapitalistischen Massenbewegungen. In: Grundriß der Sozialökonomik. IX. Abt.: Das soziale System des Kapitalismus, 1. Teil: Die gesellschaftliche Schichtung im Kapitalismus. Mit Beiträgen von G. Albrecht [u. a.] Tübingen 1926. S. 241-359.
617 Alfred Michiels: Histoire des idées littéraires en France au XIXe siècle et de leurs origines dans les siècles antérieurs. Quatrième édition très augmentée et continuée jusqu'en 1861. Bd. 2. Paris 1863.
618 Eugène de [Jacquot] Mirecourt: Fabrique de romans. Maison Alexandre Dumas et Compagnie. Paris 1845.
619 Eugène de [Jacquot] Mirecourt: Les vrais Misérables. 2 Bde. Paris 1862.
620 Tony Moilin: Paris en l'an 2000. Paris 1869.
621 André Monglond: Le préromantisme français. Bd. 1: Le héros préromantique; Bd. 2: Le maître des âmes sensibles. Grenoble 1930.
622 Adrienne Monnier: La gazette des amis des livres. In: La gazette des amis des livres, 1re année, No 1, janvier 1938, S. 1-20.
623 J. Montaigu: [Prolog zu] Le flâneur. Journal populaire. No 1, 3 mai [1848], S. 1.
624 Georges Montorgueil: Paris au hasard. Paris 1895.
625 Eugène Montrue: Le XIXe siècle vécu par deux français. Paris*.

626 Paul Morand: 1900. Paris (1931). (Collection »Marianne«. [1.])
627 Paul Morand: L'avarice. In: Les sept péchés capitaux. Jean Giraudoux: L'orgueil; Paul Morand: L'avarice; Pierre Mac Orlan: La luxure [u. a.]. Paris (1926). S. 21-39.
628 Jean Moréas: Un manifeste. In: Le Figaro. Supplément littéraire, 18 septembre 1886*.
629 Jean Morienval [Henri Thévenin]: Les créateurs de la grande presse en France. Emile de Girardin, H. de Villemessant, Moïse Millaud. Paris [1934].
630 Félix Mornand: La vie des eaux. Paris 1862*.
631 Ch. Motte: Révolutions de Paris, 1830. Plan figuratif des barricades ainsi que des positions et mouvements des citoyens armés et des troupes pendant les journées des 27, 28 et 29 juillet. Paris (1830).
632 Les murailles révolutionnaires. Collection complète des professions de foi, affiches, décrets, bulletins de république, fac-simile de signatures. ((Paris et les départements.)) [Recueillies et mises en ordre par Alfred Delvau.] Paris 1852.
633 Théodore Muret: L'histoire par le théatre 1789-1851. 3 Bde.: 1ère série: La révolution, le consulat, l'empire; 2e série: La restauration; 3e série: Le gouvernement de 1830, Le seconde république. Paris 1865.
634 Alfred de Musset: Namouna. Paris*.
635 [Gustave-Félix] Nadar: Quand j'étais photographe. Préface de Léon Daudet. Paris (1900).
636 François Marc Louis Naville: De la charité légale, de ses effets, de ses causes, et spécialement des maisons de travail, et de la proscription de la mendicité. 2 Bde. Paris 1836.
637 Gérard de Nerval: Les Œuvres complètes. [Bd. 3:] Le cabaret de la Mère Saguet. Suivi de divers inédits. Paris (1927).
638 J.-J. Nescio [Pseud. collectif de Jules David et Jules d'Auriac]: La littérature sous les deux empires. ((1804-1852)). Paris 1874.
639 Alfred Nettement: Etudes critiques sur le feuilleton-roman. [Bd. 1,] Paris 1845; Bd. 2, Paris 1846.
640 Alfred Nettement: Histoire de la littérature française sous le gouvernement de juillet. 2 Bde. 2e éd., Paris 1859.
641 Alfred Nettement: Le roman contemporain. Ses vicissitudes, ses divers aspects, son influence. Paris 1864.
642 A[lfred] Nettement: Les ruines morales et intellectuelles. Méditations sur la philosophie et l'histoire. Paris 1836.
643 Gaëtan Niépovié: Etudes physiologiques sur les grandes métropoles

de l'Europe occidentale. Paris. [Paris] 1840.
644 Friedrich Nietzsche: Gesammelte Werke. Musarionausgabe.
Bd. 14: Aus dem Nachlaß (der Zarathustra- und Umwerthungszeit 1882-1888). München (1925).
Bd. 18: Der Wille zur Macht. Erstes und zweites Buch. München (1926).
Bd. 19: Der Wille zur Macht. Drittes und viertes Buch. München (1926).
645 Friedrich Nietzsche: Also sprach Zarathustra. Ed. Kröner. Leipzig*.
646 Charles Nisard: Des chansons populaires chez les anciens et chez les français. Essai historique suivi d'une étude sur la chanson des rues contemporaine. Bd. 2. Paris 1867.
647 D[ésiré] Nisard: Etudes de mœurs et de critique sur les poëtes latins de la décadence. 2e éd., suivie de jugements sur les quatre grands historiens latins. Bd. 1. Paris 1849.
648 Ferdinand Noack: Triumph und Triumphbogen. In: Vorträge der Bibliothek Warburg. Hrsg. von Fritz Saxl. Vorträge 1925-1926. Leipzig, Berlin 1928. S. 149ff.
649 Max Nordau: Aus dem wahren Milliardenlande. Pariser Studien und Bilder. 1. Bd. Leipzig 1878.
650 Nouveaux tableaux de Paris. [Lithographien von Marlet, Texte von Pierre-Joseph-Spiridion Duféy.] [Paris:] (Impr. E. Pochard,) o. J. [1821/22].
651 Nouveaux tableaux de Paris, ou observations sur les mœurs et usages des parisiens au commencement du XIXe siècle. Faisant suite à la collection des mœurs françaises, anglaises, italiennes, espagnoles. [Von Marie-Joseph Pain.] Bd. 1. Paris 1828.
652 Alexandre Ourousof: Etude sur les Textes de *Les fleurs du mal.* Commentaire et variantes. In: Le tombeau de Charles Baudelaire. Ouvrage publié avec la collaboration de Stéphane Mallarmé [u. a.]; précédé d'une étude [...] par Alexandre Ourousof et suivi d'œuvres posthumes [...] de Charles Baudelaire [...]. Paris 1896. S. 7-37.
653 Amédée Ozenfant: Les besoins collectifs et la peinture. B: La peinture murale. In: Encyclopédie française. Bd. 16: Arts et littératures dans la société contemporaine I. Paris 1935. Fasc. 16.70-2 bis 6.
654 Edouard Pailleron: Théatre complèt. Bd. 3: L'âge ingrat, Le chevalier Trumeau, L'étincelle [u. a.]. Paris o. J. [1911].
655 Palais de l'industrie. Se vend chez H. Plon*.

656 Paris de 1800 à 1900 d'après les estampes et les mémoires du temps. Publié sous la direction de Charles Simond. Bd. 2: 1830-1870. La monarchie de juillet; la seconde république; le second empire. Paris 1900.
657 Paris désert. Lamentations d'un Jérémie haussmannisé. (Paris: Impr. G. Towne,) o. J. [1868].
658 Paris nouveau. Jugé par un flâneur. Paris 1868.
659 Paris sous la république de 1848. Exposition de la Bibliothèque et des Travaux historiques de la ville de Paris, organisée avec le concours de la Société d'histoire de la révolution de 1848 et de plusieurs collectionneurs. (Von Marcel Poëte, Edmond Beaurepaire, Etienne Clouzot und Gabriel Henriot.) (Paris 1909).
660 Die Pariser Weltausstellung in Wort und Bild. Unter Mitarbeit von Paul Apostol [u. a.] redigiert von Georg Malkowsky. Berlin 1900.
661 H[enry?] Patry: L'épilogue du procès des Fleurs du mal. Une lettre inédite de Baudelaire à l'impératrice ((1857)). In: Revue d'histoire littéraire de la France 29 (1922), S. 67-75.
662 Maurice Pécard: Les expositions internationales au point de vue économique et social particulièrement en France. Thèse pour le doctorat; université de Paris, faculté de droit. Paris 1901.
663 Charles Péguy: Œuvres complètes. [1.] Œuvres de prose. [Bd. 4:] Notre jeunesse. Victor-Marie, comte Hugo. Introduction par André Suarès. Paris 1916.
664 [Joséphin] Péladan: Théorie plastique de l'androgyne. In: Mercure de France, No 308, tome 84, 16 avril 1910, S. 634-651.
665 Gabriel Pélin: Les laideurs du beau Paris. Histoire morale, critique et philosophique des industries, des habitants et des monuments de la capitale. Paris 1861.
666 Charles Pellarin: Vie de Fourier. 5e éd. Augmentée de deux chapitres et d'une préface nouvelle. Paris 1871.
667 H[enry] de Pène: Paris intime. Paris 1859.
668 Agricol Perdiguier: Le livre du compagnonage. Contenant des chansons de compagnons, un dialogue sur l'architecture, un raisonnement sur le trait [u. a.]. Paris 1840.
669 Auguste Perret: Les besoins collectifs et l'architecture. In: Encyclopédie française. Bd. 16: Arts et littératures dans la société contemporaine I. Paris 1935. Fasc. 16.68-6 bis 12.
670 Les Petits-Paris. Par les auteurs des Mémoires de Bilboquet [Taxile Delord u. a.]. Paris 1854.

Bd. 1: Paris-boursier.
Bd. 6: Paris-bohème.
Bd. 10: Paris-viveur.

671 Léon Pierre-Quint: Signification du cinéma. In: L'art cinématographique II. Paris 1927. S. 1-28.

672 G. Pinet: Histoire de l'Ecole polytechnique. Paris 1887.

673 Pinkerton, Mercier und C. F. Cramer: Ansichten der Hauptstadt des französischen Kayserreichs vom Jahre 1806 an. Erster Band. Amsterdam 1807.

674 A. Pinloche: Fourier et le socialisme. Paris 1933.

675 René de Planhol: Les utopistes de l'amour. Paris 1921.

676 Georg Plechanow: Über die Anfänge der Lehre vom Klassenkampf. In: Die Neue Zeit 21 (1902/03), Bd. 1, S. 275-286 (Nr. 9) und S. 292-305 (Nr. 10).

677 G[eorgi Walentinowitsch] Plechanow: Wie die Bourgeoisie ihrer Revolution gedenkt. (Deutsch von B[oris Naumowitsch] Kritschewsky.) In: Die Neue Zeit 9 (1890/91), Bd. 1, S. 97-102 (Nr. 4) u. S. 135-140 (Nr. 5).

678 G[eorgi Walentinowitsch] Plechanow: Zu Hegel's sechzigstem Todestag. In: Die Neue Zeit 10 (1891/92), Bd. 1, S. 198-203 (Nr. 7), S. 236-243 (Nr. 8) u. S. 273-282 (Nr. 9).

679 Edgar Poe: Nouvelles histoires extraordinaires. Traduction de Charles Baudelaire. (=Charles Baudelaire: Œuvres complètes. Bd. 6: Traductions II. Ed. Calmann Lévy.) Paris 1887.

680 Poésies sociales des ouvriers. Réunies et publiées par Olinde Rodrigues. Paris 1841.

681 Marcel Poëte: Une vie de cité. Paris de sa naissance à nos jours. Album. Paris 1925.
E. Poisson, s. Charles Fourier.

682 M[ichael] N[ikolaevič] Pokrowski: Historische Aufsätze. Ein Sammelband. (Aus dem Russischen von Axel F.) Wien, Berlin (1928). (Marxistische Bibliothek. Werke des Marxismus-Leninismus. 17.)

683 H[enri] Pollès: L'art du commerce. In: Vendredi. Hebdomadaire littéraire et politique, 3e année, No 67, 12 février 1937, S. 12.

684 François Porché: La vie douloureuse de Charles Baudelaire. Paris (1926). (Le roman des grandes existences. 6.)

685 Denis Poulot: Question sociale. Le sublime. Nouv. [3e] éd., Paris o. J. [1887]. (Bibliothèque socialiste.)

686 Charles Pradier: Pères et fils. In: Le bohême. Journal non politique.

1re année, No 5, 29 avril 1855, S. 1f.
687 Ch(arles) Pradier: Réponse à la Revue de Paris. In: Le bohême. 1re année, No 8, 10 juin 1855, S. 2.
688 Jean Prévost: [Bespr.] Journaux intimes de Charles Baudelaire, avertissement et notes de Jacques Crépet; Les mystères galans des théâtres de Paris. In: La nouvelle revue française, No 308, 27e année, tome 52, 1 mai 1939, S. 887f.
689 A(lexandre) Privat d'Anglemont: Paris inconnu. Précédé d'une étude sur sa vie par Alfred Delvau. Paris 1861.
690 A. Prohojowska[?]: Les grandes industries de la France. L'éclairage. Paris*.
691 Charles Prolès: Raoul Rigault. La préfecture de police sous la Commune. Les otages. (Les hommes de la révolution de 1871.) Paris 1898.
692 Une promenade à travers Paris au temps des romantiques. Exposition de la Bibliothèque et des Travaux historiques de la ville de Paris, organisée avec le concours des collections de Georges Decaux et Georges Hartmann. (Von Marcel Poëte, Edmond Beaurepaire, Etienne Clouzot und Gabriel Henriot.) O. O., o. J. [Paris 1908].
693 Marcel Proust: Du Côté de chez Swann I. (A la recherche du temps perdu. Bd. 1.) Paris ⟨1939⟩. ⟨s. Nachweis zu J 89a, 3⟩
694 Marcel Proust: A l'ombre des jeunes filles en fleurs II. (A la recherche du temps perdu. Bd. 2.) Paris ⟨1932⟩. ⟨s. Nachweis zu J 90a, 3⟩
695 Marcel Proust: A l'ombre des jeunes filles en fleurs III. (A la recherche du temps perdu. Bd. 3.) Paris ⟨1939⟩. ⟨s. Nachweis zu M 21, 1⟩
696 Marcel Proust: Le côté de Guermantes I. (A la recherche du temps perdu. Bd. 3.) Paris 1920.
697 Marcel Proust: La prisonnière ((Sodome et Gomorrhe III)) I. (A la recherche du temps perdu. Bd. 6.) Paris 1924 (Copyright 1923).
698 Marcel Proust: La prisonnière ((Sodome et Gomorrhe III)) II. (A la recherche du temps perdu. Bd. 6.) Paris 1923.
699 Marcel Proust: Le temps retrouvé II. (A la recherche du temps perdu. Bd. 8.) Paris (1927).
700 Marcel Proust: A propos de Baudelaire. In: La nouvelle revue française, tome 16, 8e année, No 93, 1 juin 1921, S. 641-663.
701 Marcel Proust: Chroniques. Paris (1927).
702 Marcel Proust: Préface [zu] Paul Morand: Tendres stocks. Préface de Marcel Proust. 2e éd., Paris 1921.
703 Marcel Proust: Correspondance générale. Publiée par Robert Proust

et Paul Brach. Bd. 1: Lettres à Robert de Montesquiou 1893-1921. Paris 1930.
704 J[ean-] B[aptiste] Pujoulx: Paris à la fin du XVIIIe siècle, ou esquisse historique et morale des monuments et des ruines de cette capitale; de l'état des sciences, des arts et de l'industrie à cette époque, ainsi que des mœurs et des ridicules de ses habitans. Paris 1801.
705 Félix Pyat: Le chiffonnier de Paris. Drame en cinq actes. Nouvelle édition. Revue, corrigée et augmentée d'une préface. Paris 1884.
706 Gaston Rageot: La mode intellectuelle. Qu'est-ce qu'un événement? In: Le temps, 79e année, No 28339, 16 avril 1939, S. 3.
707 Max Raphael: Proudhon Marx Picasso. Trois études sur la sociologie de l'art. Paris (1933).
708 Rapports des délégués des ouvriers parisiens à l'exposition de Londres en 1862. Publiés par la Commission ouvrière. Paris 1862/64*.
709 Paul-Ernest de Rattier: Paris n'existe pas. Paris 1857.
710 Friedrich von Raumer: Briefe aus Paris und Frankreich im Jahre 1830. Erster Theil. Leipzig 1831. – Zweiter Theil. Leipzig 1831.
711 Marcel Raymond: De Baudelaire au surréalisme. Essai sur le mouvement poétique contemporain. Paris 1933.
712 Ernest Raynaud: Ch[arles] Baudelaire. Etude biographique et critique suivie d'un essai de bibliographie et d'iconographie baudelairiennes. Paris 1922. (Bibliothèque d'histoire littéraire et de critique.)
713 Henri de Régnier: Baudelaire et les Fleurs du mal, in: Charles Baudelaire: Les Fleurs du mal et autres poèmes. Texte intégral précédé d'une étude inédite d'Henri de Régnier. Paris [1930]. [Unpaginiert.]
714 Johann Friedrich Reichardt: Vertraute Briefe aus Paris geschrieben in den Jahren 1802 und 1803. Erster [und] Zweiter Theil. 2., verb. Aufl., Hamburg 1805.
715 Theodor Reik: Der überraschte Psychologe. Über Erraten und Verstehen unbewußter Vorgänge. Leiden 1935.
716 Marcel Réja: L'art chez les fous. Le dessin, la prose, la poésie. Paris 1907.
717 L[udwig] Rellstab: Paris im Frühjahr 1843. Briefe, Berichte und Schilderungen. Erster Band. Leipzig 1844.
718 Ernest Renan: Essais de morale et de critique. Paris 1859*.
719 Jules Renard: Journal inédit 1887-1895. Paris (1925).
720 Georges Rency: Physionomies littéraires. Bruxelles (1907).
721 J[ean] Rey: Etudes pour servir à l'histoire des châles. Paris 1823.
722 Jean Reynaud: Philosophie religieuse. Terre et Ciel. Paris 1854.

723 Gonzague de Reynold: Charles Baudelaire. Paris, Genève 1920. (Collection Franco-Suisse.)
724 Rainer Maria Rilke: Duineser Elegien. Leipzig 1923.
725 Rainer Maria Rilke: Die frühen Gedichte. 15.-17. Tausend, Leipzig 1922.
726 Arthur Rimbaud: Œuvres. Vers et proses. Revues sur les manuscrits originaux et les premières éditions, mises en ordre et annotées par Paterne Berrichon. Poèmes retrouvés. Préface de Paul Claudel. Paris 1924.
727 Jacques Rivière: Etudes. Paris*.
728 N. Rjasanoff: Marx und seine russischen Bekannten in den vierziger Jahren. In: Die Neue Zeit 31 (1912/13), Bd. 1, S. 715-721 (Nr. 20) u. S. 757-766 (Nr. 21).
729 D[avid] Rjazanov: Zur Geschichte der Ersten Internationale. I. Die Entstehung der Internationalen Arbeiterassoziation. In: Marx-Engels Archiv. Zeitschrift des Marx-Engels-Instituts in Moskau. Hrsg. von D[avid] Rjazanov. Bd. 1. Frankfurt a. M. 1928. S. 119-202.
730 Jacques Robiquet: L'art et le goût sous la Restauration 1814 à 1830. Paris 1928. (Collection L'art et le goût.)
731 Georges Rodenbach: L'élite. Ecrivains; orateurs sacrés; peintres; sculpteurs. 2e mille, Paris 1899.
732 Julius Rodenberg: Paris bei Sonnenschein und Lampenlicht. Ein Skizzenbuch zur Weltausstellung. Mit Beiträgen von Heinrich Ehrlich [u. a.]. Leipzig 1867.
Olinde Rodrigues, s. Poésies sociales des ouvriers.
733 Maurice Rollinat: Fin d'œuvre. Préface de Gustave Geffroy. Paris 1919*.
734 Jules Romains: Cela dépend de vous. Paris (1939).
735 Jules Romains: Le 6 octobre. (Les hommes de bonne volonté. Bd. 1.) [Paris] (1932).
736 Jules Romains: Crime de Quinette. (Les hommes de bonne volonté. Bd. 2.) [Paris] (1932).
737 Bibliothèque Nationale: Le Romantisme. Catalogue de l'exposition 22 janvier – 10 mars 1930. Paris (1930).
738 [Claude Joseph] Rouget de Lisle: Chant des industriels. In: Cinquante chants français. Paroles de différents auteurs. Mises en musique avec accompagnement de piano par Rouget de Lisle. (Paris) [1825]. S. 202-205.
739 J[ean]-J[acques] Rousseau: Les confessions. Bde. 2, 3 und 4 (=Li-

vres V-XII). Paris (1931). (Coll. »Génie de la France«; Œuvres de J.-J. Rousseau.)

740 Jean-Jacques Rousseau: Les rêveries du promeneur solitaire. Précédé de Dix jours à Ermenonville par Jacques de Lacretelle. Paris 1926.

741 Otto Rühle: Karl Marx. Leben und Werk. Hellerau bei Dresden (1928).

742 Marcel-A. Ruff: Sur l'architecture des »Fleurs du mal«. In: Revue d'histoire littéraire de la France 37 (1930), S. 393-399.

743 Russische Gespenster-Geschichten. Acht Novellen ausgewählt und übers. von Johannes von Guenther. München 1921.

744 [Charles-Augustin] Sainte-Beuve: Vie, poésies et pensées de Joseph Delorme. Nouvelle édition très-augmentée. (Poésies de Sainte-Beuve. 1re partie.) Paris 1863.

745 C[harles-]A[ugustin] Sainte-Beuve: Les consolations. Pensées d'août. Notes et sonnets – Un dernier rêve. (Poésies de Sainte-Beuve. 2e partie.) Paris 1863.

746 [Charles-Augustin] Sainte-Beuve: De la littérature industrielle. In: Revue des deux mondes, IXX, 4. 1839. S. [681 ff.]*.

747 C[harles-]A[ugustin] Sainte-Beuve: Portraits contemporains. Bde. 2 und 4. Paris 1882*.

748 J[osef] W. Samson: Die Frauenmode der Gegenwart. Eine medizinisch-psychologische Studie. Berlin, [Köln] 1927. (Aus: Zeitschrift für Sexualwissenschaft. 14.)

749 Gaëtan Sanvoisin: La soirée du scrutin à Paris. Rarement la ville fut aussi calme. In: Le Figaro, 3e année, No 118, 27 avril 1936, S. 1.

750 Paul Saulnier: Du roman en général et du romancier moderne en particulier. In: Le bohême. Journal non politique. 1re année, No 5, 29 avril 1855, S. 2.

751 Edmond Scherer: Etudes sur la littérature contemporaine. Bd. 4. Paris 1886.

752 Elisabeth Schinzel: Natur und Natursymbolik bei Poe, Baudelaire und den französischen Symbolisten. Diss. Bonn; Düren-Rhld. 1931.

753 Friedrich Schlegel: Lucinde. Leipzig*.

754 Adolf Schmidt: Pariser Zustände während der Revolutionszeit von 1789-1800. Dritter Theil. Jena 1876.

755 [Eduard] Schmidt-Weißenfels: Portraits aus Frankreich. Berlin 1881.

756 Pierre-Maxime Schuhl: Machinisme et philosophie. Paris 1938. (Nouvelle encyclopédie philosophique. [16.])

757 Fritz Th. Schulte: Honoré Daumier. In: Die Neue Zeit 32 (1913/14), Bd. 1, S. 831-837 (Nr. 22).
758 Alphonse Séché: La vie des »Fleurs du mal«. 3e éd., Amiens 1928. (Les grands événements littéraires. [11.])
759 Léon Séché: Alfred de Vigny. [Bd.] 2: La vie amoureuse. (Etudes d'histoire romantique.) Paris 1913.
760 Hérault de Séchelles: Théorie de l'ambition. Introduction par Jean Prévost. (Paris) 1927.
761 Albéric Second: Rue Notre-Dame-de-Lorette, in: Paris chez soi. Histoire, mœurs, rues, monuments, palais, musées, théatres, chemins de fer, fortifications et environs de Paris ancien et moderne. Par l'élite de la littérature contemporaine. Paris [1854]. S. 187-192.
762 Charles Seignobos: Histoire sincère de la nation française. Essai d'une histoire de l'évolution du peuple français. 14e édition, Paris 1933.
763 Ernest Seillière: Baudelaire. (Ames et visages.) Paris 1931.
764 [Etienne-Pivert] de Senancour: Obermann. Nouvelle édition, revue et corrigée. Avec une préface par George Sand. Paris: Eugène Fasquelle, éditeur, 1901.
765 Woldemar Seyffarth: Wahrnehmungen in Paris 1853 und 1854. Gotha 1855.
766 70 Jahre deutsche Mode. 1925*.
767 E. Silberling: Dictionnaire de sociologie phalanstérienne. Guide des œuvres complètes de Charles Fourier. Paris 1911.
768 G[eorg] Simmel: Mélanges de philosophie rélativiste. Contribution à la culture philosophique. Traduit par A. Guillain. Paris 1912.
769 Georg Simmel: Philosophie des Geldes. Leipzig 1900.
770 Georg Simmel: Philosophische Kultur. Gesammelte Essais. Leipzig 1911. (Philosophisch-soziologische Bücherei. 27.)
771 Charles Simond, s. Paris de 1800 à 1900 d'après les estampes et les mémoires du temps.
772 Jean Skerlitch: L'opinion publique en France d'après la poésie politique et sociale de 1830 à 1848. Dissertation de doctorat présentée à la Faculté des lettres de l'Université de Lausanne. Lausanne 1901.
773 Louis Sonolet: La vie parisienne sous le second empire. Préface de Roland Dorgelès. Paris 1929.
774 Paul Souday: Le cinquantenaire de Baudelaire. In: Le temps, 4 juin 1917*.
775 P[aul] S[ouday]: Des lettres de Baudelaire. In: Le temps, 57e année,

No 20495, 17 août 1917, S. 1.
776 Paul Souday: [Rez.] Gonzague de Reynold, Charles Baudelaire. In: Le temps, 61e année, No 21811, 21 avril 1921, S. 3.
777 Philippe Soupault: Baudelaire. Paris (1931). (Maîtres des littératures. 8.)
778 Oswald Spengler: Le déclin de l'occident. Esquisse d'un morphologie de l'histoire universelle. 2e partie: Perspective de l'histoire universelle. Traduit par M. Tazerout. Paris 1933. (Bibliothèque des idées.)
779 Leo Spitzer: Stilstudien. II: Stilsprachen. München 1928.
780 Willy Spühler: Der Saint-Simonismus. Lehre und Leben von Saint-Amand Bazard. Zürich 1926. (Zürcher Volkswirtschaftliche Forschungen. 7.)
781 Eugène Spuller: Histoire parlementaire de seconde république. Suivi d'une petite histoire du seconde empire. Paris 1891.
782 Fritz Stahl: Paris. Eine Stadt als Kunstwerk. (6.-9. Aufl.,) Berlin 1929. 〈s. Anm. zu E 13 a, 2〉
783 Adolf Stahr: Nach fünf Jahren. Pariser Studien aus dem Jahre 1855. Erster Theil. Oldenburg 1857.
784 Adolf Stahr: Zwei Monate in Paris. Erster [und] Zweiter Theil. Oldenburg 1851.
785 (Lorenz von Stein:) Die socialistischen und communistischen Bewegungen seit der dritten französischen Revolution. Anhang zu Steins Socialismus und Communismus des heutigen Frankreichs. Leipzig, Wien 1848.
786 Erich Stenger: Daguerres Diorama in Berlin. Ein Beitrag zur Vorgeschichte der Photographie. Berlin 1925.
787 Dolf Sternberger: Hohe See und Schiffbruch. Verwandlungen einer Allegorie. In: Die Neue Rundschau 46 (1935), Bd. 2, S. 184-201 (Heft 8; August '35).
788 Dolf Sternberger: Jugendstil. Begriff und Physiognomik. In: Die Neue Rundschau 45 (1934), Bd. 2, S. 255-271 (Heft 9; September '34).
789 Dolf Sternberger: Panorama oder Ansichten vom 19. Jahrhundert. Hamburg 1938.
790 Dolf Sternberger: Das wunderbare Licht. Zum 150. Geburtstag Daguerres. In: Frankfurter Zeitung, 21. 11. 1937 (Jg. 82, Nr. 593/594), S. 6.
791 August Strindberg: Märchen. Aus dem Schwedischen übertr. von Emil Schering. 8. Aufl., München, Berlin 1917.
792 Adolf Strodtmann: Dichterprofile. Literaturbilder aus dem neun-

zehnten Jahrhundert. Bd. 1: Deutsche Dichtercharaktere. Stuttgart 1879.

793 André Suarès: Baudelaire et *Les fleurs du mal*, in: Charles Baudelaire: Les fleurs du mal. Avec une préface de André Suarès. Paris 1933. S. V-XLIV.

794 André Suarès: Sur la vie. Essais. [Bd. 2.] Paris 1925.

795 André Suarès: Trois grands vivants. Cervantès, Tolstoi, Baudelaire. Paris (1938).

796 Erwin Szabó: [Bespr.] A. Asturaro, Il materialismo storico e la sociologia generale, Genua 1904. In: Die Neue Zeit 23 (1904/05), Bd. 1, S. 61 f. (Nr. 2).

797 Friedrich Szarvady: Paris. Politische und unpolitische Studien und Bilder. 1848-1852. Erster Band. Berlin 1852.

798 Maurice Talmeyr: Mœurs électorales. Le marchand de vins. In: Revue des deux mondes, 86e année, 4e période, tome 148, 15 août 1898, S. 876-891.

799 Maurice Talmeyr: Tableaux du siècle passé. La cité du sang. Paris 1901.

800 Emile Tardieu: L'ennui. Etude psychologique. Paris 1903.

801 E. Tarlé: Der Lyoner Arbeiteraufstand. In: Marx-Engels Archiv. Zeitschrift des Marx-Engels-Instituts in Moskau. Hrsg. von D[avid] Rjazanov. Bd. 2. Frankfurt a. M. 1928. S. 56-113.

802 André Thérive: [Rez.] Henry Bordeaux, Le pays sans ombre [u. a.]. In: Le temps, 75e année, No 26961, 27 juin 1935, S. 3.

803 André Thérive: [Rez.] Edouard Dujardin, Mallarmé par un des siens [u. a.]. In: Le temps, 76e année, No 27322, 25 juin 1936, S. 3.

804 André Thérive: Le parnasse. Paris 1929. (Le XIXe siècle.)

805 André Thérive: [Rez.] Paul Valéry, Variété IV [und] Regards sur le monde actuelle (Œuvres complètes, Tome J) [u. a.]. In: Le temps, 79e année, No 28343, 20 avril 1939, S. 3.

806 Albert Thibaudet: Histoire de la littérature française de 1789 à nos jours. Paris (1936).

807 Albert Thibaudet: Les idées politiques de la France. Paris 1932.

808 Albert Thibaudet: Intérieurs. Baudelaire, Fromentin, Amiel. Paris (1924).

809 Louis Thomas: Curiosités sur Baudelaire. Paris 1912.

810 H. Thurow: Aus den Anfängen der sozialistischen Belletristik. In: Die Neue Zeit 21 (1902/03), Bd. 2, S. 212-222 (Nr. 33).

811 Amédée de Tissot: Paris et Londres comparés. Paris 1830.

812 [Claude-]J[oseph] Tissot: De la manie du suicide et de l'esprit de révolte. De leurs causes et de leurs remèdes. Paris 1840.
813 G. Tourquet-Milnes: The Influence of Baudelaire in France and England. London 1913*.
814 Louis-Jean-Baptiste de Tourreil: Religion fusionienne ou doctrine de l'universalisation réalisant le vrai catholicisme. Choix de notes destinées à la formulation complémentaire de la doctrine fusionienne et laissées inédites à la mort de leur auteur. (Paris) o. J. [1902].
815 A[lphonse] Toussenel: L'esprit des bêtes. Le monde des oiseaux. Ornithologie passionnelle. [Bd. 1.] Paris 1853.
816 A[lphonse] Toussenel: L'esprit des bêtes. Zoologie passionnelle. Mammifères de France. 4e éd., revue et corrigée. Paris 1884.
817 A[lphonse] Toussenel: Les juifs. Rois de l'époque. Histoire de la féodalité financière. 3e éd. Précédée d'une préface, d'une notice biographique sur l'auteur, et accompagnée de notes hors texte, par l'éditeur Gabriel de Gonet, 1846-1886. 2 Bde. Paris (1886).
818 La transformation de Paris sous le second empire. Exposition de la Bibliothèque et des Travaux historiques de la ville de Paris, organisée avec le concours des collections de P. Blondel [u. a.]. (Von Marcel Poëte, E[tienne] Clouzot und G[abriel] Henriot.) (Paris 1910.)
819 Raymond Trial: La maladie de Baudelaire. Etude médico-psychologique. Paris 1926.
820 C.-F. Tricotel [Charles-Maurice Descombes]: Esquisse de quelques scènes de l'intérieur de la bourse, pendant les journées des 28, 29, 30 et 31 juillet dernier. Paris 1830.
821 [Anne-Robert-Jacques] Turgot: Œuvres. Nouvelle édition classée par ordre de matières avec les notes de Dupont de Nemours. Augmentée de lettres inédites, des questions sur le commerce, et d'observations et de notes nouvelles par Eugène Daire et Hippolyte Dussard et précédée d'une notice sur la vie et les ouvrages de Turgot par Eugène Daire. Bd. 2. Paris 1844. [Collection des principaux économistes. 4.]
822 Hermann Usener: Götternamen. Versuch einer Lehre von der religiösen Begriffsbildung. Bonn 1896.
823 Paul Valéry: Cahier B 1910. [Paris] 1930.
824 Paul Valéry: Choses tues. Cahier d'impressions et d'idées. Portrait de Paul Valéry par Edmond Marie, eaux-fortes originales et dessins par l'auteur. (Paris 1930.) (Les images du temps. 10.)
825 Paul Valéry: Introduction [zu] Charles Baudelaire: Les fleurs du mal. Texte de la deuxième édition publié avec une introduction de Paul

Valéry. Paris (1926). (Collection prose et vers. [8.]) S. VII-XXX.
826 Paul Valéry: Pièces sur l'art. Paris*. ⟨s. Nachweis zu B 8, 2.⟩
827 Paul Valéry: Préambule [zum Katalog] Exposition de l'art italien de Cimabue à Tiepolo. Petit Palais 1935. [Paris 1935.] S. III-IX.
828 Paul Valéry: Regards sur le monde actuel. (Œuvres de Paul Valéry. Vol. J. [= 10].) Paris (1938).
829 Camille Vergniol: Cinquante ans après Baudelaire. In: La revue de Paris, 24e année, tome 4, juillet-août 1917, S. 671-709.
830 Emile Verhaeren: A Charles Baudelaire [Gedicht]. In: Le tombeau de Charles Baudelaire. Ouvrage publié avec la collaboration de Stéphane Mallarmé [u. a.]; précédé d'une étude [...] par Alexandre Ourousof et suivi d'œuvres posthumes [...] de Charles Baudelaire [...]. Paris 1896. S. 83f.
831 Louis Veuillot: Les odeurs de Paris. Paris 1914.
832 Louis Veuillot: Pages choisies. Avec une introduction critique par Antoine Albalat. Paris 1906.
833 Charles-François Viel: De la chute imminente de la science de la construction des bâtiments en France. Des causes directes et indirectes qui l'accélèrent. Bd. 1, Paris 1818; Bd. 2, Paris 1819.
834 Charles-François Viel: De l'impuissance des mathématiques pour assurer la solidité des bâtimens, et recherches sur la construction des ponts. Paris 1805*.
835 Horace de Viel-Castel: Mémoires sur le règne de Napoléon III. ((1851-1864.)) Publiés d'après le manuscrit original. Avec une préface par L. Léouzon Le Duc. Bd. 2: 1852-1853. Paris 1883.
836 Alfred de Vigny: Poésies complètes. Poëmes antiques et modernes; Les destinées, poëmes philosophiques. Nouvelle édition, revue et corrigée. Paris 1866.
837 Charles Vildrac [Charles Messager]: Les ponts de Paris. Paris o. J. [ca. 1930]*.
838 Roland Villiers: Le cinéma et ses merveilles. Paris (1930).
839 Friedr[ich] Theod[or] Vischer: Kritische Gänge. Neue Folge. Drittes Heft. Stuttgart 1861.
840 Friedrich Theod[or] Vischer: Mode und Cynismus. Beiträge zur Kenntniß unserer Culturformen und Sittenbegriffe. Stuttgart 1879.
841 V. Volgin: Über die historische Stellung St.-Simons. In: Marx-Engels Archiv. Zeitschrift des Marx-Engels-Instituts in Moskau. Hrsg. von D[avid] Rjazanov. Bd. 1. Frankfurt a. M. 1928. S. 82-118.
842 Hugh Walpole: The Fortress. Hamburg, Paris, Bologna (1933).

(The Albatros Modern Continental Library. Bd. 92.)
843 Wladimir Weidlé: Les abeilles d'Aristée. Essai sur le destin actuel des lettres et des arts. Paris (1936).
844 Louise Weiss: Souvenirs d'une enfance républicaine. Paris (1937).
845 Hilde Weiß: Die »Enquête Ouvrière« von Karl Marx. In: Zeitschrift für Sozialforschung 5 (1936), S. 76-98 (Heft 1).
846 Hermann Wendel: Jules Vallès. In: Die Neue Zeit 31 (1912/13), Bd. 1, S. 105-111 (Nr. 3; Feuilleton der Neuen Zeit, Nr. 56, 18. 10. 1912).
847 Paul Westheim: Die neue Siegesallee. In: Die neue Weltbühne 34 (1938), S. 236-240 (Nr. 8; 24. 2. '38).
848 A(ntoine-)J(oseph) Wiertz: Œuvres littéraires. ((Edition réservée à la France.)) Paris 1870.
849 Amalie Winter: Memoiren einer Berliner Puppe für Kinder von 5 bis 10 Jahren und für deren Mütter. Leipzig 1852*.
850 Marcel Zahar: Les arts de l'espace. 1: Les tendances actuelles de l'architecture. In: Encyclopédie française. Bd. 17: Arts et littératures dans la société contemporaine II. Paris 1936. Fasc. 17.10-3 bis 8.

＊上記の編著者名について，原書の誤記誤植の箇所を以下に掲げる．

文献番号	誤	正
110	Besancourt	Bersaucourt
173	Caubert	Caubet
208	Colusont[?]	Colmont
210	Consid é rant	Considerant
301	Finelière	Fizelière
301	Descaux	Decaux
375/376/377	Rémy	Remy
394	Gabrièl	Gabriel
395	Marcuse	Mareuse
604	Castinelli	Cantinelli
625	Montrue	Mouton

650	Dufey	Dufey
662	Pécard	Picard
690	Prohojowska [?]	Drohojowska
751	Scherer	Schérer
813	Tourquet-Milnes	Turquet-Milnes

パサージュ論《ろん》（五）〔全5冊〕
ヴァルター・ベンヤミン著

2021年8月17日　第1刷発行

訳　者　今村仁司《いまむらひとし》　三島憲一《みしまけんいち》　大貫敦子《おおぬきあつこ》
高橋順一《たかはしじゅんいち》　塚原《つかはら》　史《ふみ》　細見和之《ほそみかずゆき》
村岡晋一《むらおかしんいち》　山本《やまもと》　尤《ゆう》　横張《よこはり》　誠《まこと》
與謝野文子《よさのふみこ》　吉村和明《よしむらかずあき》

発行者　坂本政謙

発行所　株式会社　岩波書店
〒101-8002 東京都千代田区一ツ橋 2-5-5
案内 03-5210-4000　営業部 03-5210-4111
文庫編集部 03-5210-4051
https://www.iwanami.co.jp/

印刷・精興社　製本・中永製本

ISBN 978-4-00-324637-5　Printed in Japan

読書子に寄す

――岩波文庫発刊に際して――

岩波茂雄

真理は万人によって求められることを自ら欲し、芸術は万人によって愛されることを自ら望む。かつては民を愚昧ならしめるために学芸が最も狭き堂宇に閉鎖されたことがあった。今や知識と美とを特権階級の独占より奪い返すことはつねに進取的なる民衆の切実なる要求である。岩波文庫はこの要求に応じそれに励まされて生まれた。それは生命ある不朽の書を少数者の書斎と研究室とより解放して街頭にくまなく立たしめ民衆に伍せしめるであろう。近時大量生産予約出版の流行を見る。その広告宣伝の狂態はしばらくおくも、後代にのこすと誇称する全集がその編集に万全の用意をなしたるか。千古の典籍の翻訳企図に敬虔の態度を欠かざりしか。さらに分売を許さず読者を繫縛して数十冊を強うるがごとき、はたしてその揚言する学芸解放のゆえんなりや。吾人は天下の名士の声に和してこれを推挙するに躊躇するものである。このときにあたって、岩波書店は自己の責務のいよいよ重大なるを思い、従来の方針の徹底を期するため、すでに十数年以前より志して来た計画を慎重審議この際断然実行することにした。吾人は範をかのレクラム文庫にとり、古今東西にわたって文芸・哲学・社会科学・自然科学等種類のいかんを問わず、いやしくも万人の必読すべき真に古典的価値ある書をきわめて簡易なる形式において逐次刊行し、あらゆる人間に須要なる生活向上の資料、生活批判の原理を提供せんと欲する。この文庫は予約出版の方法を排したるがゆえに、読者は自己の欲する時に自己の欲する書物を各個に自由に選択することができる。携帯に便にして価格の低きを最主とするがゆえに、外観を顧みざるも内容に至っては厳選最も力を尽くし、従来の岩波出版物の特色をますます発揮せしめようとする。この計画たるや世間の一時の投機的なるものと異なり、永遠の事業として吾人は微力を傾倒し、あらゆる犠牲を忍んで今後永久に継続発展せしめ、もって文庫の使命を遺憾なく果たさしめることを期する。芸術を愛し知識を求むる士の自ら進んでこの挙に参加し、希望と忠言とを寄せられることは吾人の熱望するところである。その性質上経済的には最も困難多きこの事業にあえて当たらんとする吾人の志を諒として、その達成のため世の読書子とのうるわしき共同を期待する。

昭和二年七月

《ドイツ文学》〔赤〕

ニーベルンゲンの歌 全二冊　相良守峯訳
若きウェルテルの悩み　ゲーテ　竹山道雄訳
ヴィルヘルム・マイスターの修業時代 全三冊　ゲーテ　山崎章甫訳
イタリア紀行 全三冊　ゲーテ　相良守峯訳
ファウスト 全二冊　ゲーテ　相良守峯訳
ゲーテとの対話 全三冊　エッカーマン　山下肇訳
スペインの太子 ドン・カルロス　シルレル　佐藤通次訳
改訳 オルレアンの少女　シルレル　佐藤通次訳
ヒュペーリオン ―希臘の世捨人　ヘルデルリーン　渡辺格司訳
青い花　ノヴァーリス　青山隆夫訳
夜の讃歌・サイスの弟子たち 他一篇　ノヴァーリス　今泉文子訳
完訳 グリム童話集 全五冊　金田鬼一訳
黄金の壺　ホフマン　神品芳夫訳
ホフマン短篇集　池内紀編訳
O侯爵夫人 他六篇　クライスト　相良守峯訳
影をなくした男　シャミッソー　池内紀訳

流刑の神々・精霊物語　ハイネ　小沢俊夫訳
冬物語 ―ドイツ　ハイネ　井汲越次訳
芸術と革命 他四篇　ワーグナー　北村義男訳
ブリギッタ・森の泉 他一篇　シュティフター　宇多五郎・高安国世訳
みずうみ 他四篇　シュトルム　関泰祐訳
村のロメオとユリア　ケラー　草間平作訳
沈鐘　ハウプトマン　阿部六郎訳
地霊・パンドラの箱 ルル二部作　F・ヴェデキント　岩淵達治訳
春のめざめ　F・ヴェデキント　酒寄進一訳
ゲオルゲ詩集　手塚富雄訳
花・死人に口なし 他七篇　シュニッツラー　番匠谷英一・山本有三訳
リルケ詩集　高安国世訳
ドゥイノの悲歌　リルケ　手塚富雄訳
ブッデンブローク家の人びと 全三冊　トーマス・マン　望月市恵訳
トオマス・マン短篇集　実吉捷郎訳
魔の山 全二冊　トーマス・マン　関泰祐・望月市恵訳
トニオ・クレエゲル　トオマス・マン　実吉捷郎訳

ヴェニスに死す　トオマス・マン　実吉捷郎訳
車輪の下　ヘルマン・ヘッセ　実吉捷郎訳
青春はうるわし 他三篇　ヘッセ　関泰祐訳
漂泊の魂 クヌルプ　ヘルマン・ヘッセ　相良守峯訳
デミアン　ヘルマン・ヘッセ　実吉捷郎訳
シッダルタ　ヘッセ　手塚富雄訳
ルーマニア日記　カロッサ　高橋健二訳
若き日の変転　カロッサ　斎藤栄治訳
幼年時代　カロッサ　斎藤栄治訳
指導と信従　カロッサ　国松孝二訳
ジョゼフ・フーシェ ―ある政治的人間の肖像　シュテファン・ツワイク　高橋禎二・秋山英夫訳
変身・断食芸人　カフカ　山下肇・山下萬里訳
審判　カフカ　辻瑆訳
カフカ短篇集　池内紀編訳
カフカ寓話集　池内紀編訳
三文オペラ　ブレヒト　岩淵達治訳
肝っ玉おっ母とその子どもたち　ブレヒト　岩淵達治訳

ドイツ炉辺ばなし集 —カレンダーゲシヒテン　ヘーベル　木下康光編訳
悪童物語　ルウドキヒ・トオマ　実吉捷郎訳
ウィーン世紀末文学選　池内紀編訳
ティル・オイレンシュピーゲルの愉快ないたずら　阿部謹也訳
大理石像・デュランデ城悲歌　アイヒェンドルフ　関泰祐訳
チャンドス卿の手紙 他十篇　ホフマンスタール　檜山哲彦訳
ホフマンスタール詩集　川村二郎訳
インド紀行 全二冊　ボンゼルス　実吉捷郎訳
ドイツ名詩選　生野幸吉・檜山哲彦編
蝶の生活　シュナック　岡田朝雄訳
聖なる酔っぱらいの伝説 他四篇　ヨーゼフ・ロート　池内紀訳
ラデツキー行進曲 全二冊　ヨーゼフ・ロート　平田達治訳
暴力批判論 他十篇 —ベンヤミンの仕事1　ベンヤミン　野村修編訳
ボードレール 他五篇 —ベンヤミンの仕事2　ベンヤミン　野村修編訳
パサージュ論 全五冊　ヴァルター・ベンヤミン　今村仁司・三島憲一・大貫敦子・高橋順一・塚原史・細見和之・村岡晋一・山本尤・横張誠・與謝野文子・吉村和明訳
ジャクリーヌと日本人　ヤーコプ　相良守峯訳
人生処方詩集　エーリヒ・ケストナー　小松太郎訳

第七の十字架 全二冊　アンナ・ゼーガース　山下肇・新村浩訳

《フランス文学》〔赤〕

ロランの歌　有永弘人訳
ラブレー第一之書 ガルガンチュワ物語　渡辺一夫訳
ラブレー第二之書 パンタグリュエル物語　渡辺一夫訳
ラブレー第三之書 パンタグリュエル物語　渡辺一夫訳
ラブレー第四之書 パンタグリュエル物語　渡辺一夫訳
ラブレー第五之書 パンタグリュエル物語　渡辺一夫訳
ピエール・パトラン先生　渡辺一夫訳
日月両世界旅行記　シラノ・ド・ベルジュラック　赤木昭三訳
ロンサール詩集　ロンサール　井上究一郎訳
エセー 全六冊　モンテーニュ　原二郎訳
ラ・ロシュフコー箴言集　二宮フサ訳
ブリタニキュス ベレニス　ラシーヌ　渡辺守章訳
ドン・ジュアン —石像の宴　モリエール　鈴木力衛訳
完訳ペロー童話集　新倉朗子訳
カンディード 他五篇　ヴォルテール　植田祐次訳

哲学書簡　ヴォルテール　林達夫訳
ルイ十四世の世紀 全四冊　ヴォルテール　丸山熊雄訳
フィガロの結婚　ボオマルシェエ　辰野隆訳
美味礼讃 全二冊　ブリア－サヴァラン　関根秀雄・戸部松実訳
アドルフ　コンスタン　大塚幸男訳
近代人の自由と古代人の自由・征服の精神と簒奪 他一篇　コンスタン　堤林剣・堤林恵訳
恋愛論 全二冊　スタンダール　杉本圭子訳
赤と黒 全二冊　スタンダール　桑原武夫・生島遼一訳
ゴプセック・毬打つ猫の店　バルザック　芳川泰久訳
艶笑滑稽譚 全三冊　バルザック　石井晴一訳
レ・ミゼラブル 全四冊　ユーゴー　豊島与志雄訳
死刑囚最後の日　ユーゴー　豊島与志雄訳
ライン河幻想紀行　ユーゴー　榊原晃三編訳
ノートル＝ダム・ド・パリ 全二冊　ユーゴー　辻昶・松下和則訳
モンテ・クリスト伯 全七冊　アレクサンドル・デュマ　山内義雄訳
三銃士 全二冊　デュマ　生島遼一訳
エトルリヤの壺 他五篇　メリメ　杉捷夫訳

カルメン	メリメ	杉捷夫訳
愛の妖精（プチット・ファデット）	ジョルジュ・サンド	宮崎嶺雄訳
ボヴァリー夫人 全二冊	フローベール	伊吹武彦訳
感情教育 全二冊	フローベール	生島遼一訳
紋切型辞典	フローベール	小倉孝誠訳
サラムボー 全二冊	フローベール	中條屋進訳
未来のイヴ 全二冊	ヴィリエ・ド・リラダン	渡辺一夫訳
風車小屋だより	ドーデー	桜田佐訳
月曜物語	ドーデー	桜田佐訳
パリ風俗 サフォ	ドーデ	朝倉季雄訳
プチ・ショーズ —ある少年の物語	ドーデ	原千代海訳
少年少女	アナトール・フランス	三好達治訳
神々は渇く	アナトール・フランス	大塚幸男訳
テレーズ・ラカン 全二冊	エミール・ゾラ	小林正訳
ジェルミナール 全三冊	エミール・ゾラ	安士正夫訳
獣人 全二冊	エミール・ゾラ	川口篤訳
制作 全二冊	エミール・ゾラ	清水正和訳
水車小屋攻撃 他七篇	エミール・ゾラ	朝比奈弘治訳
氷島の漁夫	ピエール・ロチ	吉氷清訳
マラルメ詩集		渡辺守章訳
脂肪のかたまり	モーパッサン	高山鉄男訳
メゾンテリエ 他三篇	モーパッサン	河盛好蔵訳
モーパッサン短篇選		高山鉄男編訳
わたしたちの心	モーパッサン	笠間直穂子訳
地獄の季節	ランボオ	小林秀雄訳
対訳ランボー詩集 —フランス詩人選(1)		中地義和編
にんじん	ルナアル	岸田国士訳
ぶどう畑のぶどう作り	ルナアル	岸田国士訳
博物誌	ルナアル	辻昶訳
ジャン・クリストフ 全四冊	ロマン・ローラン	豊島与志雄訳
トルストイの生涯	ロマン・ロラン	蛯原徳夫訳
ベートーヴェンの生涯	ロマン・ロラン	片山敏彦訳
ミケランジェロの生涯	ロマン・ロラン	高田博厚訳
フランシス・ジャム詩集		手塚伸一訳
三人の乙女たち	フランシス・ジャム	手塚伸一訳
背徳者	アンドレ・ジイド	川口篤訳
法王庁の抜け穴	アンドレ・ジイド	石川淳訳
精神の危機 他十五篇	ポール・ヴァレリー	恒川邦夫訳
若き日の手紙	フィリップ	外山楢夫訳
朝のコント	フィリップ	淀野隆三訳
シラノ・ド・ベルジュラック	ロスタン	辰野隆・鈴木信太郎訳
地底旅行	ジュール・ヴェルヌ	朝比奈弘治訳
八十日間世界一周	ジュール・ヴェルヌ	鈴木啓二訳
海底二万里 全二冊	ジュール・ヴェルヌ	朝比奈美知子訳
結婚十五の歓び		新倉俊一訳
死霊の恋・ポンペイ夜話 他三篇	ゴーチエ	田辺貞之助訳
火の娘たち	ネルヴァル	野崎歓訳
パリの夜 —革命下の民衆	レチフ・ド・ラ・ブルトンヌ	植田祐次編訳
牝猫（めすねこ）	コレット	工藤庸子訳
シェリ	コレット	工藤庸子訳
シェリの最後	コレット	工藤庸子訳

生きている過去　レニエ　窪田般彌訳
ノディエ幻想短篇集　ノディエ　篠田知和基編訳
フランス短篇傑作選　山田稔編訳
シュルレアリスム宣言・溶ける魚　アンドレ・ブルトン　巖谷國士訳
ナジャ　アンドレ・ブルトン　巖谷國士訳
不遇なる一天才の手記　ヴォーヴナルグ　関根秀雄訳
ジェルミニィ・ラセルトゥウ　ゴンクウル兄弟　大西克和訳
ジュスチーヌまたは美徳の不幸　サド　植田祐次訳
とどめの一撃　ユルスナール　岩崎力訳
フランス名詩選　安藤元雄・入沢康夫・渋沢孝輔編
繻子の靴　全二冊　ポール・クローデル　渡辺守章訳
A・O・バルナブース全集　全二冊　ヴァレリー・ラルボー　岩崎力訳
悪魔祓い　ル・クレジオ　高山鉄男訳
楽しみと日々　プルースト　岩崎力訳
失われた時を求めて　全十四冊　プルースト　吉川一義訳
子ども　全二冊　ジュール・ヴァレス　朝比奈弘治訳
シルトの岸辺　ジュリアン・グラック　安藤元雄訳

星の王子さま　サン＝テグジュペリ　内藤濯訳
プレヴェール詩集　小笠原豊樹訳

岩波文庫の最新刊

梶山雄一・丹治昭義・津田真一・田村智淳・桂紹隆 訳注
梵文和訳 華厳経入法界品 (上)

大乗経典の精華。善財童子が良き師達を訪ね、悟りを求めて、遍歴する雄大な物語。梵語原典から初めての翻訳、上巻は序章から第十七章を収録。(全三冊)
〔青三四五-一〕 **定価一〇六七円**

大髙保二郎・松原典子編訳
ゴヤの手紙 (下)

近代へと向かう激流のなかで、画家は何を求めたか。本書に編んだゴヤ全生涯の手紙は、無類の肖像画家が遺した、文章による優れた自画像である。(全二冊)
〔青五八四-二〕 **定価一一一一円**

マックス・プランク著/西尾成子訳
熱輻射論講義

量子論への端緒を開いた、プランクによるエネルギー要素の仮説。新たな理論の道筋を自らの思考の流れに沿って丁寧に解説した主著。
〔青九四九-一〕 **定価一一七七円**

小南一郎訳注
楚辞

『詩経』と並ぶ中国文学の源流。戦国末の動乱の世に南方楚に生まれ、屈原伝説と結びついた楚辞文芸。今なお謎に満ちた歌謡群は、悲哀の中にも強靱な精神が息づく。
〔赤一-一〕 **定価一三二〇円**

ヴァルター・ベンヤミン著/今村仁司、三島憲一 他訳
パサージュ論 (四)

産業と技術の進展はユートピアをもたらすか。「サン゠シモン、鉄道」「フーリエ」「マルクス」「写真」「社会運動」等の項目を収録。断片の伝えるベンヤミンの世界。(全五冊)
〔赤四六三-六〕 **定価一一七七円**

今月の重版再開

イブン゠ハルドゥーン著/森本公誠訳
歴史序説 (一)

定価一三八六円 〔青四八一-一〕

イブン゠ハルドゥーン著/森本公誠訳
歴史序説 (二)

定価一三八六円 〔青四八一-二〕

定価は消費税 10% 込です　　2021. 6